Ü4
.KORIDWEN

U4 est un ensemble de quatre romans
qui peuvent se lire dans l'ordre de votre choix.

À l'origine de cette aventure collective,
quatre auteurs français, qui signent chacun un titre :

Koridwen, de Yves Grevet
Yannis, de Florence Hinckel
Jules, de Carole Trébor
Stéphane, de Vincent Villeminot

ISBN : 978-2-74-851658-6
© 2015 Éditions Nathan et éditions Syros, SEJER,
25, avenue Pierre-de-Coubertin, 75013 Paris, France
Loi n° 49-956 du 16 juillet 1949 sur les publications destinées
à la jeunesse, modifiée par la loi n° 2011-525 du 17 mai 2011
Dépôt légal : août 2015

YVES GREVET

U4
.KORIDWEN

**⑤ SYROS
NATHAN**

À Pierre, Simon et Paul

« *Je vous tue tous.* »

Paroles de l'Ankou sur l'ossuaire
de l'enclos paroissial de Braspart

PRÉAMBULE
1ER NOVEMBRE

Cela fait dix jours que le filovirus méningé U4 (pour « Utrecht », la ville des Pays-Bas où il est apparu, et « 4e » génération) accomplit ses ravages.

D'une virulence foudroyante, il tue quasiment sans exception, en quarante heures, ceux qu'il infecte : état fébrile, migraines, asthénie, paralysies, suivies d'hémorragies brutales, toujours mortelles.

Le virus s'est propagé dans toute l'Europe. Berlin, Lyon, Milan… Des quartiers, des villes, des zones urbaines entières ont été mises successivement en quarantaine pour tenter de contenir l'épidémie. En vain.

Plus de 90 % de la population mondiale ont été décimés. Les seuls survivants sont des adolescents.

La nourriture et l'eau potable commencent à manquer. Internet est instable. L'électricité et les réseaux de communication menacent de s'éteindre.

—

Avant l'épidémie, Warriors of Time – WOT pour les initiés – était un jeu vidéo en ligne dit «massivement multi-joueurs». En fonction de leur niveau, les joueurs pouvaient voyager à travers les époques d'un monde fictif, Ukraün, afin de changer le cours des événements et ainsi accomplir leur quête. Régulièrement, les joueurs se rendaient sur le forum pour élaborer des stratégies ou recevoir les conseils des combattants Experts, voire de Khronos lui-même, le maître de jeu.

Le 1er novembre, avant-dernier jour de fonctionnement du réseau mondial Internet, WOT compte environ cent cinquante Experts encore en vie sur le territoire français. Ceux d'entre eux qui se connectent au forum ce jour-là, pour oublier la réalité ou échanger des informations sur la progression de la catastrophe, reçoivent ce message :

De : maître de jeu
À : Experts
Ceci est sans doute mon dernier message.
Les connexions s'éteignent peu à peu dans
le monde entier. Gardez espoir. Nous sommes
toujours les Guerriers du temps. Je connais
le moyen de remonter le temps. Je l'ai toujours
connu. Mais seul, je ne peux rien faire.
Rejoignez-moi. Ensemble, nous pourrons éviter
la catastrophe en réécrivant le passé. Croyez
en moi, croyez en vous, et nous gagnerons
contre notre ennemi le plus puissant : le virus.

Rendez-vous le 24 décembre à minuit sous la plus vieille horloge de Paris.

Khronos

—

Jules, Koridwen, Stéphane et Yannis font partie de ces Experts. *U4* est leur histoire.

UNE

7 NOVEMBRE

Comme tous les autres jours, je me suis levée tôt pour nourrir les bêtes. Ce matin, c'était au prix d'un très gros effort. Je n'ai pratiquement pas fermé l'œil de la nuit. À mesure que le temps s'écoulait, mes pensées devenaient plus sombres et plus désespérées. Vers 4 ou 5 heures, j'ai débouché le flacon de poison et je l'ai porté à mes lèvres. Avant d'avaler la première gorgée, je me suis fixé un ultimatum : « Koridwen, si tu ne trouves pas dans la minute une seule raison de ne pas en finir, bois-le ! »

Et là, au bout de longues secondes de noir complet, j'ai vu apparaître dans un coin de mon cerveau la grosse tête de la vieille Bergamote. Jamais elle ne parviendra à mettre bas sans mon aide. Je la connais. J'étais là la dernière fois et ça n'avait pas été une partie de plaisir. Si je ne suis pas à ses côtés, elle en crèvera, c'est sûr. Elle et son petit.

Alors c'est pour cette vache que je suis encore vivante à cette heure. Après son vêlage, il faudra donc que je me repose la question. Depuis que je suis la seule survivante du hameau, je fonctionne comme un robot, sans jamais réfléchir. J'alterne les moments d'activité intense et les temps morts où, prostrée dans un coin, je ne fais que pleurer ou me laisser aller à de brefs instants de sommeil.

Je continue à traire mes bêtes mais je répands le lait dans la rigole. Si j'arrêtais la traite, elles souffriraient quelque temps, puis leur production stopperait d'elle-même. Je continue à le faire parce que ça m'occupe l'esprit et me donne l'illusion que la vie suit un cours presque normal. Je change les litières. Je remplis la brouette avec la paille souillée. L'odeur est forte mais elle est rassurante. Le poids de la charge tire dans mes épaules. Ça m'épuise vite et, le soir, cela m'aide à trouver plus facilement le sommeil. C'est une tâche fastidieuse et pénible mais on voit le travail avancer et, à la fin, on a le sentiment du devoir accompli. Les bruits de la campagne ont changé depuis deux semaines. Le silence n'est plus troublé par le bourdonnement des voitures et des engins agricoles.

Pourtant, il y a quelques minutes, j'ai cru entendre un véhicule approcher. Puis plus rien. Je suis sortie pour voir. Mais il n'y avait personne. Je commence peut-être à perdre la boule.

J'étale maintenant de la paille propre sur tout le sol de l'étable. Les bêtes sont soudain nerveuses, comme avant un orage ou lorsque des taons les agressent l'été. Je sursaute en sentant une présence derrière mon dos. Ce sont deux gars à peine plus âgés que moi. Ils se ressemblent, peut-être sont-ils frères. Je reconnais l'un des deux. Je l'ai vu en ville plusieurs fois avant la catastrophe. Il traînait avec d'autres à l'entrée du mini-market du centre. Ils sirotaient des bières et faisaient la manche. Je ne suis donc pas la seule dans les parages à avoir survécu. J'en éprouve une sorte de soulagement. Mais ce n'est pas avec eux que je vais pouvoir rompre ma solitude. Le regard qu'ils posent sur moi me glace le sang. Je ressens leur hostilité et leur malveillance. C'est le plus vieux qui m'interpelle en grimaçant :

– On a besoin d'outils du genre perceuse-visseuse, scie circulaire, marteau, hache, tronçonneuse. On a des portes et des volets à faire sauter dans le coin.

– Vous n'êtes pas chez vous ici et vous n'avez aucun droit, dis-je en relevant la fourche pour les menacer.

– Hé la gamine, reprend le gars en colère, tu vis sur une autre planète ou quoi ? C'est fini tout ça. Tout le monde est mort, sauf quelques jeunes de notre âge. Maintenant, plus rien n'appartient à personne. Si on veut survivre, on doit se servir. Ceux qui voudront rester honnêtes crèveront.

– Pourquoi vous n'allez pas ailleurs ? Ce ne sont pas les hameaux désertés qui manquent dans les environs.

– Ici, on savait qu'on trouverait de la compagnie, lance le plus jeune. Il paraît que sous ta salopette de paysanne se cache un corps de déesse.

– Arrête tes conneries, Kev ! On n'est pas venus pour ça. Toi, la petite, magne-toi de répondre ou ça va chauffer !

– La clé de l'appentis est sur la porte.

– Merci ma belle.

Le jeune Kevin m'adresse un regard qui signifie que je ne perds rien pour attendre. Je fais mine de reprendre ma tâche et je baisse les yeux. L'aîné est sorti et l'autre me surveille. Je m'approche pour répartir la paille à quelques mètres de lui. Il finit par se lasser de me contempler et se tourne vers la cour. Je me jette alors sur lui, la fourche en avant, et lui plante deux pointes dans la cuisse gauche. Ses genoux plient sous la douleur et il s'écroule à mes pieds. Il semble manquer d'air et ne parvient pas à crier. Je le contourne et cours jusqu'au râtelier planqué dans un placard de l'arrière-cuisine. J'attrape un des fusils de chasse avec lesquels mon père m'a initiée au tir. Je le charge avec des cartouches qui étaient cachées dans le bahut du salon. Je ressors, pénètre dans l'appentis et tire à deux reprises au-dessus de la tête du pillard qui lâche ce qu'il avait pris. Il a la trouille et son visage vire au gris.

– Va récupérer ton frangin et barrez-vous d'ici. Sinon, je vous abats comme des lapins.

Il a compris et se précipite dans l'étable pour ramasser son frère qui chiale maintenant comme un gamin. Il parvient à le relever et glisse son bras sous son épaule. Ils s'éloignent sur le chemin de terre pour rejoindre leur voiture qui était garée en contrebas de la départementale.

Je ne peux me retenir de lancer un conseil :

– Ne tarde pas trop à nettoyer sa plaie, sinon ça va s'infecter.

Sans se retourner, l'aîné lève sa main gauche, le majeur pointé vers le ciel.

Cela faisait deux jours que je n'avais pas rencontré un humain vivant. Le dernier habitant d'ici est mort avant-hier. Il s'appelait Yffig. C'était un homme pragmatique. Dès qu'il a appris par la télé l'ampleur de l'épidémie provoquée par le virus U4, il s'est préparé au pire. Il s'est rendu chez Kiloutou pour louer une pelleteuse avec un godet adapté pour creuser les tranchées.

Avec son engin, nous avons inhumé les neuf autres personnes du hameau. Il m'a montré comment l'utiliser au cas où j'en aurais besoin. Il a eu bien raison parce que c'est moi qui l'ai enterré. J'en ai profité pour creuser mon propre trou. Quand le mal me rattrapera ou bien que je n'en pourrai plus, je plongerai dedans. Et tant pis s'il n'y a personne pour m'ensevelir à ce moment-là.

8 NOVEMBRE

Encore une nuit sans vraiment dormir. Depuis le passage des deux voleurs, je me sens en danger. J'ai compris à leurs regards haineux qu'ils reviendront pour me punir de les avoir humiliés. Je partage maintenant mon lit avec ma carabine chargée et je guette le moindre bruit.

L'envie d'aller retrouver les autres dans la mort continue de me hanter. Ce qui me retient d'en finir, ce n'est pas la peur du grand saut, c'est le sentiment de commettre une faute, de transgresser un ordre naturel selon lequel on ne décide pas soi-même de la fin de son existence. Ma grand-mère m'a toujours enseigné que la vie était précieuse, celle des hommes comme celle des animaux ou même des plantes. On ne peut s'autoriser à la supprimer qu'en cas de nécessité absolue. Elle disait que nous étions les cellules vivantes d'un grand organisme qu'on appelle la Terre, qu'on y jouait tous notre rôle. Je le ressens chaque matin quand je m'occupe des bêtes. Leur chaleur, leur odeur, leurs meuglements, tout semble à sa place.

Que deviendraient mes animaux si je les abandonnais ? Je n'ai jamais assisté à la souffrance d'une vache qu'on assoiffe ou qu'on laisse vêler seule. Depuis que je suis en âge de me souvenir, j'ai vu mon père chaque matin et chaque soir auprès de ses bêtes. Je l'ai vu y aller même quand il tenait à peine debout parce qu'il avait abusé d'alcool fort avec ses potes durant la nuit. C'était comme un devoir sacré auquel rien ne permettait de se soustraire.

Maintenant qu'il n'y a plus que les animaux ici, je devrais être contente, moi qui ne cessais de répéter que je les préférais aux humains parce qu'ils sont plus simples à comprendre et à satisfaire. Eux ne se cachent pas derrière les granges pour pleurer ou ne deviennent pas hystériques parce qu'une tache de vin a résisté à un passage en machine.

Mes parents me manquent. Cette phrase, jamais je n'aurais pensé la prononcer il y a encore quelques semaines. Depuis quatre ou cinq ans, je n'avais plus qu'une idée en tête : fuir cette baraque sinistre que je qualifiais même de « tombeau ». Aujourd'hui où la quasi-totalité de l'humanité a disparu, cette expression me fait honte. Je me sens coupable de l'avoir utilisée si facilement. Ceux qui croient aux signes pourraient aller jusqu'à dire que c'est ma faute si mon hameau s'est transformé en cimetière.

À 5h30, je décide de me lever. Je saisis ma torche et je traverse le champ pour rejoindre Bergamote qui s'est isolée des autres. Je croise son regard. Si elle semble si paisible, malgré l'épreuve qu'elle sent venir, c'est qu'elle sait qu'elle peut compter sur moi. Ce ne sera pas une première pour nous deux. Mais, jusqu'à maintenant, je savais que mon père n'était pas loin et qu'en cas de problème il pouvait intervenir ou appeler le véto.

Je l'encourage en lui parlant et la ramène tranquillement vers la maison. Elle se laisse faire et je l'en remercie en lui grattant les poils entre les cornes. Je vais pouvoir la surveiller plus facilement. Je l'attache dans l'étable et lui glisse à l'oreille :

– Berg, ma vieille, s'il te plaît, ne tarde pas trop.

J'entreprends un grand ménage dans la cuisine. Ma mère serait contente de constater que je suis enfin son exemple. J'ai même enfilé son tablier. Je me souviens de ces débuts de week-end où j'aurais aimé récupérer de ma semaine à l'internat et où j'étais systématiquement réveillée par des bruits de vaisselle qu'on déplaçait sans précaution. Si elle avait voulu m'empêcher de dormir, elle ne s'y serait pas prise autrement. À cet instant, je comprends mieux pourquoi elle aimait astiquer le fond des placards et javelliser le réfrigérateur. Quand on fait ça, on gamberge moins. On se fatigue et on se saoule avec l'odeur entêtante des produits chimiques. J'aperçois sur le buffet le poison que je me suis préparé après l'enterrement d'Yffig. J'ai broyé à parts égales les antidépresseurs de papa et ceux de maman avant de les diluer dans une eau colorée et sucrée avec du sirop de grenadine. L'aspect de la préparation a beaucoup changé. Un épais dépôt crayeux tapisse le fond, surmonté d'une fine couche rouge. Au-dessus, l'eau est à peine troublée. Je ne peux résister à l'envie de m'en saisir. Je le secoue violemment pour lui rendre son apparence homogène de sirop. Je reste quelques instants immobile à fixer les strates de liquide qui se reforment. Puis je le repose avec précaution. Un jour, cela me servira peut-être.

Après deux heures de travail acharné, je me sens épuisée. Je m'assois à la table de la cuisine. Pendant que le thé infuse, mes paupières se ferment et je sombre dans le sommeil. Je suis réveillée par une douleur dans le dos due à la position inconfortable dans laquelle je me suis endormie. Je ne perçois plus le ronflement rassurant du frigo. Je l'ouvre. La lumière intérieure ne s'allume plus. J'actionne alors l'interrupteur du plafonnier, en vain. Il n'y a plus d'électricité. Après Internet et la télévision, disparus il y a plus d'une semaine, c'est dans l'ordre des choses.

Je sors à l'air libre pour me réveiller tout à fait. Il tombe une pluie fine qui mouille à peine le sol. Lorsque je retire le tablier de ma mère, je respire soudain son odeur. Je ferme les yeux. La dernière fois que je l'ai vue, je l'avais trouvée transformée. Il émanait d'elle une vigueur que je ne lui connaissais pas. Nous venions d'apprendre que mon père était mort du virus dans un bar de Morlaix, au milieu de ses poivrots d'amis. Nous n'avons pas eu le droit de le revoir une dernière fois. À la vitesse où les décès se succédaient, les autorités avaient renoncé à organiser la reconnaissance des corps et l'ensevelissement individuel des cadavres. Moi, j'étais bouleversée par le décès de papa et je ne comprenais pas pourquoi ma mère ne voulait pas me prendre dans ses bras. J'imagine aujourd'hui qu'elle se sentait atteinte de la maladie et avait peur de me contaminer. L'urgence de la situation semblait l'avoir électrisée. Elle m'a parlé longuement, comme jamais auparavant.

Elle m'a déclaré plusieurs fois que j'étais une fille courageuse et que je saurais quoi faire de ma vie. À ma grande déception, elle ne s'est pas attardée sur la disparition de mon père, parce que cela, disait-elle, on ne pouvait pas le changer et qu'il fallait aller de l'avant. Moi, j'avais envie qu'on se remémore nos souvenirs heureux tous les trois et qu'on vide notre chagrin ensemble. Elle a préféré évoquer l'existence d'une lettre que ma grand-mère m'avait laissée juste avant de décéder, un an plus tôt. « Une lettre, a-t-elle précisé, que ton père ne voulait pas que tu ouvres et qu'il hésitait à brûler. Du coup, je l'ai cachée sous mon matelas. » Sur le moment, cette information m'a paru sans intérêt. Ça me semblait tellement loin du drame que nous vivions. « En attendant, a repris ma mère, il faut nous préparer au pire, ma fille. Je t'aime, Koridwen, et je serai toujours dans ton cœur, même si je suis loin de toi. » « Pourquoi parles-tu comme ça ? » ai-je demandé.

Elle m'a plantée là pour aller faire à manger. La nuit suivante, elle était morte. J'étais maintenant seule au monde.

9 NOVEMBRE

Hier, je me suis écroulée comme une masse sur le canapé du salon juste au moment où la nuit tombait. J'ai été réveillée par le froid quatre heures plus tard. Je me suis traînée jusqu'à mon lit mais je n'ai retrouvé le sommeil qu'aux premières lueurs du jour.

La fatigue me rend nerveuse et fragile. J'essaie d'être sans cesse active mais j'ai de brusques moments d'abattement. Subitement et sans que je le sente venir, je m'écroule en larmes. Je reste prostrée de longues minutes sur le canapé ou sur mon lit à imaginer les pires scénarios. J'ai surtout peur d'avoir mal, de me sentir humiliée si des gens s'en prennent à moi. Si j'avalais le poison, plus rien n'aurait d'importance.

Pour ne rien arranger, ce matin, l'eau a été coupée. Heureusement, il y a la pompe manuelle reliée à l'ancien puits. J'ai vu mon père s'en servir quand il y avait des restrictions d'eau pendant les canicules. Je fais le tour des autres maisons pour récupérer les stocks de piles et de bougies. Heureusement, j'avais des voisins prévoyants et je peux voir venir. Je transporte aussi leurs bonbonnes de gaz dans la grange. Je vide intégralement le congélo et le frigo avant que la nourriture n'y pourrisse. Je cuis la viande et prépare de la soupe. Cela faisait longtemps que je n'avais pas mangé chaud. J'ai enfoui tout ce qui n'était plus consommable dans un trou parce que ça commençait à puer.

Si je me décide à survivre, il ne faut pas que je reste seule. Mais où sont les autres ? Combien en reste-t-il ? Je me souviens de ce que m'a dit l'un des deux pillards : « Tout le monde est mort, sauf quelques jeunes de notre âge. »

Cela pourrait signifier que, pour une raison mystérieuse, seuls les ados résisteraient au virus U4. C'est vrai que lorsque l'internat a été fermé, aucun élève n'avait développé les symptômes de la maladie, seuls les profs et le personnel administratif étaient touchés. Cindy doit être vivante. Je veux la voir. Peut-être acceptera-t-elle de vivre ici avec moi. On pourrait ensuite aller chercher Max, mon cousin qui a juste un an de plus que moi. Lui aussi a dû survivre. À trois, la vie serait plus supportable.

J'ai réussi à faire démarrer l'antique mobylette de mon père. Je l'ai plus souvent vu la réparer que l'utiliser. Je lui demande juste de tenir la journée pour que je puisse aller voir ma copine et mon cousin dont les domiciles sont éloignés du mien. J'ai fixé avec des tendeurs un fusil sur le porte-bagages. J'ai un couteau, des cartouches et des jumelles dans mon sac à dos. La vitesse et le bruit me font un bien fou. J'ai l'impression que ma tête se vide de toutes les pensées noires qui l'encombraient. Il faut que j'en profite car l'effet ne durera pas. Je ralentis la machine quand j'aperçois au loin des fumées épaisses. C'est dans cette zone qu'habite Cindy. De là où je suis, un rideau d'arbres m'empêche de déterminer si c'est sa maison qui est touchée. J'arrête la bécane et vais la cacher derrière le calvaire. Je connais un chemin qui me permettra d'approcher plus discrètement. Peut-être que je me fais un mauvais film, mais je ne peux m'empêcher d'imaginer que son coin est devenu la proie de voyous dans le genre des deux gars qui m'ont rendu visite. Je suis à moins de cent mètres de chez elle. La vue est dégagée. Je m'assois et sors mes jumelles. C'est une grange à l'écart qui finit de brûler. Avec la pluie qui est tombée cette nuit, l'herbe est bien mouillée et le feu ne se propagera pas. Trois voitures sont garées dans la cour de la maison de Cindy. Il y a pas mal de gens à l'extérieur. Je compte six gars et trois filles. J'en reconnais vaguement certains. Je repère le Kevin qui est venu me piller. J'avais raison de me méfier. Il boite et s'aide d'une canne pour marcher. La bande semble avoir investi la grande baraque récemment rénovée par des Nantais. Je repense au fils de la famille, Nathan, un gamin de onze ans très collant qui essayait de draguer mon amie. Pendant les dernières vacances, j'avais croisé sa grande sœur venue de Lyon où elle vivait désormais avec son père. Elle avait un look incroyable, cheveux courts tirant sur le gris, vêtements noirs. Ils avaient emménagé à peine quatre mois plus tôt. Ils n'auront pas beaucoup profité de leur belle maison. Le deuxième pillard apparaît avec une bouteille de bière à la main. J'aperçois aussi le grand frère de Cindy qui se balade torse nu malgré la fraîcheur de l'air. Ma copine est sans doute chez elle dans sa chambre. Je sais comment y accéder discrètement. Je planque mes affaires dans un fourré pour être plus légère et ne conserve que le couteau que je glisse dans ma chaussette. J'ai bien fait d'enfiler la veste de chasse de mon père, ainsi je ne suis pas trop repérable. Je fais un grand détour pour arriver par l'arrière du bâtiment. Je tape au carreau. Cindy réagit très vite et me fait entrer. Je lis sur son visage de la joie mais aussi un peu d'inquiétude. Elle me fait signe de parler tout bas.

– Je suis contente de te voir mais il ne faut pas que tu restes. Les copains de mon frère ne sont pas très nets. Et Greg et Kevin t'en veulent pour ce que tu leur as fait. Jusqu'à maintenant, mon frère a réussi à les en dissuader mais ils cherchent à se venger. Et surtout ils veulent tes armes. Tu devrais te barrer de Menesguen avant qu'ils décident de revenir te voir.

– Et pour aller où ?

– Je ne sais pas mais j'ai peur pour toi.

– Pourquoi la grange a-t-elle brûlé ?

– Hier soir, ils étaient un peu saouls et ils ont déconné.

– Viens chez moi, ce sera plus calme.

– Non, je préfère rester là. Ici, au moins, mon frère me protège. Toi, il faudrait que tu trouves quelqu'un pour veiller sur toi. Tu ne peux pas continuer à vivre toute seule. Tu es trop vulnérable.

– J'ai décidé que j'allais adopter Max.

– Ton cousin, je l'aime bien. Il est gentil. Mais je ne sais pas si c'est une bonne idée. Il va être une charge pour toi, pas un secours.

Elle ne viendra pas avec moi. Cela ne sert à rien d'insister. Je reprends :

– C'est quand même horrible ce qui nous arrive. Tu te rappelles comme nous étions heureuses toutes les deux dans notre chambre à l'internat ? Depuis toujours, on était comme des sœurs et, là, on vivait enfin ensemble.

– C'est vrai. On se sentait libres et indépendantes.

Elle marque un temps et son regard s'assombrit. Sa voix est brisée quand elle continue :

– Et puis, à cause de ce virus de merde, le monde autour de nous s'est écroulé. Notre vie s'est arrêtée là brusquement. Plus rien ne sera jamais comme avant.

Ma copine est bouleversée. Je n'aurais jamais dû évoquer ces souvenirs. J'essaie de changer de sujet.

– Les Nantais sont partis ?

– Non, ils sont morts dans les premiers.

– Vous les avez enterrés ?

– Les gars ont seulement balancé leurs corps dans les bois derrière l'étang pour ne pas être gênés par l'odeur.

– C'est dégueulasse. Tout le monde a le droit de reposer en paix.

Son regard exprime son impuissance. Elle est aussi choquée que moi. Je le sais et je n'insiste pas.

– Je vais y aller. Si tu changes d'avis, tu sais où j'habite.

Nous nous enlaçons un long moment. Elle pleure. Moi je résiste.

Je pousse ma mobylette sur quelques centaines de mètres avant de la faire démarrer. Si les autres décidaient de me poursuivre avec leurs voitures, ils me rattraperaient vite. J'essaie ensuite, comme à l'aller, de faire le vide en me laissant griser par la vitesse et le vrombissement du moteur, mais ce n'est plus possible. Cindy m'a laissée tomber.

De retour à la maison, j'installe une chaise longue près de Bergamote dans l'étable et m'enveloppe dans plusieurs couvertures. Je ne tarde pas à fermer les yeux. Je suis réveillée par un aboiement lointain. J'étais en plein rêve. Je volais comme Superman au-dessus de la ferme. Puis j'atteignais une plage battue par les vents où brûlait un immense cercle de feu. Au milieu, une petite fille, dont je distinguais mal le visage, appelait au secours, les bras tendus vers le ciel. Une *groab*, une vieille femme aux cheveux rares et sales, cherchait à l'attirer dans le brasier. Mais j'intervenais à la dernière seconde pour la sortir de là en l'entraînant dans le ciel. Une meute de chiens perchés sur une falaise contemplaient la scène en vociférant, la bave aux lèvres.

Je suis debout et je serre mon arme contre moi. Je reste immobile un long moment à tenter d'interpréter les sons dans le lointain. Aucun autre bruit suspect ne se fait entendre, alors je me décide à bouger. Je vais caresser Bergamote pour qui le moment ne semble pas encore venu de mettre au monde son petit dernier.

Je réchauffe mes restes et m'installe devant la télé muette. Je n'y contemple que mon reflet. Je ne ressemble à rien. Je ne me suis ni coiffée ni lavée depuis trois jours. À quoi bon?

10 NOVEMBRE

L'institution où réside mon cousin est située au nord de l'agglomération de Morlaix, à l'écart des habitations. Heureusement, c'est éloigné des zones commerciales où j'imagine que des bandes sont en train de sévir.

L'endroit est étrangement calme. Je planque ma bécane et mon sac dans des taillis. Je traverse le jardin pour atteindre le bâtiment principal. La grande porte n'est pas fermée à clé et j'entre dans le hall. Une odeur infecte de pourriture et d'excréments me saisit à la gorge. Il fait quasiment noir car les volets sont baissés. Je ne referme pas la porte pour que la lumière pénètre et que la puanteur se dissipe un peu. Je sens des présences autour de moi mais ne distingue personne. On m'observe. Ils veulent faire croire que le lieu est inhabité et espèrent que je vais repartir. J'ai peur mais je résiste à la tentation de m'enfuir. Je déclare d'un ton peu assuré :

– Je veux voir Max. Max, tu es là ? Max !

Je m'avance en direction de la salle d'activités où je rendais visite à mon cousin un ou deux week-ends par mois. Je pose la main sur la poignée quand j'entends derrière moi un sifflement strident. Avant que je puisse me retourner, je suis assaillie par plusieurs individus dont les visages sont cachés sous des masques en plastique de personnages de dessins animés. Je suis ceinturée, agrippée au niveau des bras et des jambes par une dizaine de mains inconnues. Un Donald plutôt frêle ouvre mon blouson et relève mon tee-shirt jusqu'à mon soutif. Je me recroqueville, prise de panique. Il baisse mon jogging mais le remonte presque aussitôt. Il vérifiait sans doute que je n'étais pas armée. On me traîne dans les étages. Je les entends souffler et grogner. Ils sont surexcités. Je suis pratiquement portée jusqu'à une chaise où on me ligote brutalement. J'essaie de me raisonner. Si j'ai affaire aux résidents, les choses ne devraient pas mal tourner. Ils me connaissent tous de vue. Certains m'ont déjà parlé, et puis Max doit bien être quelque part. Un grand Peter Pan se plante devant moi. Il lève le bras pour calmer les autres qui me tournaient autour en me bousculant. Son phrasé est hésitant mais sa voix est puissante.

– Pouquoi t'es là ?

– Je veux voir Max.

– Pouquoi ?

Je crois l'avoir identifié. Je me jette à l'eau :

– C'est mon cousin. Tu le sais. Toi, tu es Jason, c'est ça ?

– Non, je suis Peter Pan, hurle-t-il, visiblement très en colère. Et je suis méchant !

Il appuie brutalement sa paume sur mon front et répète pour que ça rentre dans ma tête :

– Je suis méchant Peter Pan ! Méchant Peter Pan ! On est des psychopathes !

– Des psychopathes ! Des psychopathes ! reprennent les autres en criant.

Quelqu'un me tire les cheveux en arrière et me tord le cou. La douleur fait jaillir des larmes de mes yeux. Où est Max ?

La personne a lâché ma natte. J'ai l'impression qu'ils ne savent pas quoi décider à mon sujet. Jason quitte la pièce avec les autres et me laisse sous la surveillance de Minnie et de la Belle au bois dormant. Je tente gentiment d'améliorer ma situation :

– Vous pourriez ouvrir la fenêtre, s'il vous plaît ? Pour faire entrer de l'air ?

Les deux se regardent et la Belle se décide à obtempérer. Je respire enfin un peu. Je me concentre pour rassembler mes souvenirs. Il faut absolument que je parvienne à entrer en communication avec eux et que je sache ce qu'est devenu mon cousin. Je les observe. Minnie a un tic. Elle tirebouchonne sans arrêt son mouchoir. Je revois une jeune fille un peu ronde qui écoutait de la musique avec un casque et qui avait ce même geste nerveux. Elle chantonnait en même temps. Parfois sa voix s'élevait et Max se moquait d'elle avec bienveillance : « Solène, arrête de faire Madonna ! » Elle répondait à chaque fois en souriant : « T'es bête ! C'est pas Madonna ! Elle est trop vieille, Madonna. » Je me lance en essayant de calmer ma peur.

– Solène ? Il est où Max ?

– Max, il est bête !

– Pourquoi il est bête ?

– Max, il veut pas être méchant !

– Va le chercher! Dis-lui que Kori est là.

Elle regarde sa copine qui lui fait non de la tête. Solène baisse les yeux et se concentre à nouveau sur son mouchoir. Si mon cousin est parti, je ne vois pas comment je vais m'en sortir. Pendant plus d'une heure, il ne se passe rien. Je commence à avoir des courbatures. Un Aladin un peu enveloppé est venu leur apporter à chacune une poignée de pâtes crues et une petite bouteille plastique remplie d'une eau douteuse. Elles croquent lentement et avalent leur immonde repas en faisant la grimace. Je leur fais remarquer de ma voix la plus douce:

– C'est pas bon les pâtes crues. Il faut les faire cuire! Ça va vous rendre malades. Dites à Peter Pan que je peux vous faire la cuisine! Allez-y! Allez lui dire!

Minnie consulte l'autre du regard qui lui fait signe qu'elle est d'accord.

Un quart d'heure plus tard, le chef débarque avec un petit Dingo. Ils ont l'air calmés. Je leur réitère ma proposition. Peter Pan me fixe un long moment avant de déclarer:

– OK, mais tu te fous pas de ma gueule! T'as compris?

On m'emmène dans un autre bâtiment qui ne comporte pas d'étage. Je prie en silence pour que la citerne de gaz que j'ai aperçue lors d'une de mes précédentes visites ne soit pas vide. Le sol du réfectoire est jonché d'ordures. Un des murs de la cuisine est noir de suie. Le carrelage est couvert d'une matière qui ressemble à une bouillie plus ou moins diluée par endroits. Je découvre les réserves dans l'arrière-cuisine. S'ils gèrent bien, ils peuvent tenir quelques semaines. Minnie, la Belle et Aladin m'assistent.

L'eau qu'ils utilisent vient de la rivière toute proche. Ils en ont rempli de grands tonneaux. Nous en renversons par terre et évacuons la masse visqueuse par les portes qui donnent sur l'extérieur. Je fais bouillir dans une grande gamelle de l'eau que je verse progressivement, au fur et à mesure que le liquide arrive à ébullition. Minnie suit tous mes gestes avec intérêt. Je fais nettoyer et remplir les brocs d'eau. Je laisse tomber dedans quelques gouttes d'eau de Javel. Je demande à mon assistante combien ils sont. Pour me faire comprendre, je lève les doigts un à un en énumérant leurs surnoms : Minnie, Peter Pan, la Belle, Aladin, Dingo…

Nous dénombrons quinze personnes, dont Max qu'elle cite en dernier et après avoir longtemps hésité. Je suis rassurée. Il est là quelque part. Je dose les pâtes, puis nous mettons le couvert tous les quatre. Je constate qu'ils devaient le faire avant car leurs gestes sont précis. Peter Pan fait son entrée avec sa bande alors que nous nous apprêtons à servir. Tous remontent leur masque sur leur crâne en même temps. Je demande après Max. Personne ne répond. Ils se jettent sur la nourriture. J'aperçois des sourires de contentement. Les plats sont vidés et récurés en moins de cinq minutes. Le chef, visiblement détendu par le repas, se lève et me fait signe de le suivre. Je l'interroge :

– Max ?

– Max, répète-t-il en rigolant.

Il m'entraîne avec Dingo vers un bâtiment à l'écart. C'est par là que j'ai caché ma mobylette. Il sort une clé, ouvre la porte. Il m'invite à entrer et comme j'hésite, il m'attrape par le tee-shirt tandis que l'autre se place derrière moi et me pousse violemment en avant. Je parviens à me dégager et je plonge sur la pelouse. Ils sont surpris par ma rapidité. Je roule sur le côté et me remets debout. Je fonce vers mon sac et attrape mon fusil. Ils s'écartent tout de suite et lèvent les bras. Je crie:

– Max!

Je défais le cran de sécurité et tire sur le sol. Dingo se bouche les oreilles et s'accroupit. Peter Pan grimace de terreur: le message est passé. Il sait que je ne plaisante pas. Les autres sont sortis du réfectoire mais restent à distance. Je répète en essayant de me montrer calme mais en pointant le canon vers la poitrine du chef:

– Max!

Il a un geste nerveux en direction de Solène qui s'est rapprochée. Celle-ci obtempère et s'éloigne aussitôt. Après de longues minutes, je vois enfin arriver mon cousin. Il est toujours aussi impressionnant et me dépasse de deux têtes. Il semble très fatigué. Quand il m'aperçoit, son regard s'illumine. Il a compris que je venais le chercher. Il sent terriblement mauvais et je fronce le nez. Il sourit et me fait signe de l'attendre. Il repart en sens inverse. Je regrette déjà de ne pas avoir pu réprimer mon écœurement. Peter Pan semble avoir rendu les armes et s'est assis pour patienter. Les autres l'imitent et se mettent à parler entre eux. Après un quart d'heure, Max est de retour avec des habits moins sales et les cheveux mouillés. L'odeur est un peu atténuée. Nous partons sans que ses camarades s'en émeuvent.

Le chemin du retour est long, la mobylette ne supportant pas nos deux poids dans les côtes. Nous marchons le plus souvent et faisons des haltes quand mon cousin montre des signes de fatigue. J'essaie de l'interroger sur ce qu'il a vécu ces dernières semaines et sur les raisons de son emprisonnement. Max ne veut rien expliquer et se contente de répéter le mot « méchant » sur tous les tons, puis de mimer des coups de feu et des gens tués par balle.

– Morts ! Morts ! déclare-t-il, très énervé.

Je n'en saurai pas davantage. Nous arrivons à la maison. Mon cousin s'allonge sur le canapé et s'endort lourdement.

11 NOVEMBRE

Je suis réveillée aux aurores par Max qui fouille la cuisine à la recherche de nourriture. Quand je le rejoins, il a la tête plongée dans la cocotte où j'ai fait cuire la viande deux jours plus tôt. Je le mets en garde :

– Je ne sais pas si c'est encore bon, Max. C'était de la viande congelée, tu vas te rendre malade. Tu ne veux pas que je te prépare autre chose ?

Il serre le récipient contre lui. La sauce a dégouliné sur son menton. Il me sourit.

– Non, j'ai faim, déclare-t-il, la bouche pleine.

Après le petit déjeuner, mon cousin m'entraîne dans le salon et saisit l'album photo. À chaque fois qu'il venait à la ferme, c'était un rituel auquel je ne pouvais pas couper. Assis côte à côte, nous en parcourons les pages. Petits, nous étions souvent ensemble. Il rigole bruyamment quand nous sommes photographiés tout nus à la plage. Je l'ai longtemps considéré comme un frère. Je ne sais pas exactement quand son entourage s'est aperçu de son handicap. Ma mère m'a dit qu'il avait parlé très tard. Au fil des années, son corps se développait mais sa manière de s'exprimer semblait faire du surplace. Je suis certaine depuis toujours qu'il cache son jeu et qu'il est capable de beaucoup plus que ce qu'il veut bien montrer. Le fait qu'il ne soit pas rentré dans le délire collectif de ses potes à l'institution en est une nouvelle preuve. Je suis contente que Max soit là. Mon cousin a passé une grande partie de ses vacances chez nous, à la ferme. Il participait aux travaux des champs quand il en avait envie. Il rêvait de conduire le tracteur mais mon père n'a jamais cédé. Nous passions de bons moments, en particulier à se bagarrer dans les foins ou à se poursuivre en se lançant de l'eau.

– Tu pues, mon cousin ! Si tu veux dormir dans des draps la nuit prochaine, il va falloir te décrasser. D'accord ?

Il me fait une grimace en guise d'assentiment puis déclare en souriant :

– Toi aussi, tu pues !

Je ne réplique pas. Je le crois sur parole.

Je rends visite à Bergamote. Elle s'est couchée sur le côté. Elle est en position mais le travail n'a pas encore commencé. Je prépare tout de même le matériel au cas où. Les cordes, une bassine d'eau propre, des gants stériles qui montent jusqu'aux coudes. Ça, c'est dans l'éventualité où il faudrait plonger la main à l'intérieur. J'ai même rapproché la vêleuse, un appareil en métal qui donne plus de force quand on doit sortir le veau. Bergamote me regarde. Je lui tapote le crâne. Elle n'est pas stressée. Elle a raison, c'est quand on s'affole qu'on fait des bêtises.

Je fais chauffer de l'eau pour que Max puisse prendre son bain. Dès qu'il entre dans la mousse, je lui pique ses vêtements pour les mettre à tremper. Je l'entends s'amuser depuis plus de vingt minutes. Il chante bien faux et fait des bulles. J'imagine déjà dans quel état je vais récupérer la salle de bains. Je lui prépare des habits de mon père pour quand il sortira. Il y sera sans doute à l'étroit car mon père était beaucoup moins imposant. Je vais ensuite préparer son lit dans la chambre de mes parents. J'ouvre la fenêtre en grand pour tenter de chasser leur odeur qui imprègne les tissus et les meubles. En passant la main sous le matelas pour coincer le drap, je tombe sur la lettre de ma grand-mère dont maman m'a parlé avant de mourir. Je finis d'abord le lit puis je m'assois pour la lire. J'hésite à l'ouvrir car je sais que mon père ne l'aurait pas voulu. J'avais une grande tendresse pour ma grand-mère mais, sur la fin de sa vie, ce qu'elle racontait parfois me mettait mal à l'aise. Elle était persuadée d'être une véritable sorcière. Elle disait par exemple qu'elle communiquait avec les arbres et les forces qui gouvernaient l'univers. Quand j'étais petite, elle m'emmenait dans ce qu'elle appelait les « îles de silence ». C'était des espaces boisés, marécageux ou pentus, où les machines agricoles ne pouvaient pas passer. Elle écoutait le frissonnement des feuilles et les grondements du bois. Elle posait sa main contre les troncs et gardait les yeux fermés. Sans même bouger les lèvres, elle parlait aux arbres. Moi, je l'imitais consciencieusement et m'étonnais de ne rien entendre. Un jour, elle m'avait gentiment expliqué :

– Si tu veux savoir… Là, à cet instant, le vieux chêne se plaint de ton père qui a drainé son champ. Une partie de ses racines ne sont plus alimentées et cela nuit à son équilibre. Mais il ne veut pas qu'on s'inquiète. Il dit qu'il va s'adapter. Lui, c'est un fier et jamais il ne demandera d'aide.

– Quand serai-je assez grande pour comprendre les arbres ? lui avais-je demandé.

– Quand tu seras une vraie femme, les arbres te feront confiance et je te passerai le relais.

J'ouvre l'enveloppe et sors deux feuilles couvertes d'une écriture ronde et appliquée.

Koridwen,

Si tu lis cette lettre, c'est que tu as atteint tes quinze ans, l'âge de la majorité celtique. Il est donc temps pour toi de choisir ce que sera ta vie. Tu es assez intelligente pour savoir que ce n'est pas seulement à quinze ans que les choses se décident. Tu as déjà une histoire, et elle a commencé avant même ta naissance.

Ton nom : Koridwen

C'est à moi que tu dois de t'appeler Koridwen. C'est un rêve qui m'a inspiré ton prénom. Une nuit, j'ai été visitée par la magicienne elle-même, celle que les Gallois appellent Kerridwen ou Cerridwen. Elle prédisait un grand malheur et affirmait que toi, tu pourrais sauver le monde du chaos si on te nommait comme elle. J'ai décidé de l'écouter. Pourtant, je me méfie d'elle car la légende la décrit comme un personnage redoutable. Mais, au moins, c'est une femme libre, indépendante et courageuse. Elle est la déesse de la science et de l'inspiration, du bonheur mais aussi de la mort.

Mon fils est persuadé que ton prénom est une idée un peu bizarre de ta mère. Et comme il ne voulait pas la rendre malheureuse, elle qui était déjà si fragile, il ne s'est pas opposé à son choix. S'il avait su que j'en étais l'inspiratrice, il l'aurait refusé. Ton père détestait tout ce qui avait trait aux croyances anciennes. Comme j'exerçais mes talents de guérisseuse de manière régulière, certains dans les environs avaient eu vite fait de me traiter de sorcière. Ton père a souffert de ma réputation durant son enfance et je crois qu'il a voulu te préserver. C'est que, depuis plus d'un siècle, la culture de nos ancêtres a tendance à être caricaturée ou rejetée.

La science des rêves

Rappelle-toi aussi ce que je t'ai toujours dit : écoute tes rêves.

Ils t'apprennent qui tu es vraiment.

Ils t'aident à deviner l'avenir et à faire les bons choix.

Ils te permettent de comprendre le passé en revivant sous ton apparence ou sous celle de tes ennemis des événements d'autrefois.

Ils te font pénétrer dans des mondes inconnus, invisibles pour les autres. Ces mondes coexistent avec le nôtre.

Quand le moment sera venu, tu sauras t'y déplacer et agir sur le cours de l'histoire.

Ton destin

Je te le répète depuis que tu es toute petite : tu es appelée à me succéder et tu deviendras bien plus que ce que j'ai été.

Ta place est ici. Tu appartiens à cette terre, à ses paysages. Mais un jour prochain, tu devras peut-être faire *un grand voyage. Si c'est le cas, n'aie pas peur car je serai près de toi et je te protégerai.*

Je te lègue mon coffre de guérisseuse.

Prends grand soin des livres et carnets. Il y est inscrit tout ce dont tu as besoin pour comprendre, agir et réussir ta quête. Les sachets renferment les plantes cardinales qui permettent de réparer, soulager, guérir, mais aussi d'éloigner un adversaire, de blesser, voire de tuer. Ce sera pour toi une grande responsabilité de les utiliser. J'y ai ajouté aussi le petit chaudron et la cuillère en bois que je tiens de ma grand-mère qui les tenait de la sienne, un couteau sacré et des pierres pour l'aiguiser, des bougies pour les prières. N'emporte pas de médicaments modernes. La plupart sont des poisons.

Mamm-gozh

Elle signe « Grand-mère » en breton, langue que mes parents ont toujours refusé que j'apprenne, prétextant que cela m'empêcherait de maîtriser correctement le français. Je comprends mieux pourquoi mon père voulait faire disparaître la lettre. Il connaissait bien sa mère et devait deviner ce qu'elle contenait. Enfant, j'étais prête à croire tout ce qu'elle m'inculquait et j'enviais ce que je prenais pour des pouvoirs magiques. En grandissant, j'aimais toujours être avec elle, mais je jugeais souvent étranges ses paroles ou ses comportements et je me gardais bien de les rapporter à mes copines. En revanche, ce qui n'était pas contestable, c'est que ma grand-mère avait une connaissance très précise des plantes et était une guérisseuse respectée de ses patients. Elle les soulageait vraiment de leurs maux, et cela sans se faire payer. Là, Mamm-gozh, tu y vas un peu fort. D'après toi, je suis prédestinée depuis ma naissance à sauver le monde, et tout ça parce que je suis ta petite-fille et que je porte le nom d'une déesse magicienne.

Je considère sa missive quelques secondes. Je devrais m'en débarrasser et chasser au plus vite son contenu de ma mémoire. Pourtant, je décide de la plier pour la ranger dans ma poche. Comment pourrais-je, sans en éprouver de remords, jeter une lettre de ma grand-mère que j'aimais tant. Et puis je me demande si, au fond de moi, je n'aurais pas un peu envie de la croire.

Le bain de Max a bien refroidi mais il me fait comprendre qu'il est hors de question qu'il en sorte. Il disparaît en faisant des bulles dans les profondeurs de l'eau savonneuse.

– Tu vas attraper froid, Max. Allez, si tu sors tout de suite, je t'apprends à tirer à la carabine.

Le message a été compris car il jaillit devant moi en m'éclaboussant. Je fuis hors de la pièce.

Voir Max dans les habits de mon père me fait un drôle d'effet. Je me rends compte que mon père portait toujours des vêtements trop larges, comme s'il voulait dissimuler sa silhouette. Pour mon cousin, c'est presque ajusté et ça fait ressortir ses formes un peu massives. Il semble très content et parade devant moi en gonflant ses biceps.

Max a du mal à garder les yeux ouverts quand il appuie sur la gâchette. La première fois, il a carrément lâché l'arme. Le recul et la détonation le font paniquer mais il ne veut pas renoncer. Je lui retire le fusil après son troisième essai, en lui jurant qu'on reprendra l'entraînement demain. Je ne l'exerce pas seulement pour lui faire plaisir. Un jour prochain, cela nous sauvera peut-être la vie.

Bergamote a commencé le travail sans moi. Je vois poindre les deux petits sabots et pendouiller un lambeau du sac amniotique. J'enfile un gant à ma main droite pour saisir à l'intérieur les canons, ce qui correspond à nos chevilles. Je tire lentement pour dégager suffisamment de surface et attacher les cordes. C'est bien, le veau se présente par les pattes avant. Maintenant je peux aider Bergamote. Je l'encourage de la voix. Je sens qu'elle réagit. Pourtant ça n'avance pas beaucoup. Je sais que j'ai la force de le faire seule, alors je reprends mon effort. L'expérience m'a appris que ça peut durer longtemps et qu'il ne faut pas gaspiller toute son énergie dès le début. Ça vient tranquillement centimètre par centimètre. Je vois bientôt apparaître les épaules puis la tête du petit. *Ça y est, je l'ai sorti.* Il ne bouge pas. Je lui excite les naseaux avec de la paille pour qu'il aspire de l'air. Je fourre ma main dans sa bouche pour en retirer une matière gluante qui encombre sa gorge. Enfin il réagit. Je le traîne alors doucement près de sa mère. Je m'aperçois que c'est une génisse. Elle est bien noire comme Bergamote mais avec une tache blanche au milieu du front. Instinctivement, la vache se met à la lécher et la débarrasse des peaux blanchâtres qui la recouvrent encore par endroits. Je sens Bergamote soulagée. Je le suis aussi.

Je rentre dans la cuisine pour me faire un thé que j'accompagne des biscottes de la vieille Yvonne, agrémentées de sa confiture de mûres. À côté de moi, Max fait fondre de la cire à bougie pour façonner des formes qui ressemblent à des animaux. Il est apaisé. Pour la première fois depuis longtemps, je me sens presque bien.

12 NOVEMBRE

Cette nuit, j'ai relu dix fois la lettre de Mamm-gozh. Au début, c'était pour me sentir proche de ma grand-mère qui a tellement compté pour moi. En lisant ses mots, je me remémorais son visage doux et ridé. C'est la seule adulte à qui je me sois confiée. Ses yeux étaient comme un miroir qui me permettait de me voir telle que j'étais. Elle pouvait tout entendre. Elle arborait en toutes circonstances un sourire rassurant et me gratifiait de paroles apaisantes. Quand, un peu honteuse, je lui confiais mes turpitudes, elle me répondait toujours par les mêmes formules : « Tant que tu restes franche avec toi-même, que tu ne blesses pas les autres, on ne peut rien te reprocher. » « C'est bien que tu fasses des erreurs, c'est comme ça que tu apprendras de l'existence. » « Tu es trop jeune pour connaître déjà le bon chemin. » Je la considérais comme une sage. D'autres auraient dit qu'elle ne répondait que des banalités et se foutait de mes histoires.

Grand-mère m'avait enseigné un remède imparable pour surmonter mes crises de colère ou de déprime. Et c'était souvent nécessaire vu les parents que j'avais, tantôt inattentifs à mes problèmes, tantôt angoissés et inutilement autoritaires. Je devais réciter la comptine bretonne *Ar Rannoù*. C'est un texte très ancien aux origines mystérieuses, qui retrace le dialogue d'un druide et de son élève. Bien entendu, j'identifiais celui qui savait tout à Mamm-gozh et moi je me projetais dans le rôle de l'enfant. En français, on traduit *Ar Rannoù* par *Les séries*. Le druide associe les nombres de un à douze à des images, des événements qui sont censés interpréter le monde de sa création à sa fin. De l'aveu même de ma grand-mère, les paroles sont obscures et les gens se les répètent depuis des siècles sans les comprendre vraiment. Le vieux sage procède dans l'ordre mais répète à chaque fois les séries précédentes. Si bien que l'énoncé du texte complet occupe une bonne dizaine de minutes.

D'après ma grand-mère, ce dialogue magique nettoie le cerveau de ses mauvaises pensées et on n'est pas obligé d'aller au bout de la récitation pour en sentir les effets. Je l'ai dit si souvent que je le connais par cœur.

« *Tout beau, bel enfant, dit le druide, que veux-tu que je te chante ?* »

« *Chante-moi la série du nombre un jusqu'à ce que je l'apprenne aujourd'hui.* »

« *Pas de série pour le nombre un, répond le prêtre, la Nécessité unique, le Trépas, père de la Douleur, rien avant, rien de plus.* »

« *Chante-moi la série du nombre deux jusqu'à ce que je l'apprenne aujourd'hui* », reprend l'enfant, et ainsi de suite.

À la lumière des épreuves que je traverse aujourd'hui, je constate que ce début ressemble à ce que je vis. La mort, désignée par le mot « trépas », est partout autour de moi, et la douleur me remplit le cœur et le cerveau. Mon ancêtre y aurait vu un message de l'au-delà.

À mesure que la nuit avançait, certaines phrases contenues dans la lettre de Mamm-gozh ont commencé de me troubler terriblement.

D'abord, cette injonction à décrypter mes rêves. Le seul rêve récent dont je me souvienne, c'est celui où je volais au-dessus d'une plage en feu, où je sauvais une petite fille. Je volais comme la Kerridwen de la légende qui s'était transformée en épervier pour poursuivre le nain Gwion qui lui-même s'était changé en oiseau pour lui échapper.

Plus perturbant encore, cette allusion que fait Mamm-gozh à un grand malheur. Et puis, j'aurais selon elle la capacité de voyager dans des mondes parallèles et de modifier le cours de l'histoire. Là, on est en plein délire, mais c'est un délire que je connais bien, car il ressemble beaucoup à celui de Warriors of Time, le jeu auquel j'étais accro jusqu'à mon arrivée à l'internat, un jeu où l'on traverse les époques pour aller modifier le passé et sauver le monde. Je pourrais penser que tout cela n'est qu'une coïncidence si je n'avais pas reçu ce message par Internet le 1er novembre. Je me suis levée en pleine nuit pour fouiller sur mon bureau car je me souvenais l'avoir imprimé. Je l'ai relu à haute voix :

De : maître de jeu
À : Experts
Ceci est sans doute mon dernier message. Les connexions s'éteignent peu à peu dans le monde entier.

Gardez espoir. Nous sommes toujours les Guerriers du temps.

Je connais le moyen de remonter le temps. Je l'ai toujours connu. Mais seul, je ne peux rien faire.

Rejoignez-moi. Ensemble, nous pourrons éviter la catastrophe en réécrivant le passé. Croyez en moi, croyez en vous, et nous gagnerons contre notre ennemi le plus puissant : le virus.

Rendez-vous le 24 décembre à minuit sous la plus vieille horloge de Paris.

Khronos

Que voulait-il dire au juste ? Que ce qui est décrit dans le jeu existe en vrai et que tout s'y déroule selon le même scénario ? Il y aurait donc quelque part à Paris un passage vers le passé qui aurait l'aspect d'un tunnel rempli d'une brume lumineuse. On recevrait dès qu'on y pénètre une décharge d'énergie violente qui vous aspire et vous fait perdre connaissance, et on pourrait ensuite se réveiller à la date précise et à l'endroit exact auxquels on avait pensé en entrant quelques secondes plus tôt ?

Sur le coup, j'avais pris ça pour des gamineries. Je m'étais demandé comment quelqu'un pouvait encore s'amuser à jouer alors que tout s'effondrait autour de nous. J'en avais conclu qu'un adulte avait dû aller sur le forum. D'une façon un peu débile, il voulait donner de l'espoir aux ados qui risquaient d'être tentés par le suicide.

Ce matin, ces réflexions de la nuit me paraissent lointaines. J'ai même du mal à imaginer que cela a pu m'empêcher de dormir. Ce n'est pas parce que deux personnes qui ne se connaissaient pas ont eu la même idée idiote que ça peut la rendre plus digne d'intérêt. Non, Mamm-gozh, non, Khronos, personne ne peut remonter le temps et réécrire l'histoire !

Moi, Koridwen, je suis une paysanne et j'ai les pieds sur terre. Je ne vais pas m'enflammer pour des chimères. Je pense aux bêtes dont j'ai la responsabilité. Je pense à Max que j'ai adopté. Je suis dans la vraie vie, pas dans un monde merveilleux.

Mon cousin fait son entrée dans le salon et vient s'asseoir contre moi dans le canapé. Il reste silencieux, la tête collée à mon épaule, un peu comme un enfant qui chercherait un câlin de sa maman. Je le laisse faire parce que ce contact me fait du bien à moi aussi. Il sent bon, lui. Je prends la décision de me laver après le petit déjeuner.

L'après-midi, je me mets en quête du coffre dont ma grand-mère a parlé dans sa lettre. Je fouille son repaire situé dans une dépendance de la ferme et que mes parents ont laissé en l'état. C'est là qu'elle recevait ses « malades ». L'endroit n'est pas vaste et je déniche vite une malle en osier fermée par deux sangles. Je les défais et y reconnais les divers objets annoncés, mais aussi des livres très anciens avec des gravures représentant des signes étranges et des scènes mythologiques ou historiques. Curieusement, une radiographie du poignet gauche de ma grand-mère sert de marque-page dans l'un d'entre eux. Les pages du bouquin le plus abîmé sont assemblées avec des ficelles. Je découvre aussi un herbier. Les noms des plantes sont écrits en breton à la plume, de l'écriture d'une élève appliquée. Ma grand-mère a ajouté, au crayon, la traduction en français et des commentaires, sans doute à mon intention. Elle voulait faire de moi une guérisseuse. Je découvre tout au fond le petit médaillon qu'elle portait sous ses vêtements. C'est un triskel doré, le symbole des Bretons avec les trois spirales qui s'entrecroisent. Elle disait qu'elle le tenait de sa grand-mère. J'ai toujours trouvé ce bijou joli, mais mes parents rechignaient à m'en offrir un. Je l'attache à mon cou sans tarder. Je tombe aussi sur un petit carnet fermé par une cordelette. Je passe plusieurs minutes à défaire les nœuds. Il y figure des noms et des adresses. Une trentaine en tout. Je les parcours rapidement. La grande majorité des personnes nommées résident ou, devrais-je dire aujourd'hui, résidaient en Bretagne mais il y a tout de même quelques adresses à Paris et même une à New York. J'ai du mal à concevoir que Mamm-gozh avait une copine américaine. À la dernière page, elle a laissé un message pour moi.

Ma Koridwen,

Ce sont des personnes sur lesquelles tu peux compter. Elles savent toutes que tu existes et s'attendent à ta visite un jour prochain. Tu fais partie des leurs maintenant.

Mamm-gozh

Je remarque une toute petite enveloppe serrée entre deux pages, comme celles qu'on utilise pour envoyer des cartes de vœux. Un des coins est décollé et partiellement déchiré. Je l'ouvre, déplie le papier à l'intérieur, c'est encore pour moi bien entendu :

Si tu acceptes l'héritage, accroche le triskel à ton cou.

Je ne peux m'empêcher de poser la main sur le bijou. Elle va finir par me faire flipper, ma grand-mère, alors qu'elle n'est même plus là. Je souffle. Il faut que je raisonne et que je relativise. Ce symbole, des milliers de gens le portent en Bretagne et dans tous les pays celtiques, des touristes aussi. Pourquoi revêtirait-il une signification particulière dans mon cas ? Je referme la malle et essaie de défaire le médaillon. Je tremble et n'y parviens pas. Je renonce pour l'instant. Je l'enlèverai quand j'aurai retrouvé mon calme. Pourquoi ai-je l'impression d'avoir été piégée ?

13 NOVEMBRE

Ce matin, j'étais encore toute bizarre au réveil parce que, pour la deuxième fois, un rêve étrange a perturbé mon sommeil. Depuis que j'ai lu les théories de ma grand-mère à ce propos, je ne peux m'empêcher d'y chercher une signification. Cette fois-ci, j'étais dans l'univers de Warriors of Time, dans la peau de mon avatar. Elle porte le même nom que moi parce que, au moment de me choisir un pseudo, je n'ai pas eu d'inspiration et que « Koridwen » n'était pas déjà pris. Physiquement, elle est plus grande que moi et gaulée comme Lara Croft, très musclée avec des gros seins. Là, j'étais en mission avec Spider Snake. J'adore le retrouver, celui-là. Il est beau, bien entendu, mais surtout il est réglo, instinctif et extrêmement rapide. Tout le contraire de moi qui suis une cérébrale. Nous formons un couple parfait. Dans mon rêve, avec Spider Snake, nous explorions les souterrains de la capitale du royaume d'Ukraün. Nous venions de détecter un accès secret à un grand laboratoire dont le plafond ressemblait à une voûte de cathédrale. Cachés derrière une armoire métallique, nous espionnions des chercheurs en combinaisons qui manipulaient des tubes à essai avec une infinie précaution. Nos lunettes infra-rouges nous permettaient de repérer les gardes tapis dans l'obscurité. Impossible en revanche de comprendre ce que se disaient les scientifiques. Soudain, l'un d'eux s'est orienté vers nous. Nous étions repérés. Pour créer une diversion, Spider Snake a tiré sur une bonbonne de gaz, provoquant son embrasement. Quelques secondes plus tard, le système automatique anti-incendie se déclenchait et un déluge d'eau s'abattait sur le laboratoire. J'étais trempée et hors d'haleine. C'est là que je me suis réveillée, en nage et enfouie sous ma couette, cherchant de l'air pour respirer.

Cela faisait longtemps que je n'avais pas rêvé du jeu. Depuis mon installation à Morlaix, je m'étais progressivement détachée de WOT. J'en avais moins besoin. Avant, il était absolument nécessaire à mon équilibre mental. Sans ma dose hebdomadaire d'au moins vingt heures, j'aurais cédé à la contagion dépressive de mes parents. Avec le jeu, j'étais ailleurs et je pouvais libérer ma colère et ma rage. J'éprouvais d'authentiques joies à vaincre, à survivre. Je me souviens qu'il m'arrivait même de hurler de bonheur, ce qui réveillait mon père et le faisait grogner. C'est sûr qu'à certains moments je me croyais sur Ukraün pour de bon et j'oubliais totalement mon existence réelle. La vraie vie, c'était devenu celle-là.

Spider Snake me manque. J'adorerais voir à quoi il ressemble dans la réalité. A-t-il la peau lisse du serpent ou est-il poilu comme une araignée ? Je crois que son physique ne serait pas tellement important à mes yeux. Mais je voudrais pouvoir m'appuyer sur quelqu'un parfois. Est-ce qu'il a lu le message de Khronos? Est-ce qu'il sera au rendez-vous? S'il est aussi intelligent que je l'imagine, il ne perdra pas son temps pour ces bêtises.

Depuis le déjeuner, mon cousin a complètement changé d'attitude. Ce n'est plus l'adolescent souriant et calme qui m'aide à soigner les animaux et imite leurs cris, ni celui qui dévore avec enthousiasme tout ce que je prépare. Il est contrarié. Il effectue de façon compulsive les gestes que je l'ai vus faire quand il était en crise à l'institution. Il se gratte les doigts et il cligne des yeux. Il répète en boucle la même phrase:

– Je veux papa et maman. Je veux papa et maman. Je veux…

– Arrête, Max, ils sont morts comme tous les adultes, ils sont au ciel.

Je le lui ai déjà expliqué vingt fois et en employant des mots différents. Je suis certaine qu'il m'a comprise. Mais ce n'est pas ce qu'il veut entendre. Il veut que je lui donne de l'espoir, que je lui mente, ce dont je suis incapable.

– Je veux mon papa et ma maman.

– Tais-toi, Max, je t'en prie.

Pour le distraire, je lui propose de reprendre l'entraînement de tir, mais il ne m'écoute plus. Il va s'asseoir sur les marches de l'entrée et se tient la tête entre les mains. Il adopte une sorte d'oscillation mécanique qui me rend folle. Je sais qu'il peut tenir ainsi des heures. Je l'abandonne un temps. Je dois m'occuper l'esprit pour reprendre le contrôle de moi-même. Il ne faut pas que je m'énerve, ni que je me laisse aller à pleurer, ni que je repense au flacon de poison que j'ai planqué en haut de l'armoire. Maintenant, je ne peux plus envisager de me supprimer. Max est sous ma responsabilité. Je me rends dans la réserve de nourriture qui jouxte la cuisine et je classe les conserves, les bocaux, les paquets de pâtes, de riz, de sucre… Je prends des notes précises. Cela m'occupe bien deux heures avant que je regagne la cour. Mon cousin est toujours dans la même position mais il ne bouge plus. Je crois qu'il s'est endormi. Je me garde bien de le réveiller. Je vais m'asseoir dans le salon et j'entreprends des calculs savants sur les rations alimentaires pour évaluer combien de temps nous pouvons tenir. A *priori*, je crois que nous sommes en mesure de passer l'hiver. Au printemps, on sèmera des graines, il y a des sachets dans la remise.

Mon cousin me rejoint et s'installe près de moi. Je vois à son regard que la crise est passée. Je suis consciente que le répit n'est que provisoire et qu'il reviendra à la charge jusqu'à ce que je lui donne la réponse qu'il attend. Pour l'instant, il ne peut envisager l'idée de ne jamais revoir ses parents. Je sacrifierais ma vie si cela pouvait lui donner le moindre espoir.

Je l'emmène tirer. Je constate qu'il a pris confiance car il ne tremble plus. Il ne parvient pas encore à atteindre les cibles, mais je suis certaine qu'il y arrivera bientôt.

Je suis dans mon lit et j'essaie de faire le ménage dans mes pensées. Je veux bloquer des images qui s'y incrustent sans y avoir été invitées, mais elles reviennent toujours. Par exemple, je n'arrive pas à me sortir de la tête les épisodes de mon dernier rêve, celui avec Spider Snake. Pourquoi une telle incohérence ? Comment mon cerveau a-t-il pu mélanger l'univers médiéval fantastique du jeu avec des images de la catastrophe que nous montrait la télé avant de s'éteindre ? Pourquoi utilisions-nous des lunettes infrarouges alors que nous ne connaissons que le poignard, l'arc et l'arbalète ? Je vais appliquer les théories de Mamm-gozh pour analyser ce rêve. Ce sera, au final, un bon moyen de m'en débarrasser.

C'est bien, Koridwen, tu affrontes les difficultés, tu ne fuis pas.

Premièrement, ce rêve m'apprend que ma vraie nature est celle d'une héroïne qui n'a peur de rien. Aucun intérêt : je connais ma nature et je sais que ce n'est pas vrai.

J'ai assisté dans ce rêve à une scène qui ne fait référence à rien de ce que j'ai vécu dans ma vie, ni même dans une aventure sur WOT. Cette scène, si elle existe, a eu lieu dans un passé que je n'ai jamais connu ou bien elle aura lieu dans le futur que je ne connais pas encore. Dans les deux cas, il s'agit d'un voyage dans le temps ou dans un monde parallèle. Si je prends cet élément comme une prédiction, bientôt je le ferai en vrai et peut-être avec mes amis du jeu.

Donc, si je rentre dans les délires ésotériques de ma grand-mère, une conclusion s'impose : il faut que je croie au message de Khronos et que je fasse mes bagages pour gagner Paris au plus vite, afin d'y être à temps pour le grand rendez-vous des Experts de WOT.

– C'est ça, ma vieille, dis-je tout haut, tu es une super-héroïne et tu vas être capable d'infléchir le cours de l'histoire et de ressusciter les morts. Tu es le nouveau Messie !

Je rigole toute seule de mes bêtises quand, soudain, j'entends au loin le bruit d'une voiture. Elle prend le chemin qui mène chez nous. Je ramasse mon fusil et le charge avec deux cartouches. J'entrouvre doucement la fenêtre. La lune est dans son premier quartier et le ciel est en partie dégagé. Cela me permet de distinguer le véhicule et les trois occupants qui en sortent. Ce sont deux garçons et une fille. Je n'en connais aucun. L'un des trois se plante devant la façade et fait le guet, une arme en bandoulière, pendant que les deux autres se dirigent vers le vieux puits. Ils activent la pompe. Quand l'eau sort, ils en remplissent un jerrican qu'ils chargent dans le coffre. Ils vont aussi faire un tour dans l'étable. Ils ressortent moins d'une minute après. Ensuite, ils viennent jusqu'à la porte d'entrée et secouent violemment la poignée. Je tire en l'air, ce qui les pétrifie sur place. Ils remontent en courant dans leur break et partent sur les chapeaux de roues. Max est réveillé et me rejoint avec son propre fusil. Quand il commence à le charger, j'arrête son geste.

– Ce n'est plus la peine, Max. Ils sont partis.

14 NOVEMBRE

Je me réveille bien tard. Je découvre Max assis à la table du petit déjeuner, qui grignote des céréales à même la boîte. Je vais voir les bêtes. J'ai l'impression qu'elles me regardent d'un drôle d'air, ce matin. Je vais leur chercher un peu de fourrage qu'elles dégustent tranquillement. La petite génisse tète sa mère en fermant les yeux. Je ne vais pas les traire. Tôt ou tard, j'aurais dû arrêter. Cela ne rime à rien, tout ce boulot pour finir par jeter le lait.

J'ai cogité une bonne partie de la nuit. Cindy a raison. Ici, toute seule ou presque, je suis trop vulnérable. Mais que faire ? Comment trouver des gens avec qui je pourrais vivre sans perdre ma liberté et mon indépendance ? Je pense à ma copine qui partage l'existence d'une bande de voyous portés sur la picole et la déconne. Elle la paye cher, sa sécurité. Et comment se comportent-ils avec elle au quotidien ? Est-ce qu'ils ne la prennent pas pour leur bonniche ?

Ceux qui sont venus hier soir ne semblaient pas agressifs. Ils cherchaient juste de l'eau. Ils vont goûter la mienne et s'ils la trouvent à leur goût, ils reviendront. Voudront-ils partager ou bien me chasser de chez moi ?

Ne sont-ils que trois ou toute une bande ? Est-ce que je serai en mesure de leur résister ? Nous verrons bien la prochaine fois. Mais peut-être n'y aura-t-il pas de prochaine fois parce que entretemps les deux salauds que j'ai virés il y a une semaine seront passés pour me faire la peau.

Toutes ces menaces qui s'ajoutent les unes aux autres vont me rendre folle. Comment vivre à longueur de nuit et de journée une arme à la main, prête à tirer sur tout ce qui bouge ? Je vais subsister tant bien que mal dans l'attente et la crainte de l'ennemi ? C'est ça le sens que va prendre mon existence ?

Comme j'ai renoncé à m'occuper des vaches, j'erre dans la maison sans but. Je fouille dans le bureau à la recherche de la photo de la plus vieille horloge de Paris. Je l'avais cherchée sur le Net et imprimée après avoir lu le dernier message sur le forum de WOT. C'est là que se réuniront les Experts de Khronos. Il n'y a pas si longtemps, j'étais fière d'en faire partie. Ces gens comptaient sur moi comme je comptais sur eux. Pourquoi ne pas parier que, dans la vraie vie, ces joueurs ont les mêmes valeurs et les mêmes qualités que leurs avatars ?

Et si je partais à Paris pour les retrouver ? Et si j'essayais d'y croire un peu, à cette solution miracle qui arrangerait tout ? Si je faisais confiance aux paroles de ma grand-mère et à l'appel de Khronos, qu'est-ce que j'y perdrais ? Rien, puisqu'il n'y a plus rien à espérer. Et même si nous n'arrivions pas à remonter dans le passé pour bousiller dans l'œuf ce satané virus, j'y aurais au moins gagné des amis.

Je suis soudain euphorique et je saute sur place, le poing en l'air. Mais très vite, mon énergie disparaît et la hauteur de mes bonds diminue. Je me recroqueville. Des larmes coulent sur mes joues. Max s'approche et me serre contre lui. Je me calme progressivement. Il me tend le paquet de céréales. Nous piochons dedans à tour de rôle. Je me sens mieux.

J'entreprends ensuite de ranger la cuisine et surtout de faire toute la vaisselle. Max me regarde, les bras croisés. On dirait qu'il me surveille pour vérifier que je ne fais pas de rechute. Le contact de l'eau me fait du bien et j'ai l'impression que ma tête se vide. Petit à petit, l'idée de partir s'affirme comme une évidence. Nous devons bouger. Nous allons au-devant de grands dangers mais au moins nous n'attendrons pas la mort sans rien faire. Ici, on connaît, là-bas, ce sera peut-être mieux. On peut au moins aller voir. Lorsque j'ai fini, je passe chercher un carnet dans la réserve à fournitures et je m'attable près de mon cousin.

– Ça te dirait d'aller à Paris, Max?

– Oh oui, Kori, déclare-t-il, ravi. Max veut aller à Paris.

Durant le reste de la journée, je suis tour à tour très excitée à l'idée de partir et très triste de tout quitter. C'est chez moi ici, depuis toujours, c'est la maison de mes ancêtres. Elle est imprégnée de leur passage. Les arbres ont été plantés par eux, les fossés creusés de leurs mains. C'est leur paysage et c'est le mien. Je contemple tout ça puis je ferme les yeux. Je chuchote pour moi-même:

– Tu as raison, Mamm-gozh, ici, je suis à ma place. Je fais le serment de revenir quand ma tâche sera accomplie. Et je reviendrai plus forte.

J'opte pour le tracteur préféré de mon père, celui dont j'ai décoré les ailes arrière avec des fleurs et des étoiles à l'encre indélébile quand j'avais cinq ans. Le dessin a un peu passé mais il reste bien visible. Je lui attacherai la bétaillère de quatre mètres. Elle ressemble à une petite maison sans toit. Mais on peut facilement la recouvrir d'une bâche.

On sera lourds, on sera lents comme un char tiré par deux bœufs, mais on sera à l'abri. C'est un choix qui aurait plu à ma grand-mère. Je suis certaine qu'elle y aurait reconnu cette image de la comptine *Ar Rannoù*:

« Chante-moi la série du nombre deux jusqu'à ce que je l'apprenne aujourd'hui », demande l'enfant.

Et le druide de lui répondre :

« Deux bœufs attelés à une coque ; ils tirent, ils vont expirer ; voyez la merveille. »

Elle y aurait sans doute vu un signe des dieux. Je souris à cette idée. Moi j'y vois surtout un moyen d'éviter les routes et même les chemins en coupant à travers champs en cas de besoin.

J'ai récupéré des vieilles caisses de métal que je remplis de nourriture. Je vais aussi me servir chez les voisins. J'en garnis une de fusils, de cartouches mais également d'outils, de cordes qui pourront s'avérer utiles. Je prends plusieurs duvets, des couvertures et des fringues de mon père pour Max. Je m'imagine partir en camping mais pour très longtemps. J'essaie de penser à tout, à la toilette, à la cuisine, la vaisselle, la lessive. J'évalue ma consommation de gasoil et je remplis les gros jerricans en pompant dans la citerne planquée au fond de la grange. Je charge des bouteilles d'eau en plastique issues des réserves des voisins qui se méfiaient de l'eau courante nitratée. Je fais aussi le plein de diverses bonbonnes avec l'eau du puits. Je m'occupe en dernier de mes habits. Je choisis plutôt des jeans, des joggings, des tee-shirts et des sweats, des vêtements pratiques et passe-partout. Tout au fond du tiroir à chaussettes de la commode de ma chambre, je tombe sur une enveloppe cachetée avec un étrange avertissement en guise d'adresse.

À ouvrir vers le 15 octobre
(Avant, tu n'y croirais pas!)

Je suis troublée parce que je reconnais immédiatement mon écriture mais je n'ai aucun souvenir d'avoir écrit ces mots un jour. La date du 15 octobre est largement dépassée. Je tremble un peu en essayant de l'ouvrir. C'est le moment que choisit Max pour surgir en hurlant dans ma chambre. Il a le menton couvert de sang et son pull est taché. Qu'a-t-il pu se faire? Je crains le pire. Si la blessure est profonde, je serai incapable de la suturer correctement. Je dois rester calme et ne pas paniquer. Je replace la lettre dans le tiroir que je repousse machinalement. J'entraîne mon cousin dans la salle de bains et le nettoie doucement avec un gant. Je suis vite rassurée en constatant qu'il saigne seulement du nez. Le flot est abondant, ce qui le plonge dans une angoisse terrible. Je fais pression sur le haut de son nez et lui caresse la tête. L'hémorragie se calme difficilement. Je vais lui chercher des vêtements propres. Je repasse par ma chambre pour descendre les affaires que j'ai sélectionnées.

Tout est chargé. Je laisse une lettre pour Cindy dans le coin de la grange où nous jouions quand nous étions mômes. Je la mets derrière la grosse poutre, dans la boîte en fer où nous enfermions nos secrets. C'est la seule qui pourra la trouver. Je passe dire adieu aux vaches. J'ai retiré le plastique qui enveloppe les balles de maïs d'ensilage. Elles pourront se servir à leur guise et passeront tranquillement l'hiver sans manquer de rien.

Je m'adresse à chacune d'elles par son prénom. Je me rends compte que je n'ai pas baptisé la petite génisse de Bergamote.

– Comment tu veux l'appeler, ma vieille? Tu sais que tu as de la chance dans ton malheur… Normalement, mon père t'aurait séparée d'elle pour la vendre. Alors, t'as pas d'idée?

J'appelle mon cousin qui est immédiatement inspiré:

– Max, c'est beau, Max.

– Oui, c'est beau, Max, mais il s'agit d'une fille. Elle est née le 11 novembre, jour de l'armistice de la Grande Guerre. Alors on pourrait l'appeler Pax. C'est presque comme Max et ça veut dire « la paix ». T'es d'accord?

Bergamote nous gratifie d'un meuglement que j'interprète comme un cri enthousiaste.

– Vendu! dis-je. Tu t'appelleras donc Pax.

Mon cousin soupire et repart en bougonnant:

– Max, c'est mieux. C'est beau, Max.

J'ai étalé la carte routière sur la table de la salle à manger et récupéré un carnet vierge sur le bureau de mon père. Je note chaque ville et village que nous devrons traverser ou contourner, selon les problèmes rencontrés. J'en dénombre quatre-vingt-dix-sept en tout. Il y a cinq cent quarante et un kilomètres à parcourir. Je peux pousser le tracteur jusqu'à trente-cinq kilomètres/heure sur du plat et du macadam. En théorie et sans trop s'arrêter, on pourrait donc mettre trois ou quatre jours.

Je fais un ultime tour du propriétaire. Comme l'avait fait Yffig, je ferme bien soigneusement les issues, puis je range la clé dans ma besace. Je fais démarrer le tracteur. Au début, je connais un peu le chemin et je sais comment éviter Morlaix, mais dans une cinquantaine de kilomètres j'aborderai des terres totalement inconnues. Il est 16 heures. Nous roulerons jusqu'au début de la nuit.

15 NOVEMBRE

Nous avons parcouru trente-deux kilomètres en contournant Morlaix, soit un peu moins de six pour cent du trajet. Nous n'avons croisé absolument personne. Certains villages ont visiblement été abandonnés. Le vent s'engouffre dans les maisons et fait claquer les portes et les fenêtres. Des meubles brisés, divers objets et du linge jonchent les trottoirs et la chaussée. Cela ressemble aux villes fantômes de Californie, désertées après la ruée vers l'or. Les survivants ont dû se regrouper dans des hameaux à l'écart des routes ou peut-être dans le centre-ville de Morlaix. Je ne me fie qu'à ma vue car le ronronnement du tracteur ne me permet pas d'entendre les bruits de l'extérieur. Nous avons garé notre engin à couvert à l'entrée d'une allée forestière entre Plounérin et Plounévez-Moëdec. Je me rends compte que les couleurs jaune canari et vert salade de nos engins sont bien trop repérables.

Je n'ai réussi à dormir que quelques heures en pointillé. Je sursautais au moindre bruit. Parfois, c'était Max qui cognait avec son coude la paroi de la bétaillère ou qui soufflait bruyamment. À d'autres moments, c'était des animaux qui approchaient, une petite troupe de sangliers ou un chien errant. Quand le calme revenait, j'étais hantée par le souvenir de la lettre du tiroir à chaussettes que je n'ai pas ouverte. Que contenait-elle ? Était-ce vraiment moi qui l'avais rédigée ? Et pourquoi cette date qui ne m'évoque rien ? Vers 4 heures du matin, ne trouvant pas le sommeil, j'ai bien failli repartir la chercher. Puis j'y ai renoncé. Je ne voulais pas risquer de réveiller Max. Et surtout, je crois que je craignais d'y découvrir quelque chose de terrible qui m'aurait peut-être découragée d'entreprendre mon voyage.

Avant de repartir, nous entamons la réserve de gâteaux de la vieille Yvonne. C'était une addict des Paille d'Or au goût framboise. Comme elle avait peur d'être en manque, elle en stockait des quantités considérables dans une armoire de sa chambre. Nous grignotons sans nous adresser la parole. Max mange bizarrement. Il avance doucement le gâteau devant ses dents puis il le déchiquette à petits coups de mâchoire très rapides. Il semble imiter la broyeuse qui réduit en copeaux les branchages des arbres. Ça l'occupe durant de longues minutes.

Nous redémarrons. Je recule doucement. Je n'aime pas faire les marches arrière avec une remorque mais là je m'en sors plutôt bien. Dès que nous sommes sur la route, je vois le visage de mon cousin qui s'assombrit. Je le contemple avec un sourire que je veux rassurant, mais il fait mine de m'ignorer. Après plus d'une demi-heure de trajet, nous traversons un village complètement désert lui aussi. Soudain surgit une bande de chiens très agressifs qui nous suivent sur des centaines de mètres. C'est ce moment-là que Max choisit pour reprendre sa litanie :

– Je veux papa et maman, commence-t-il doucement, je veux papa et maman. Je veux papa et ma…

Je fais comme si de rien n'était et j'essaie de me concentrer sur la route. Alors, mon cousin augmente le volume. Il me gueule littéralement dans les oreilles. À la différence de la précédente crise durant laquelle j'avais pu m'échapper, là je me trouve coincée avec lui dans l'habitacle. Je dois le faire taire à tout prix, sinon je vais nous mettre dans le fossé. Je souffle un grand coup et me lance :

– Max, c'est pour ça qu'on va à Paris. Là-bas, je vais retrouver des copains et nous allons essayer de faire revenir ton papa et ta maman. D'accord ?

Il s'interrompt enfin et me fixe durant de longues minutes. J'imagine que son cerveau traite les nouvelles informations.

– Papa et maman à Paris ? demande-t-il.

– Ce n'est pas vraiment ce que j'ai dit, Max. C'est un peu plus compliqué. Nous allons à…

– Papa et maman à Paris ? répète-t-il en me coupant.

– C'est ça, papa et maman à Paris.

Voilà, il a obtenu ce qu'il réclamait : de l'espoir. J'espère maintenant qu'il va me laisser conduire tranquillement durant le reste du voyage. Mais je suis décidément une fille bien optimiste, car dès qu'il découvre le panneau du village suivant, j'ai droit à une nouvelle question :

– Paris ? Ici, Paris ?

– Non, c'est Louargat.

– Waarga?

– C'est ça.

J'aperçois mon premier vivant au centre du bled. Il est planté sur le bord de la route, totalement immobile, hagard et le regard vide. Il porte un maillot de sport aux couleurs fluos, peut-être celui d'un cycliste. Attend-il quelqu'un? En tout cas, ce n'est pas moi qui vais m'arrêter. J'ai trop peur. J'accélère, c'est devenu un réflexe quand je traverse les villages. Ces lieux me paraissent propices à des embuscades. Je souffle dès que nous sommes sortis. J'aime les routes droites qui permettent de voir au loin. Max me fait comprendre qu'il aimerait conduire. Il lorgne aussi mon fauteuil avec envie. Ici, il n'y a de vraie place que pour le conducteur. Lui doit caser son coussin où il peut et peine à trouver une position confortable. J'arrête le tracteur et lui explique le rôle des pédales de frein et d'accélérateur. Je m'occuperai moi-même de l'embrayage et des vitesses. Pour aujourd'hui, on va juste essayer sur quelques centaines de mètres. Max est absolument ravi, même si son visage témoigne surtout d'une immense concentration. Pour moi, c'est un grand coup de stress parce que j'ai l'impression de ne pas tout contrôler. Mon cousin fait la grimace quand je pose la main sur le volant. J'étais pareille quand mon père m'apprenait. Il répétait que j'étais têtue comme une mule mais je savais à son sourire qu'il ne trouvait pas ce trait de caractère particulièrement négatif.

Je récupère le volant cent mètres avant le panneau de Ploumagoar. J'annonce le nom du patelin pour éviter que mon cousin ne me demande si nous sommes arrivés à Paris.

– Oumagloire, hurle-t-il en écho.

Dès l'entrée dans le village, j'ai la sensation qu'on nous surveille. Un monticule de déchets encombre le milieu de la route. Et des carcasses de voitures calcinées occupent les trottoirs des deux côtés. C'est le piège parfait. Avec ma remorque, il m'est impossible de faire demi-tour. La rue est trop étroite. Je m'accroche au volant et demande à Max de se cramponner. Je fonce dans le tas. Nous sommes d'abord secoués violemment puis le tracteur se bloque et le moteur cale brusquement. Je prends une grande inspiration et redémarre. Je pousse la puissance au maximum, et les roues motrices de l'arrière escaladent l'obstacle. C'est à ce moment-là que nous parviennent les premières pierres. Les tireurs visent le pare-brise mais, par chance, le seul caillou qui l'atteint ne crée qu'un impact négligeable. Ils parviennent en revanche à exploser une des vitres latérales de l'habitacle au moment où le véhicule récupère sa pleine vitesse. J'ai les jambes qui flageolent. Max s'est replié au sol avec les mains sur la tête. Je lui caresse les épaules pour le rassurer. Il reste prostré ainsi pendant un bon quart d'heure. Cela lui évite de voir mes larmes couler. Je ne sais pas comment on va faire pour arriver vivants à Paris. Qu'est-ce qu'ils nous voulaient, ceux-là? Avaient-ils peur de nous? Sont-ils tous devenus cinglés? La prochaine fois, j'en tuerai peut-être un ou deux. Et il ne s'agira plus d'un jeu vidéo, je supprimerai de vraies vies et ça me hantera jusqu'à la fin de mes jours. Je vois avec appréhension le panneau du village suivant. J'attrape mon fusil et le charge. Je le confie à mon cousin qui hésite à s'en emparer.

– Passe ta tête dehors et tire si nous sommes en danger.

Il grimace avant de se décider à m'obéir. Je suis aux aguets. Max tire et la détonation nous blesse les tympans.

– Qu'est-ce que t'as vu ? dis-je en criant.

– Rien ! rien ! se défend-il.

J'imagine qu'à force de toucher la gâchette, il a fait partir le coup. Nous sommes enfin sortis. Soulagée, j'annonce :

– C'était Plouagat.

– Poulagat, rectifie mon cousin.

Nous traversons les bourgs de « Air neuf » et « Très amusant » (Plerneuf et Trémuson) sans aucun problème. Je choisis ensuite de faire un large détour pour éviter Saint-Brieuc et ses ponts. Nous empruntons des chemins minuscules, parfois même je roule dans les champs quand une voiture abandonnée bloque le passage. En remontant vers Yffiniac, nous sommes doublés par trois motards. Je les avais vus apparaître dans mon rétroviseur et se rapprocher à grande vitesse. Chacun d'eux nous lance un regard rapide en nous dépassant. Je n'ai pas perçu d'hostilité à notre égard mais je m'attends tout de même à tomber sur un barrage un peu plus loin. À chaque sortie de virage, je me prépare à l'épreuve.

Finalement, nous poursuivons notre route sans encombre. Je roule au pas dans la petite ville rebaptisée « Fifiniac » par Max. Mon cousin a repris son poste en me promettant de faire très attention. J'aperçois la silhouette fine d'une fille qui porte un chapeau à larges bords. Elle tente de se dissimuler derrière un arbre au moment où nous la dépassons. Quelques instants plus tard, elle a disparu de mon champ de vision. Dommage, j'aurais bien aimé me trouver une compagne de route. Mais je ne veux pas m'arrêter pour aller la chercher. Ici, c'est trop dangereux. Des branches sur le macadam provoquent des soubresauts qui me projettent presque contre le plafond de la cabine. Max est hilare. Il me sourit. Je me doute qu'il aimerait que je l'autorise à tirer. Je ne veux pas. Ces munitions, un jour prochain, je pressens que nous en aurons besoin. La fatigue accumulée depuis le départ me tombe soudain dessus. Mes yeux se ferment malgré moi. Je ralentis. Je me demande si je n'ai pas des hallucinations car j'ai cru voir, dans le rétro gauche, la fille de tout à l'heure qui marchait seule sur la route. Je stoppe la machine et sors la tête par la fenêtre. Pas un bruit, pas le moindre mouvement. Même s'il est encore très tôt, il est vraiment temps que je dorme. Je cherche un bouquet d'arbres où nous pourrons nous dissimuler. Je roule encore deux kilomètres et finis par le dénicher. Alors, je coupe le moteur et descends du tracteur. Je prends le temps de bien observer les alentours avant d'attraper une couverture et de l'étaler sur le sol de la bétaillère. Je fais des recommandations à mon cousin :

– Tu restes près du tracteur et tu ne joues pas avec ton fusil. Et surtout, tu me réveilles si des gens viennent, d'accord ?

Je m'allonge et m'endors sans tarder.

À mon réveil, je sens une odeur de chaud, un peu sucrée. Je n'imaginais pas que Max prendrait l'initiative de préparer à manger. La perspective de me remplir le ventre me rend joyeuse. Je sursaute en constatant qu'il n'est pas seul. Il y a une fille avec lui qui serre fébrilement dans ses mains un bol de lait. Je vois d'ailleurs qu'elle s'est tachée en buvant. Je ramasse mon fusil et m'approche doucement. Max est assis à côté d'elle et la regarde en souriant. Je l'interroge d'un ton sec :

– C'est qui ?

La fille a posé son bol et se met à tousser. Des frissons lui parcourent le corps. Max déclare, visiblement ravi :

– Anna. Elle est gentille. Elle a faim.

– Et tu es sûr qu'elle est toute seule ?

J'observe longuement les alentours avec mes jumelles pour m'assurer que la demoiselle n'annonce pas un débarquement de pillards. Je la contemple un instant. Elle grelotte dans un tee-shirt déchiré et un jean dégueulasse. Je repère son chapeau posé près d'elle.

– Tu étais à Yffiniac. Comment tu es arrivée jusqu'ici ?

– Je me suis accrochée à la remorque quand vous traversiez le hameau mais, après quelques kilomètres, je n'avais plus la force de me tenir et j'ai sauté. Après je me suis cachée dans le fossé. Ensuite, j'ai marché jusqu'au bois. Ton frère m'a recueillie. Je n'avais pas mangé depuis deux jours… Je peux rester un peu avec vous ?

– Oui. On te prend à l'essai. Si tu es fiable, on te gardera. Je vais te donner des vêtements propres, mais avant il faut que tu te laves. D'accord ?

– D'accord.

Je remplis à moitié un seau d'eau et lui donne un gant et du gel douche.

– Je ne peux pas te donner plus. Tu sais qu'il faut gérer la pénurie.

– Je sais. Comment tu t'appelles ?

– Moi, c'est Koridwen mais tu peux m'appeler Kori. Et Max, c'est mon cousin.

Je scotche un morceau de plastique noir pour boucher la vitre cassée et empêcher que l'air froid ne s'y engouffre. Anna s'est installée dans la bétaillère, les pieds dans la bassine. La température extérieure ne dépasse pas les douze degrés et je n'ai pas pensé à faire chauffer l'eau pour notre passagère. Alors elle ne traîne pas. Elle ressort très épaissie à cause des trois pulls qu'elle a enfilés l'un par-dessus l'autre. Nous rangeons tout notre matériel et nous nous entassons dans la cabine. Mes compagnons se calent où ils peuvent. Anna ne desserre pas les dents et Max s'assoupit dix minutes après le départ. Je n'aime pas ces moments de solitude car c'est là que j'imagine les pires scénarios ou que je repense à tout ce que j'ai perdu. Je sens que mes nerfs pourraient lâcher et je n'ai pas envie de fondre en sanglots devant cette fille que je ne connais pas. Je lui demande :

– Tu pourrais me parler ? J'ai besoin qu'on m'aide à tenir le coup.

– D'accord, répond-elle. Au fait, on va où ?

– À Paris.

– Ça tombe bien, moi aussi j'avais envie d'y aller. Même si les grandes villes me font peur.

– Ne t'inquiète pas, je connais des gens là-bas. On ne sera pas tout seuls. Tu sais conduire un tracteur ?

– Non.

– Tu sais te servir d'une arme ?

Elle sort un cutter de sa poche et le brandit devant mes yeux.

– De ça, un peu.

– Je voulais dire d'un fusil.

– Non, mais j'aimerais bien apprendre. Kori, gare-toi sous les arbres et coupe le moteur. Vite !

Je me serre le long d'une haie de noisetiers et je coupe les gaz. Je perçois un bruit mécanique au-dessus de nous. C'est un hélicoptère. J'interroge la fille du regard.

– Ce sont des soldats. Ils forcent les ados à se regrouper dans des camps gardés. Ils te baratinent avec la sécurité. Ils te promettent le gîte, le couvert et les vêtements. Mais tu découvres vite qu'en réalité c'est une prison. Ils font faire aux ados le sale boulot : nettoyage, enfouissement des corps. Ils enrôlent des jeunes pour traquer ceux qui s'organisent à l'extérieur. Leur plus grande obsession, ce sont les armes à feu. Ils les confisquent et les détruisent systématiquement. C'est d'un camp comme celui-là que j'ai réussi à m'enfuir, il y a deux jours.

– Il reste encore des adultes, alors ? Ma copine m'avait dit le contraire.

– Des militaires essentiellement, qui ne se déplacent qu'avec des combinaisons de protection contre les risques de contamination. Beaucoup de jeunes disparaissent. On raconte qu'on leur pompe tout leur sang ou qu'on teste sur eux des vaccins. Je crois que l'hélico est reparti. Tu fais bien d'éviter les grands axes.

Nous profitons d'une route bien plate pour une leçon de conduite. Elle pige vite et prend de l'assurance. Elle arrive même à me parler en roulant. Nous sommes très au sud de Lamballe et nous roulons vers Plestan. J'observe l'horizon aux jumelles. Tout paraît calme. Je prends tout de même le fusil quand nous traversons le bourg. Max se réveille et veut conduire lui aussi. Je lui accorde une dizaine de minutes. Anna m'explique à l'oreille qu'elle est originaire du village suivant et qu'elle voudrait s'y arrêter pour y prendre quelques affaires. Elle me raconte qu'elle n'a pas pu y revenir depuis le début de l'épidémie. Les soldats ont cerné son lycée et embarqué les élèves que leurs parents n'étaient pas venus chercher avant la fermeture de l'établissement.

— Tu crois que ma mère pourrait être en vie ? demande-t-elle, au bord des larmes.

Je l'entoure de mon bras et pose ma tête sur son épaule.

— Franchement, je n'y crois pas. Dans un hameau isolé comme le mien, il y avait une petite chance, mais dans ton bled, en bord de nationale, ce serait miraculeux.

Je reprends le volant quand nous entrons dans Tramain. Ses lèvres touchent presque mon oreille. Elle chuchote :

— Là, sous l'abribus, j'ai embrassé mon premier garçon sur la bouche. J'étais en CM1. J'avais fait un pari avec une copine, Caroline, dont la famille a déménagé en région parisienne.

Les maisons sont ouvertes. Certaines ont été incendiées. Les affaires des gens traînent dans la poussière. Sa voix se fait de plus en plus fluette :

– Dans cette maison habitaient ma nourrice et ses quatre filles. Longtemps, elles ont été mes modèles et je ne rêvais que d'une chose : leur ressembler, surtout à Arwen qui avait une tête de poupée et dont le copain la promenait en moto… On arrive dans ma rue. Ma maison, c'est la blanche avec les volets verts. Arrête-toi là.

Elle pose sa main sur la poignée mais ne l'actionne pas. Elle tremble de tout son corps. Je lui propose :

– Laisse-moi y aller la première. Je te raconterai et tu décideras ensuite si tu veux entrer.

Elle ne répond pas. Je prends le fusil et descends du tracteur. La porte n'est pas verrouillée. L'intérieur n'est pas dévasté mais on voit qu'il a été fouillé et probablement vidé des biens les plus précieux. Une odeur infecte d'ordures me saisit à la gorge. Je place mon mouchoir sur mon nez mais cela ne change pas grand-chose. Je fais un tour rapide des pièces. Ce que je crains, c'est de tomber sur un cadavre qui n'aurait pas été évacué. Je termine par la cuisine. C'est de là que vient la puanteur. Une bande de rats dévorent des victuailles qui forment un énorme tas au milieu de la pièce. Ma présence ne dérange pas les rongeurs qui relèvent à peine la tête. Je retourne au tracteur pour faire mon rapport à Anna. Elle me prend la main pour que je l'accompagne. Elle va directement dans le salon et inspecte le bahut à la recherche d'un album photo qu'elle serre contre sa poitrine. Elle file ensuite dans sa chambre où elle soulève son matelas pour prendre un petit carnet. Elle ramasse aussi au passage un vieil ours en peluche. Elle remplit un sac plastique de vêtements. Elle hésite puis renonce à pénétrer dans la chambre de ses parents. Nous rejoignons très vite Max qui paraît perdu dans ses pensées.

– On peut y aller, lance Anna en essayant de prendre une voix assurée.

Nous quittons son bourg sans croiser âme qui vive. Le soir commence à tomber et je lui demande de m'indiquer un endroit où nous pourrions passer la nuit tranquilles. Elle me guide par un petit chemin vers une colline boisée dont le sommet est occupé par un château d'eau.

La nuit venue, elle nous entraîne vers l'entrée de l'édifice. Sous une dalle, elle ramasse une clé et l'introduit dans la porte de métal. Elle passe devant et nous entrons à tâtons, en nous agrippant les uns aux autres par nos vêtements. Nous grimpons à une très longue échelle métallique avec des arceaux, ce qui nous oblige à rester plaqués contre les barreaux. Nos pas résonnent dans l'espace qu'on imagine très vaste. Nous atteignons enfin un palier où nous reprenons notre souffle quelques minutes. Anna ouvre une trappe et nous accédons par une autre échelle, cette fois-ci fixée dans un étroit cylindre de béton, à une passerelle qui surplombe le réservoir. J'allume ma torche et la braque vers le fond. Il est vide. Nous parvenons sur le toit de l'édifice. Nous nous asseyons et contemplons la vue en silence. Le ciel n'est pas complètement dégagé et la lune n'est pas dans sa phase maximale. Aucune lumière. On se croirait dans un désert.

– Je voulais vous montrer mon refuge secret. Je n'y suis venue qu'avec mon amoureux dont le père était employé à la régie des eaux.

Nous nous tenons les uns aux autres pour ne pas tomber mais aussi parce que nous avons tous les trois envie de nous sentir ensemble, unis dans l'adversité.

16 NOVEMBRE

J'ai bien dormi et je suis certaine que c'est grâce à Anna. Nous étions blotties l'une contre l'autre comme deux sœurs sur le plancher de la bétaillère. J'ai eu moins froid que la nuit précédente, pourtant le thermomètre est descendu à cinq ou six degrés. Mon corps doit s'endurcir. Anna se réveille après moi. J'ai eu le temps de préparer le petit déjeuner. Durant quelques secondes, on pourrait se croire en vacances en camping, avec Max qui grimpe aux arbres en se prenant pour Tarzan et qui se garde bien d'aider aux tâches ménagères. J'ai aussi fait mes calculs. Nous avons effectué presque un quart du parcours en distance. Les journées qui vont suivre m'angoissent déjà car nous nous rapprochons de Rennes et surtout de Paris. Dans quel enfer est-ce que je les emmène ? Comment pourrai-je faire admettre à Anna que j'ai la moindre chance de rencontrer Spider Snake, qu'il voudra bien m'accueillir, que nous retrouverons Khronos et que... Je n'ose même plus évoquer, ne serait-ce qu'en pensée, la suite des réjouissances. C'est trop... pathétique.

Anna mange les Paille d'Or en imitant Max, ce qui le rend très heureux. Elle annonce que la prochaine étape est Broons, ce qui enchante encore plus mon cousin.

– Brooooooonsss! Brooooonsss! hurle-t-il en imitant un moteur qui rugit.

– J'ai super bien dormi, dis-je.

– On a vu. À un moment, tu devais être dans un rêve particulièrement intense. Ton visage passait en quelques secondes de la peine à la douleur puis à la joie, puis à la tristesse.

– Et j'ai parlé, j'ai fait du bruit? Ne me dis pas que je vous ai empêchés de dormir?

– Pas du tout. Et si ça peut te rassurer, tu n'as rien dit. En fait, avec Max, on a été réveillés vers 4 heures par des craquements. On a cru à des rôdeurs. Ton cousin a chargé les fusils. J'étais morte de trouille. Mais on a bien fait de ne pas te réveiller, parce que ce n'était rien. C'est ensuite, quand on essayait de se rendormir, qu'on t'a vue t'agiter. Il parlait de quoi, ce rêve? Si ce n'est pas trop intime.

– J'en ai un souvenir assez net. Au début, j'étais morte et les gens qui m'aimaient, comme mes parents, pleuraient autour de moi. Ensuite, je revenais chez moi et personne ne trouvait bizarre que je sois de nouveau vivante. Et la vie recommençait jusqu'à un nouvel accident suite auquel on me replaçait dans un cercueil. Et c'était reparti pour un tour.

– Un rêve de chat. Je crois qu'on dit qu'ils ont sept vies.

– Là, je n'en avais que trois.

– Comme dans *Ar Rannoù*: «*Chante-moi la série du nombre trois jusqu'à ce que je l'apprenne aujourd'hui*», *demande l'enfant. Et le druide de lui répondre : « Il y a trois parties dans le monde : trois commencements et trois fins, pour l'homme comme pour le chêne. Trois royaumes de Merlin, pleins de fruits d'or, de fleurs brillantes, de petits enfants qui rient. »*

– Tu connais ça, toi ? dis-je, surprise et ravie.

– Il n'y a pas que toi qui sois bretonne, ma chère Koridwen.

Je suis troublée que nous ayons autant de points communs. Je ne la connais que depuis une journée mais déjà je me sens proche d'elle. Elle est peut-être la sœur que je n'ai jamais eue et que le destin met sur mon chemin. Nous replions les sacs de couchage et rangeons les affaires dans la bétaillère. Je ne peux m'empêcher de l'observer. Elle le remarque et me sourit d'un air complice. Je suis heureuse qu'elle soit près de moi pour affronter les épreuves qui nous attendent. Partage-t-elle mes sentiments ? Me voit-elle déjà comme une amie ou a-t-elle surtout besoin de moi ? Je ne peux le savoir mais je veux croire que nous sommes au début d'une relation durable.

Alors que je m'apprête à tourner la clé de contact, Anna me presse le bras :

– Kori, je voudrais me recueillir sur la tombe de ma mère.

– Comment savoir où elle est enterrée ? Il n'y a plus personne pour nous renseigner. Beaucoup de gens ont été ensevelis dans des fosses communes, d'autres sont sans doute encore…

– Hier, j'ai aperçu une croix dans mon jardin. J'imagine que ce sont nos voisins qui l'ont enterrée là. Laisse-moi y aller, s'il te plaît.

Nous sommes sur place en quelques minutes. Elle se rue hors de l'habitacle et court jusqu'au jardin. Elle effleure la croix. Des initiales y sont gravées. Elle avait raison, c'est le bon endroit. Elle s'agenouille et prie pendant un quart d'heure. Max s'est détourné de la scène et se bouche les oreilles. Ensuite elle se lève pour aller ramasser des feuilles d'automne qu'elle dispose sur la terre retournée. Les yeux pleins de larmes, elle recommence à prier. Mon cousin veut partir et je le vois s'énerver tout seul. Il descend du tracteur et se met à donner des coups de pied dans les pneus du véhicule en gémissant. Je m'approche de lui.

– Calme-toi, Max. Je vais la chercher. On va y aller.

Anna a le visage dévasté par la douleur. J'essaie de lui prendre la main mais elle se dérobe.

– Il faut que tu viennes maintenant. Max est en crise. Il ne faut pas rester ici.

Je la saisis doucement sous les bras pour la mettre debout. Elle se laisse faire et consent à me suivre. Elle se recroqueville dans la cabine et pleure à chaudes larmes.

Nous partons enfin. Je roule aussi vite que je peux pour mettre de la distance entre nous et ce lieu que Max voulait fuir à tout prix. Nous parcourons ainsi plusieurs kilomètres. Mon cousin ne se calme pas. Il pousse des cris et fait des gestes désordonnés. Je reçois un coup derrière la nuque qui me fait sursauter.

– Anna, s'il te plaît, trouve-moi un endroit où cacher le tracteur, le temps que Max aille mieux.

– Je vais te guider, dit-elle entre deux sanglots.

Nous roulons sur quelques centaines de mètres avant qu'elle me fasse prendre un chemin de terre bordé d'arbres. Nous débouchons dans une cour de ferme. Je gare le véhicule dans la grange où est stockée la paille. Max sort en nous bousculant et s'éloigne à grands pas. Je le poursuis et l'enlace pour le maîtriser. Il me saisit par la veste et essaie de me déséquilibrer. J'écarte et plie mes jambes pour baisser mon centre de gravité. Nous avons pratiqué le gouren tous les deux quand nous étions plus jeunes. C'était une manière de canaliser notre énergie. Max est beaucoup plus fort mais il est moins rapide que moi. Il me soulève. Je m'agrippe à lui. Il m'entraîne dans sa chute. Nous roulons sur le sol. Je parviens à me dégager et je le plaque à terre. Il me fixe enfin dans les yeux. Un léger sourire apparaît sur son visage. Il doit se souvenir de nos bagarres dans la paille au moment des moissons. J'accentue ma pression. Il ne se défend plus.

– Kori gagné, dit-il. Arrête, Kori !

Nous nous relevons. Je le sens fatigué. J'étale une couverture sur les bottes de paille. Il s'y allonge volontiers. Anna, pour sa part, continue de pleurer. J'ai vraiment l'impression d'être une mère débordée par ses deux gamins. Je m'assois près d'elle et lui demande gentiment :

– Tu connais l'histoire de la fille qui ne pouvait s'empêcher de pleurer sa mère ? C'est un conte breton. Moi je me le suis rappelé quand Mamm-gozh est morte et ça m'a fait du bien.

Elle ne semble pas m'écouter. Je décide de la lui raconter quand même.

– C'est l'histoire d'une fille dont la mère était morte et qui était inconsolable. Elle pleurait sans arrêt et ne pouvait plus rien faire d'autre, ni travailler, ni manger, ni dormir. Un dimanche, à la fin de la messe, le curé, qui l'avait entendue pleurer durant tout l'office, lui demanda :

« Tu voudrais revoir ta mère une dernière fois ? »

« Oui, dit la jeune fille, des larmes dans la voix, j'aimerais beaucoup. »

« Alors, lui dit le curé, reste dans l'église jusqu'à minuit et ferme les yeux. »

À l'heure dite, la jeune fille vit apparaître un village tout semblable au sien, où les gens vivaient joyeux et sereins. Bientôt, elle aperçut au loin une femme qui marchait tête baissée, portant deux lourds seaux d'une eau noirâtre. Elle reconnut sa mère et vint à sa rencontre.

« Maman, demanda-t-elle, pourquoi toi, tu es si triste ? Et pourquoi dois-tu te fatiguer ainsi ? »

« C'est parce que je dois porter ta peine. Tu vois ces seaux, ils sont pleins de tes larmes. Si tu veux que je trouve la paix et le repos, s'il te plaît, ma fille, arrête de pleurer. »

Lorsque je termine, je suis profondément émue. Je n'ose regarder Anna, mais je sens sa main qui serre la mienne.

Max s'est endormi. Nous attendons son réveil pour repartir. Nous sommes tout à coup surprises par le bruit d'un hélico qui tourne autour de la ferme. Nous restons planquées à l'intérieur de la grange. Après quelques minutes, il s'éloigne vers l'ouest.

– On dirait qu'il nous cherchait, dit Anna.

– C'est possible. Je propose qu'on attende la nuit pour repartir.

En repérant mon itinéraire sur la carte, je remarque que nous allons passer tout près du domicile d'une des copines de Mamm-gozh qui habite un patelin près de Rennes. J'aurais bien besoin de ses conseils. On ne sait jamais, elle a peut-être survécu.

Nous repartons juste avant minuit, après avoir mangé. Je n'ai pas réussi à dormir.

17 NOVEMBRE

Nous progressons sans allumer les phares. La demi-lune nous éclaire. Au début, rouler sans éclairage est un vrai défi, surtout quand le chemin tourne. J'ai avancé à sept ou huit kilomètres/heure jusqu'à la départementale qui mène à Broons. Ensuite mes yeux se sont habitués et la route était plus droite et presque plate. À l'approche de la petite ville, nous avons d'abord vu la lumière d'un feu puis entendu une grande clameur où se mêlaient des cris et des chants hurlés. On se serait crus dans un stade. Anna voulait qu'on arrête le tracteur et qu'on aille voir de plus près.

– Nous ne sommes pas loin de chez moi. Je vais sans doute retrouver des gens que je connais. Ils pourraient nous aider.

– Hors de question. C'est trop dangereux. Et puis j'ai d'autres projets pour cette nuit.

– Et c'est quoi ?

– Je te raconterai plus tard.

Comme à chaque fois que je pénètre dans une agglomération, j'accélère. J'allume les phares pour éviter les déchets qui parsèment la chaussée. Anna m'indique que les réjouissances ont lieu sur la place Du Guesclin, en plein centre. Nous passons par une rue située à une centaine de mètres plus au nord. Nous quittons Broons et je peux ralentir et éteindre les lumières. Nous restons sur l'ancienne route de Rennes et traversons ensuite les villages de Saint-Jouan-de-l'Isle et Quédillac. Anna se tasse de plus en plus contre la vitre. Elle s'endort bientôt. Je vais devoir lutter seule contre le sommeil. J'essaie de me remémorer les moments heureux de ma vie. Les premiers qui me viennent à l'esprit sont ceux partagés avec ma grand-mère. J'avais cinq ou six ans et nous parcourions la forêt sur les traces des fées. C'était sans doute le prétexte qu'elle avait trouvé pour me faire marcher, et ça fonctionnait très bien. Elle voyait des signes partout. Des racines qui affleuraient devenaient les mains unies d'amoureux morts autrefois au pied d'un chêne parce que leur idylle était condamnée par les dieux. Des petits creux dans un rocher prouvaient le passage en ces lieux de nains maléfiques. Elle me répétait sans cesse que nous appartenions à la terre, que nous étions faits de la même matière que les arbres et les pierres, « avec les grains de la même farine ». Ce sont bientôt d'autres images qui me remplissent la tête, celle de ma mère qu'on enterre, celle d'Yffig dont le corps était si lourd à traîner. Pourquoi je ne suis pas restée près d'eux sur la terre de mes origines ? Et si je ne revenais jamais ? Si je mourais loin de chez moi ? Soudain, une compagnie de sangliers traverse la route. Je dois m'arrêter quelques minutes car ils sont nombreux. Pour eux, la vie continue et elle va être plus facile sans les battues des chasseurs. Un jour prochain, ils seront les maîtres des campagnes. Un dernier marcassin rejoint les autres en trottinant. Il s'arrête pour me regarder avant de disparaître dans les hautes herbes d'un champ en jachère.

J'avance vite et dépasse les bourgs de Montfort-sur-Meu, Breteil et Pacé, des noms qui auraient sans doute beaucoup inspiré Max. En approchant du but, je suis de plus en plus prise par le doute. D'abord, cette vieille copine de Mamm-gozh, nommée Erell, a peu de chances d'être vivante. Et si elle l'est et qu'elle veut le rester, elle ne me permettra pas de l'approcher. J'ai franchement peur de ne trouver personne ou de me faire jeter. Il faut vraiment que je sois désespérée pour avoir envie d'y aller quand même. Je m'arrête à chaque croisement depuis que j'ai quitté Thorigné-Fouillard. Je braque ma torche sur toutes les petites pancartes qui indiquent les fermes isolées. À ma quatrième tentative, je trouve enfin ce que je cherchais: La Lande-Martin. Je m'engage sur une route très étroite qui se transforme au bout de cent mètres en un chemin pierreux. Je me gare dans la cour de la ferme. Lorsque j'ouvre la portière, le froid s'engouffre dans l'habitacle et réveille Anna. Je lui chuchote d'une voix rassurante:

– Reste au chaud. Je vais voir quelqu'un. Je n'en ai pas pour longtemps.

Je ne sais pas si elle m'entend car elle ne réagit pas. Elle ferme bientôt les yeux et repose la tête sur son coussin. Je referme doucement. Je me dirige vers la porte d'entrée. Il est 4 heures du matin mais, curieusement, je n'hésite pas à frapper. Aucun bruit ne me parvient. Je décide de compter jusqu'à trois cents et de repartir si personne ne vient durant ce laps de temps.

– 1, 2, 3, 4…

Les secondes s'écoulent tranquillement. J'essaie de garder le bon rythme. En posant la main sur le trou de la serrure, je m'aperçois qu'un peu de chaleur en sort. Cette maison serait donc chauffée et sans doute habitée.

– 205, 206, 207, 208, 209…

J'entends bouger. Je sursaute. Erell est bien vivante et vient m'ouvrir. Sa démarche est lente. La porte s'entrouvre mais je ne vois personne.

– Qui es-tu ? interroge une voix grave et sèche.

– Je suis Koridwen, la petite-fille de Rozenn de Menesguen.

– Je suis contente que tu sois venue. Écoute bien : dans une minute, tu entreras. Sur la table à ta droite, tu trouveras des gants chirurgicaux et un masque. Enfile-moi tout ça et rejoins-moi près du feu.

Je m'exécute en silence et avance jusqu'à une chaise qu'elle a entourée de film plastique. Je m'y assois. Elle se tient à deux mètres de moi derrière son bureau où trône un large écran d'ordinateur. Elle s'est couverte d'un voile de soie noire qui ondule doucement quand elle parle.

– Raconte-moi ce qui t'amène.

Je lui raconte tout, depuis le message de Khronos jusqu'à l'apparition d'Anna. Elle m'écoute sans m'interrompre. Je discerne juste un petit mouvement de sa tête, comme si elle acquiesçait à mes paroles ou peut-être y trouvait une confirmation de ce qu'elle croyait ou savait déjà. Quand je m'arrête de parler, elle marque un long temps de réflexion avant de déclarer :

– Tu es telle que je l'imaginais, Koridwen : intuitive, décidée, posée, réfléchie, généreuse. Tu vas t'en sortir si tu crois en toi. Mais avant de te laisser repartir, je dois vérifier ton itinéraire.

Je lui sors mon carnet. Elle enfile des gants à son tour avant de le saisir et d'en parcourir les pages lentement. Elle lit tous les noms à haute voix. Parfois elle grimace et, avec un crayon, elle en barre certains pour en inscrire d'autres, du moins c'est ce que j'imagine de là où je me trouve. Elle passe ensuite un temps fou à écrire. Enfin, elle me demande de lui dresser un portrait précis d'Anna.

– A-t-elle un bras qui parle ?

Ça y est, me dis-je, elle va me montrer son vrai visage, celui d'une vieille dame qui vit dans son monde magique. Je rentre dans son jeu pour ne pas la braquer.

– Je ne sais pas.

– A-t-elle une cicatrice de deux centimètres formant un V assez net sur l'avant-bras gauche ?

– Je ne sais pas.

– Va voir tout de suite, s'il te plaît, c'est important.

Je sors et m'approche du camion. Anna n'a pas bougé. Je me demande comment elle peut dormir dans une posture aussi inconfortable. Je la manipule doucement pour accéder à sa main gauche sur laquelle elle a appuyé sa tête. J'allume ma torche. Juste à mi-distance entre la pliure du coude et le poignet, elle a une cicatrice rosâtre qui correspond exactement à la description de la vieille Erell. Un frisson me parcourt le dos et je déglutis. Comment a-t-elle pu savoir ? Je remets Anna dans sa position initiale. Je regagne la demeure de la gentille sorcière et lui confirme son intuition.

– Tu transportes du papier aluminium dans ta bétaillère ?

– Oui, je crois que j'ai ça.

– Demain matin, recouvre-lui sa cicatrice de trois épaisseurs de ce papier et scotche-le soigneusement. Si elle refuse, sépare-toi d'elle. Je t'ai indiqué un endroit sûr pour que tu te reposes quelques heures avant de reprendre la route, ainsi qu'un point de chute pour ton séjour à Paris. C'est un peu en dehors de la capitale, à Gentilly. Si tu suis mon itinéraire et mes indications, tu arriveras à bon port d'ici peu.

– Merci pour tout, Erell. Faites attention à vous.

Je prends le temps, avant de démarrer, de situer le refuge indiqué par la copine de grand-mère. Je n'ai pas envie d'errer pendant des heures alors que je sens la fatigue s'abattre sur moi. L'endroit se trouve au milieu de la forêt de Chevré, près d'un ruisseau appelé La Feuillée. Pour le rejoindre, il me faut parcourir encore une quinzaine de kilomètres. Le jour se lève doucement et je peux rouler plus vite. Les indications d'Erell sont ultraprécises sur la fin du parcours. Quand j'emprunte le minuscule chemin forestier, je dois «rouler à dix à l'heure et compter jusqu'à vingt-sept avant de couper le moteur». Je m'exécute comme une bonne petite apprentie sorcière que je me sens devenir.

Je réveille Anna et l'entraîne dans la bétaillère pour qu'elle puisse finir sa nuit plus confortablement. Je pousse mon cousin qui s'est un peu étalé et qui dort en souriant. Je m'allonge enfin, je suis bien.

Je roupille jusqu'à midi. Les autres m'attendent. Max sent le savon. Je le lui fais remarquer.

– On s'est baignés tout nus dans le ruisseau. C'était froid mais c'était rigolo ! J'ai vu Anna, elle est belle et elle a des...

– Oui, oui, Max, je sais ce que tu as vu. Tu n'as pas besoin de me raconter. N'empêche, vous avez du courage ! dis-je, admirative, moi, je n'aurais pas pu. Il fait super-froid.

– Moi je ne pensais pas non plus en être capable, explique Anna, mais depuis quelque temps, j'ai compris que je devais changer et prendre sur moi. Tu devrais essayer, l'eau ne paraît pas si froide si on la compare à la température extérieure.

Je souris, dubitative. Je regarde les alentours et c'est vrai que c'est beau ici. Les grands arbres nous protègent, le ruisseau ronronne comme une petite musique rassurante. On aurait presque envie de rester et de s'installer pour quelque temps. Je leur raconte ma rencontre avec Erell.

Anna me montre sa cicatrice et lance, un peu dédaigneuse :

– La vieille a dit ça au hasard. Des cicatrices, après ce que j'ai vécu, j'en ai d'autres à montrer. Celle-là, je crois que c'est la griffure d'un chat que j'avais essayé d'adopter durant ma cavale.

– Tu en es sûre ?

– Oui. Et donc je ne suis pas trop d'accord pour céder au délire de ta vieille copine.

– Moi, j'ai décidé d'y croire. Alors tu le feras ou tu nous quitteras. Mais je préférerais sincèrement que tu restes avec nous. Après tout, ce n'est pas grand-chose, ce que je te demande.

– Pourquoi ce serait toujours toi qui déciderais de tout ? On pourrait voter. Max me donnerait peut-être raison.

Je jette un œil sur mon cousin qui ne s'est pas remis de sa baignade matinale et qui lance des regards énamourés vers Anna. Je reprends d'un ton sec :

– Non. C'est comme ça. C'est moi qui commande.

Jusqu'au départ, Anna ne m'adresse plus la parole. J'avais sorti le matériel pour qu'elle se confectionne son bracelet d'aluminium, mais elle n'y a pas touché. Je vais donc perdre une compagne de voyage. Son attitude est vraiment suspecte. Elle préfère se retrouver seule et sans rien plutôt que de céder à ce qu'elle a le droit de prendre pour une de mes lubies. Je ne lui demande rien d'humiliant ni de douloureux à accepter. Nous n'étions sans doute pas faites pour devenir amies.

Nous rejoignons les faubourgs de Noyal-sur-Vilaine. À un embranchement, elle me fait signe de m'arrêter et pose la main sur la poignée.

– Je peux garder les fringues que tu m'as passées ? demande-t-elle en montrant un sac en plastique.

– Bien sûr. Bonne chance.

– Tu sais où tu vas habiter à Paris ?

– Hier, on m'a indiqué une adresse à Gentilly. C'est dans la proche banlieue.

– On se reverra peut-être un jour.

– Je ne sais pas, dis-je.

Elle embrasse Max sur la joue et descend du véhicule. Elle lève à peine la main pour nous saluer. Sur ses lèvres, je lis : « À vous aussi, bonne chance. »

Max est d'abord tétanisé, puis il tourne la tête vers l'arrière à plusieurs reprises. Visiblement, il n'a pas compris ce qui vient de se passer. Ensuite, il me touche le bras pour que je le regarde. Il veut que je fasse demi-tour.

– Kori, Kori, implore-t-il, en larmes. Il faut chercher Anna… chercher Anna… Anna…

J'accélère pour faire vrombir le moteur et ne plus entendre ses cris. Il ne renonce qu'une demi-heure plus tard. Là, il se recroqueville, entoure ses genoux de ses bras et fait osciller sa tête. Je vais attendre que la crise passe.

Je suis à la lettre l'itinéraire corrigé par Erell. Elle me fait éviter certaines localités, peut-être à cause de la sonorité de leur nom. C'est le cas pour Cornillé, Mondevert, Saint-Denis-d'Orques ou Chassillé. Je m'amuse à faire des hypothèses : Cornille ferait penser aux cornes du Diable, Saint-Denis-d'Orques aux Orcs et au saint à la tête coupée. Pour les deux autres, je sèche. Je trace ma route sans me poser de questions, parce qu'elle a aussi planifié les refuges pour la nuit. Le premier soir, nous nous arrêtons au sud-est de Brains-sur-Gée, dans une clairière d'un lieu nommé Les Grands-Bois.

Pendant que le repas chauffe, mon cousin se blottit contre moi. Je lui caresse les cheveux. Je le sens revenir à la vie. Il me dit d'une toute petite voix :

– À Paris, on va trouver papa et maman ?

– On va essayer, Max, c'est promis.

18 NOVEMBRE

J'ai fait le point avant de redémarrer. Nous sommes à deux cents kilomètres de Paris. L'expérience des premiers jours de voyage m'a montré qu'il est difficile de faire des prévisions fiables. Mais si je me réfère au programme d'Erell, nous pourrons arriver dans la capitale demain en fin de matinée. Quand je sors les affaires de ma grand-mère, je remarque qu'on a fouillé dedans car la couverture de son répertoire est cornée. De même, je constate que deux pages de mon carnet ont été arrachées. Je suppose qu'Anna a pris des notes. Que cherchait-elle ? Que cachait-elle ? Je ne le saurai jamais.

Depuis que je l'ai quittée, j'ai aperçu quelques personnes seules qui erraient dans les villages ou qui attendaient sur le bord de la route. Je ne me suis pas arrêtée. Peut-être que je deviens plus égoïste.

Je traverse Saint-Ulphace, à l'est de La Ferté-Bernard. Près de l'église, un gars grimace en essayant de sourire. Ce qui attire mon regard, c'est qu'il porte comme un bandage grisâtre sur le bras gauche. En m'approchant, je reconnais l'aspect du papier alu froissé. Je stoppe la machine, ce qui fait sursauter Max qui somnolait. Le gars me fait un signe de tête interrogatif. Je réponds par un geste bref de la main. Il monte. Il a un sac de marin bien lourd qu'il case derrière mon fauteuil.

– Je suis Marek. Tu vas à Paris ?

– Oui.

– Si tu veux, je sais conduire.

– On verra, dis-je simplement.

Il me fixe quelques minutes sans rien ajouter. Il a aperçu le fusil que je garde sous mon siège. Cela ne semble pas l'effrayer. Il finit par s'endormir.

Nous faisons une pause dans un bois près d'Houville-la-Branche. Les deux gars sont réveillés. Max lui fait faire le tour du propriétaire. Marek est impressionné par mon sens de l'organisation. Nous nous installons pour manger. Il sort une grosse boîte de pâté de porc de son sac et partage son contenu en trois. Ensuite, il demande un peu d'eau pour se laver. Il enfile des vêtements propres.

– Tu n'es pas très causante, dit-il. Je me demande pourquoi tu m'as fait monter…

– Je voulais savoir pourquoi tu portes de l'alu autour de ton bras gauche.

– C'est pour brouiller le signal du traceur que les militaires m'ont greffé sous la peau quand ils m'ont chopé. Si j'avais un bon couteau et du désinfectant, j'essaierais de me le retirer.

– Je crois que j'ai ça si tu veux et je pourrai même te filer un coup de main.

– Super. Au fait, comment tu t'appelles ?

– Kori.

– Merci Kori.

– Ces traceurs, ils les implantent à tout le monde ?

– Non, pour l'instant, c'est plutôt exceptionnel. Ils le font à titre expérimental.

– Pourquoi sur toi alors ?

– Parce qu'ils m'ont jugé dangereux.

– Et ils ont raison ?

– Pour eux, je le suis. Toi, tu n'as rien à craindre de moi.

– En ville, il y a beaucoup de militaires, c'est ça ?

– En fait, non. L'armée se contente la plupart du temps de faire des largages de nourriture dans des lieux de rassemblement qu'on appelle des R-Points. Peu d'hommes descendent des hélicos. Ces lieux sont gérés par des jeunes comme nous. À Rennes, celui qui commande les troupes est du genre zélé et je n'ai pas eu de chance.

Nous reprenons la route en fin d'après-midi. Max a trouvé un partenaire pour son jeu idiot qui consiste à déformer les noms des patelins : Un peu ! (Umpeau), Oh Non ! (Auneau) C'est la Même ! (Sainte-Mesme). Leur bonne humeur est communicative. Marek s'étonne que je m'arrête si vite pour la nuit.

– On aurait pu finir, propose-t-il. Si tu es fatiguée, je peux conduire.

– Non, je préfère arriver dans la matinée.

– OK, je n'insiste pas.

Dans la soirée, j'ouvre la malle de Mamm-gozh et j'en sors l'herbier annoté de sa main. En dessous de chaque plante, elle a indiqué son usage. À la fin de l'ouvrage, il y a même quelques recettes classées en deux catégories : *Recettes de vie* et *Recettes de mort.* La toute première recette traite justement des plaies. On y préconise le millepertuis. Je déniche une fiole d'un liquide trouble avec le dessin d'une fleur jaune en forme d'étoile sur l'étiquette. C'est censé être un désinfectant. Je dévisse le bouchon et respire le produit. L'odeur forte d'alcool me rassure. Pour la cicatrisation, ma grand-mère propose du miel de lavande. Il est contenu dans un pot en terre qui semble venir du fond des âges. Je me demande à cet instant si je ne me suis pas engagée trop rapidement. Et si, à cause de ces produits un peu louches, la plaie de Marek s'infectait ? Pourquoi n'ai-je pas pris les médicaments qui remplissaient l'armoire à pharmacie familiale ? Maintenant, c'est trop tard pour les regrets et je dois faire confiance à ma grand-mère et assumer mon choix devant mon passager. Avant l'opération, je prends le temps de bien aiguiser le « couteau sacré » de Mamm-gozh. Comme je dispose de quatre pierres différentes, Marek en profite pour affûter son vieux canif rouillé.

– Nous préparons nos armes pour le combat, déclare mon nouvel ami avec solennité. Je vois que tu es très bien équipée, Kori.

– C'est un cadeau de ma grand-mère. S'il y en a quatre, ce ne doit pas être par hasard. Je pense à une comptine qu'elle m'avait apprise :

« Chante-moi la série du quatre jusqu'à ce que je l'apprenne aujourd'hui », demande l'enfant.

Et le druide lui répond :

« Quatre pierres à aiguiser, pierres à aiguiser de Merlin, qui aiguisent les épées des braves. »

– Elle n'était pas un peu sorcière, ta grand-mère, des fois ?

– Sans doute, mais une gentille sorcière alors.

Je désinfecte la lame puis j'appuie le tranchant sur la peau pour l'inciser. Mon arme est efficace comme un scalpel de chirurgien. Marek serre un bâton entre ses dents, tandis que Max nous éclaire en détournant le regard. La puce n'est pas très loin et je la sors dès le premier essai. Ça saigne pas mal. Marek se crispe quand j'applique l'alcool bizarre sur sa plaie. Après, je le tartine avec un peu de miel et lui fais un beau pansement.

– Ne l'enlève pas avant quelques jours, que ça cicatrise bien.

– Merci. On dirait que tu as fait ça toute ta vie ! lance-t-il, enthousiaste.

19 NOVEMBRE

Avec Marek si près de moi, je suis restée sur mes gardes toute la nuit. J'avais installé mon cousin entre nous mais je sentais planer une menace. Surtout que j'avais compris juste avant de dormir que, dans son sac, notre invité dissimulait des armes à feu. De plus, Erell n'avait pas évoqué l'éventualité d'une rencontre au cours du voyage. Avais-je fait une erreur que j'allais payer cher ?

Je suis réveillée avant les autres et je peux détailler notre nouveau compagnon de voyage. Son visage est anguleux mais harmonieux. Il a des muscles fins. Sa peau est blanche et glabre. Je le trouve attirant. Il ouvre un œil. L'idée qu'il ait pu s'apercevoir que je l'observais me fait rougir. Nous petit-déjeunons en tête à tête. Il m'interroge d'une voix calme :

– Tu connais des gens à Paris ?

– J'ai quelques adresses.

– Tu vas débarquer avec ton tracteur ?

– Non, dis-je en souriant, j'ai prévu de le cacher dans la banlieue. Je terminerai le chemin à pied.

– Et tu vas te balader dans la rue avec ta grosse pétoire qui pèse dix kilos ? C'est un peu voyant.

– Faute de mieux. Mais j'espère dénicher en ville un magasin d'instruments de musique abandonné. Je piquerai un étui à guitare où je pourrai planquer mon fusil.

– Comme les tueurs à gage des films américains qui se déroulent pendant la prohibition. Attends, je vais te donner quelque chose de plus pratique.

Il plonge la main au fond de son sac et en tire plusieurs pistolets qu'il étale devant lui. À la troisième tentative, il tombe sur le bon qu'il me tend avec autorité. Je m'en saisis après une seconde d'hésitation. Il est froid et lourd. Je le tiens avec précaution car j'ignore s'il est chargé. Il comprend ma méfiance.

– T'inquiète pas, il est vide.

Il remue encore ses affaires pour en extraire deux chargeurs qu'il me présente sur le plat de sa main gauche. Avec la droite, il récupère l'arme et me montre comment la charger. Il le fait à deux reprises et me demande de l'imiter. Je lui montre que j'ai compris la manœuvre.

– Je te l'échange contre un de tes vieux fusils de chasse, me dit-il.

– Marché conclu, dis-je en tendant la main pour qu'il la serre.

– Malheureusement, ajoute-t-il, je n'ai que ces munitions-là. Deux fois huit balles, il ne faudra pas les gâcher.

– Merci. Ce n'est pas mon genre.

– J'avais deviné.

Je planque l'arme avant que Max sorte de la bétaillère.

Nous reprenons la route un peu plus tard. Je laisse le volant à Marek et me serre près de Max. J'en profite pour observer l'horizon avec les jumelles. Il faut que nous ayons le temps d'anticiper les problèmes. À partir d'Égly, on a l'impression d'entrer dans une immense zone urbaine car les villes sont toutes collées les unes aux autres. Je concentre mon attention sur les bâtiments, à la recherche de personnes vivantes qui pourraient s'en prendre à nous. Soudain, un choc sur le capot du tracteur nous fait sursauter. D'instinct, nous baissons tous les trois la tête. Marek comprend avant nous ce qui se passe :

– On nous tire dessus. Ça vient de la droite, sans doute de l'immeuble gris à une centaine de mètres. Prends ma place et continue à rouler, je vais régler le problème.

Je me glisse sur le siège. Il fouille dans son sac et en tire plusieurs morceaux d'un fusil à lunette qu'il assemble en quelques secondes. Nous essuyons un second coup de feu. La balle troue le haut du pare-brise et passe très près de ma tête, avant de terminer sa course dans la tôle juste derrière moi. Je me cramponne au volant en me recroquevillant au maximum. Heureusement que la route est droite, car mes membres sont tétanisés par la peur et je me sens incapable du moindre mouvement.

– Je l'ai, crie Marek.

Il tire à deux reprises. Les détonations nous transpercent les tympans. Puis il pose son arme et la démonte sans attendre. Je demande d'une voix faible :

– C'était qui ?

– Un taré qui s'amusait comme à la fête foraine. Tu veux que je reprenne le volant, Kori ?

– Non, ça ira.

Max reste prostré par terre encore de longues minutes avant de se rasseoir. Nous croisons une première voiture quelques minutes plus tard, puis deux autres un peu plus loin. Nous sommes ensuite doublés par plusieurs véhicules surchargés de gens ou de marchandises. Certains conducteurs nous klaxonnent de façon agressive mais aucun n'engage le conflit. Nous sommes bloqués par un barrage à Fresnes. Marek me conseille de me cacher dans la bétaillère avec Max. Je décide de lui faire confiance et le laisse prendre ma place.

Le tracteur est bloqué pendant plus d'une heure. Plusieurs fois, j'entends des gens qui s'approchent de nous et vont jusqu'à poser la main sur la poignée de la bétaillère. Pourtant, jamais personne ne tente d'ouvrir. Nous repartons. Après quelques minutes, Marek stoppe le véhicule et ouvre la porte de notre refuge. Je me faufile dans la cabine. Il m'explique qu'il connaît des gens qui filtrent les entrées dans la capitale. Malheureusement, ce matin, ils n'étaient pas de faction et il a fallu attendre qu'ils arrivent.

– Et c'est qui ces gens ?

– Des gars qui servent les autorités. En échange, on les laisse trafiquer et éliminer les autres trafiquants.

– Tu fais souvent le trajet ?

– C'est ma troisième fois. Je fais rentrer des armes et d'autres marchandises vitales en temps de crise. Et toi, qu'est-ce que tu viens faire à Paris ?

– Moi, je viens sauver le monde.

– Ah oui, sourit-il, et comment ?

– Pour l'instant, je ne sais pas exactement, dis-je en souriant à mon tour comme si je plaisantais.

Je ne veux pas qu'il me prenne pour une folle et je n'ai pas le courage de tout lui expliquer.

Nous avançons jusqu'à Gentilly, en bordure de la capitale. Là, je me rends à l'adresse d'un atelier de réparation automobile où je peux, d'après la précieuse Erell, garer mon engin sans risque. L'endroit a été pillé. Marek nous aide à déplacer une voiture et à dégager un espace suffisant pour y garer mon véhicule et son encombrante remorque. Il nous quitte en nous recommandant d'être prudents et de nous méfier des chiens errants qui pullulent dans la capitale. Mais aussi d'éviter les tarés accros aux produits prohibés et les bandes qui sévissent la nuit.

– Je repasserai bientôt, conclut-il.

– Si tu veux.

Il lève les sourcils. Il a du mal à saisir si j'en ai envie. Moi-même, je n'en suis pas très sûre. Il pose ses mains sur mes épaules comme s'il allait m'embrasser ou me prendre dans ses bras mais il se contente de me sourire. Il serre la main de Max et disparaît dans la rue. Nous restons un bref moment les bras ballants. De nouveau tous les deux.

Il faut que je trouve un moyen de nous barricader. J'entreprends de fouiller le local. Un escalier en fer mène à une pièce qui servait de bureau. Au fond d'un des tiroirs d'un meuble en métal, je déniche un trousseau de clés. Je redescends vérifier si par miracle l'une d'entre elles fermerait la porte d'entrée. J'ai eu raison d'y croire. Une bonne fée ou une sorcière celtique doit veiller sur nous. À l'étage se trouve aussi un petit appartement avec une chambre, des toilettes, une douche et une kitche-nette équipée d'un réchaud relié à une bonbonne de gaz. J'ai bien fait d'en rapporter deux pleines de la maison. Me laver enfin, j'en rêvais. Je puise de l'eau dans notre réserve et la verse dans une des bassines que j'ai empor-tées. J'en fais chauffer aussi un peu dans une casserole, que j'ajoute pour tiédir l'ensemble. Je me glisse dans la cabine. Pour la première fois depuis le départ, je vais me laver entièrement. Je n'ai pas trop froid, alors je prends mon temps. Je suis fine mais je cache bien mon jeu. C'est ce que disait mon prof de gouren quand je parvenais à plaquer au sol des gars qui pesaient quinze à vingt kilos de plus que moi. «Elle est tonique, la Kori», ajoutait-il parfois. Lorsqu'on prenait une douche avec Cindy après l'entraînement, on comparait souvent nos physiques. Chacune enviait l'autre, moi ses formes féminines et elle la fermeté de mon corps. Un soir, elle m'a dit: «Tu as des seins de guerrière et moi ceux d'une laitière.»

Mais ma copine a déjà eu des amoureux, preuve que son apparence attire davantage les garçons. Moi, pour l'instant, j'ai dû me contenter d'expérimenter quelques pratiques comme le baiser sur la bouche et des caresses fugitives et maladroites au cours de soirées avec des gars qui n'en valaient pas la peine. Je m'étais promis de ne faire l'amour qu'avec quelqu'un que j'aimerais vraiment. Depuis que la vie est devenue tellement dangereuse, j'ai commencé à me dire qu'il serait bon que je n'attende pas trop. Sinon, je risque de ne jamais le faire. Je m'essuie le corps lentement en pensant à Marek. À lui, j'aurais pu dire oui. La prochaine fois que j'en aurai envie, je prendrai les devants.

Je prépare à manger en veillant à ne pas faire de bruit. Je ne tiens pas à attirer l'attention de rôdeurs. Pour dormir, Max s'installe avec une couverture sur la banquette arrière d'une vieille Volvo break. Il me laisse donc la chambre pour moi toute seule. Je passe une nuit difficile. Le calme de la campagne me manque déjà et peut-être aussi la respiration bruyante de mon cousin. Je suis réveillée à plusieurs reprises par des cris plus ou moins lointains, des claquements et des détonations. Une moto passe vers 3 heures en ralentissant juste devant le rideau de fer. Quelqu'un a-t-il déjà remarqué notre présence ?

DEUX

20 NOVEMBRE

Je me lève au petit matin et je me fais un shampoing. J'ai toujours aimé mes cheveux. C'est ce que je préfère dans mon physique. Depuis que je suis toute petite, on s'extasie sur leur masse abondante et leur magnifique couleur auburn, avec des reflets roux plus clairs. Moi, je les trouve surtout pratiques pour dissimuler mon visage que j'aime moins, mes oreilles décollées, mon teint pâle, mes taches de rousseur. Ma mère, qui n'était pas objective, disait que mes traits étaient fins et réguliers, alors que je me suis toujours jugée banale. Je profite du sommeil de Max pour sortir dans la rue et repérer les alentours. Tout est calme. Je progresse en rasant les murs jusqu'à une intersection avec une voie plus large qui mène à Paris. J'aperçois une masse noire sur le trottoir, entourée par trois chiens. Je m'approche. C'est le corps d'un adolescent dont le torse est criblé de balles. Pendant quelques secondes, j'ai imaginé que c'était Marek et mon rythme cardiaque s'est emballé. Mais le gars par terre est beaucoup plus gros. J'entends au loin le vrombissement d'un camion. Je me mets à couvert dans un ancien magasin de téléphonie dont la porte vitrée a volé en éclats.

Le véhicule progresse lentement. Un homme portant un masque à gaz est debout dans la benne. Il tape sur le toit de la cabine pour que le chauffeur stoppe. Des militaires en combinaison protectrice complète descendent et chargent le corps à l'arrière. Je ne sais pas exactement ce qu'ils vont en faire mais je me réjouis qu'ils ne l'aient pas laissé aux chiens.

Je sors de ma cachette quand je suis certaine d'être hors de leur vue. Si j'en crois Marek, les soldats cherchent aussi à récupérer les vivants pour les tracer. Cela doit leur permettre de surveiller la population. On le fait pour pister la migration de certains oiseaux. Moi je veux à tout prix rester libre et indépendante. Tant que je le pourrai, je veux aussi garder Max près de moi.

Je retourne au garage. À la fin du petit déjeuner, j'annonce à mon cousin que nous allons traverser Paris à pied, que ce sera une longue promenade, que j'ai besoin de lui à mes côtés. Je pense que, comme moi, il est content à l'idée de se dégourdir les jambes et de découvrir enfin la ville. J'avoue que si je connaissais un moyen de le laisser en sécurité, je ne m'encombrerais pas de lui. J'ai peur qu'il me freine ou qu'il mette sa vie en danger.

Je dégotte un plan de Gentilly dans un tiroir du bureau. Celui de Paris est affiché dans la cuisine à côté d'un poster représentant le phare d'Ar-Men battu par d'énormes vagues. Le propriétaire était breton, peut-être un ami de la copine de Mamm-gozh. Je commence par essayer de mémoriser le nom des rues qui permettent de gagner l'île de la Cité où se trouve la plus vieille horloge de Paris, le point de rendez-vous avec Khronos et les Experts. J'imagine que certains d'entre eux vont avoir envie, comme moi, de traîner dans les parages, bien avant la date prévue. Comment ferai-je pour les reconnaître ? Viendront-ils seulement pour retrouver des partenaires du jeu ou auront-ils foi en Khronos et dans ce qu'il prétend pouvoir réaliser ? Comment croire que voyager dans le temps soit possible ailleurs que dans les rêves ou la fiction ? *A contrario*, comment être certain que ce soit absolument inenvisageable ?

Je me souviens soudain d'un conseil d'Erell inscrit en bas de mon itinéraire :

Dans la capitale, évitez la lumière du jour. Devenez des rats, prenez les souterrains. Les rats survivent toujours aux catastrophes.

Jusque-là, ses conseils m'ont plutôt servi. Aussi, je décide que nous allons emprunter la ligne de RER qui traverse la région parisienne du sud au nord et passe non loin de notre abri. C'est exactement la direction à suivre pour atteindre notre objectif. Nous resterons à couvert jusqu'à la station Saint-Michel. Ensuite, nous serons forcés de sortir au grand jour pour traverser le pont Saint-Michel et nous diriger vers la Conciergerie, dont une tour d'angle est ornée de la fameuse horloge.

Nous empruntons des petites rues jusqu'à la station de RER Gentilly. Le trajet dure à peine cinq minutes. Nous pénétrons à l'intérieur de la gare. Tout est saccagé. Des amoncellements de bouteilles d'alcool vides abandonnées sur le sol et les bancs témoignent que l'endroit a dû servir à des rassemblements, peut-être à des fêtes. La seule activité qui perdure, à cet instant, est celle des rats qui escaladent des tas d'ordures à la recherche de nourriture. Nous accédons aux voies par un petit escalier situé à l'extrémité du quai. Max marche juste derrière moi en silence. À mesure que nous avançons, la lumière décroît. Nous posons nos pieds bien à plat sur les traverses pour ne pas trébucher. Mon cousin s'est agrippé à la veste de chasse de mon père que j'ai enfilée aujourd'hui. Pour la ville, ce n'est pas le meilleur camouflage. Une lumière nous parvient bientôt du fond du tunnel. Je suppose que la gare suivante est située au fond d'une tranchée à ciel ouvert. Cela ne plairait pas à Erell, mais moi, ça me convient mieux. La station Cité universitaire est dans le même état que la précédente, dévastée et déserte. Nous progressons à découvert jusqu'à Denfert-Rochereau. Je suis attentive au moindre bruit. La voie passe juste à côté d'immeubles. Je scrute chaque fenêtre à la recherche du plus petit mouvement. Je n'ai pas envie que nous servions de cible à un sniper comme hier. Après Denfert-Rochereau, le parcours se fait de nouveau sous terre. Au bout de cinq cents mètres, Max me prend la main. Je comprends que ce long tunnel l'angoisse. Pourtant, je décide d'économiser la lumière et de continuer d'avancer à l'aveugle. Nos yeux s'habituent bientôt à l'obscurité qui n'est pas totale. Nous n'entendons résonner que le bruit de nos semelles sur le bois. Si des gens sont planqués quelque part, nous serons vite repérés et les possibilités de fuite seront minimes. Je sens la panique monter lorsque me parviennent des sons étranges qui ressemblent à des raclements sur du métal. Max me broie littéralement les doigts et je lui chuchote à l'oreille quelques mots de réconfort :

– Bientôt, on va sortir et revoir le ciel. Ne t'inquiète pas.

Un martèlement soudain venu de la droite nous fait sursauter. J'allume ma torche et distingue une porte métallique. Le son provient de là. Je m'approche et perçois une plainte. La clé est dans la serrure. Je la tourne et j'ouvre. Le silence est total et nous sommes tous deux figés sur le seuil comme des statues. Une main fine et sale sort de la pénombre. Je la saisis et la tire vers moi. C'est une fille de mon âge. Son odeur me prend à la gorge et me donne la nausée. Elle allume une petite lampe de poche et la braque sur moi.

– Tu es un ange, bredouille-t-elle. C'est Dieu qui t'a envoyée pour me sauver ?

Je ne peux m'empêcher de sourire à sa question.

– Non, dis-je, je suis juste une fille qui a voulu prendre un raccourci.

– J'ai soif ! articule-t-elle difficilement.

Je lui passe ma gourde. Elle en engloutit le contenu en quelques secondes au point de s'étrangler. Elle tousse un long moment avant de reprendre une respiration normale. Sa voix est maintenant plus assurée :

– Tu vas vers Port-Royal ?

– C'est ça.

– La voie fait une courbe et ensuite on verra la lumière du jour. Tu vas où après ?

– Jusqu'à l'île de la Cité.

– Sors à la prochaine, ne continue pas par les tunnels, c'est trop dangereux.

Nous cheminons ensemble pendant un quart d'heure. Elle s'appuie sur moi et marche difficilement. Son corps tremble. Elle pleure doucement. Nous regagnons la surface à Port-Royal. Je me rends compte qu'elle est pieds nus. Nous nous asseyons sur un banc et je peux la contempler enfin. Elle est toute fine, ses cheveux bruns tirés en arrière forment un petit chignon. Elle est habillée pour aller à une soirée, sauf qu'elle est couverte de poussière et de taches de liquide gras. Je lui offre des Paille d'Or qu'elle dévore sans presque reprendre son souffle. Ensuite, elle me rend le paquet vide avec une mine gênée.

– Pardon… J'ai tout bouffé. Y en a plus… mais si tu veux, chez moi…

– C'est rien. J'en ai d'autres. Depuis quand t'étais dans ce trou ?

– Je ne sais pas. Quel jour sommes-nous ?

– Le 20 novembre.

– Alors, ça fait presque trois jours.

– Que s'est-il passé ?

– Je ne sais pas vraiment. Des copains avaient organisé une fête dans les sous-sols. Ils avaient découvert un groupe électrogène dans un local technique de la RATP grâce auquel on allait pouvoir mettre de la musique. Tu te rends compte que ça faisait deux semaines qu'on n'avait pas écouté un son ! J'y suis allée avec les copines de ma bande. On a un peu picolé. J'ai sympathisé avec un mec et ensuite on s'est écartés du groupe et après… je me suis réveillée dans ce trou, en plein cauchemar. Avec le virus, il y a beaucoup de gens qui deviennent tarés et puis il y a ceux qui l'étaient déjà et qui profitent de l'absence d'ordre pour passer à l'action. Toi, tu as raison de ne pas te balader seule. Vous vous appelez comment ?

– Lui, c'est Max et moi, c'est Kori. Et toi ?

– Zoé.

– Tu veux qu'on te ramène chez toi ?

– Je veux bien.

La fille ne parvient pas à se relever. Elle est prise de vertige. Max la charge sur son dos. Elle peine à garder les yeux ouverts. Je suis obligée de la secouer à deux reprises pour qu'elle nous guide jusqu'à chez elle. J'entends des cris au loin. Cela vient du quatrième étage d'un immeuble à une cinquantaine de mètres.

– Zoé ! Zoé !

La porte cochère d'un bel immeuble s'ouvre et quatre filles en sortent avec des couvertures. Nous nous arrêtons. Elles sont folles de joie et nous entourent en sautant sur place.

– On va l'allonger sur une couverture et on prendra chacune un coin, annonce une grande brune à lunettes.

– Putain, elle pue la Zoé ! Je ne sais pas où t'as traîné, ma vieille, lance une autre en faisant la grimace.

– T'es parfumée à « senteurs d'égout » ou à « eau de chiotte », ma parole, rigole une troisième.

Elles comptent jusqu'à cinq pour la soulever en même temps et font quelques pas en direction de leur appartement.

Zoé entrouvre les yeux. Son visage rayonne quelques secondes puis elle sombre dans le sommeil. La fille à lunettes se tourne vers nous, les yeux rougis par l'émotion.

– Vous voulez monter ? demande-t-elle.

– Non, dis-je, on doit y aller.

– En tout cas merci, merci, merci, répète-t-elle d'une voix soudain cassée. On ne croyait pas la revoir vivante. Si toi ou ton copain, vous avez besoin d'un refuge ou de n'importe quoi d'autre, vous savez où on habite. OK ? Merci encore.

La lourde porte se referme et j'entends des bruits métalliques. J'imagine qu'elles barricadent l'accès à l'immeuble.

Nous progressons dans les rues désertées. Je m'attendais à rencontrer plus de passants dans une ville si grande. Les gens doivent se terrer chez eux et ne sortir que pour le ravitaillement. Des affiches tricolores ont été placardées sur les vitrines des magasins. Elles émanent des autorités et invitent les adolescents à rejoindre les R-Points où ils trouveront « nourriture, assistance médicale et sécurité ». Je suis étonnée par le nombre de chiens qui errent dans la ville. Le plus souvent, ils circulent en meute. Max et moi n'avons jamais eu peur des chiens. Lorsqu'ils fondent sur nous, nous ne reculons pas et leur parlons douce-ment. La plupart du temps, cela suffit à les calmer et ils passent leur chemin. À partir du milieu du boulevard Saint-Michel, nous sommes suivis pendant plusieurs centaines de mètres par des chiens d'attaque très agressifs qui montrent les crocs et n'hésitent pas à nous frôler pour nous intimider. Je pense que leur maître n'est pas loin et que c'est lui qui les dirige pour terroriser les passants. Ici, chacun défend son territoire comme le font les loups dans la forêt.

Nous arrivons en bas du boulevard. Il y a un attroupement près d'un monument avec un bassin. Des gens s'énervent et crient. Nous nous gardons bien d'approcher. Je propose à Max de faire une pause au bord de la Seine. Nous descendons les marches vers les berges. Le quai est pratiquement désert, à l'exception de quelques personnes qui puisent de l'eau à une centaine de mètres sur la droite et d'un jeune homme qui réunit des déchets et des branches de bois mort pour en faire un immense tas. Max le contemple avec intérêt, ce qui semble gêner le gars qui lève un poing menaçant vers lui. Un enfant immobile est posé à même le sol pavé. Je demande à Max de regarder dans une autre direction. Il obéit en grognant que «le monsieur, il est trop méchant». Ensuite, il consent à s'asseoir près de moi pour contempler le fleuve. Le courant charrie des troncs d'arbres, des ballots de vêtements sur lesquels se perchent des oiseaux noirs et des goélands argentés. Ces derniers se maintiennent difficilement en équilibre sur leur radeau. Parfois, ils piquent leur bec dans le tissu. Ce que je prends pour des paquets de linge, ce sont… des cadavres gonflés d'eau qui dérivent et servent de nourriture à ces charognards.

Je me lève et invite mon cousin, absorbé par ce spectacle macabre, à me suivre. Le gars derrière nous est parvenu à allumer son feu. Il lance des sortes d'incantations dont je ne saisis pas le détail. Il attrape maintenant l'enfant inanimé sous les bras et le brandit au-dessus du feu. Ce doit être sa petite sœur. Elle paraît âgée de sept ou huit ans. Son décès doit être récent car son visage est intact. Elle ne porte qu'un pyjama de coton. Elle aura survécu plus longtemps que les autres car je n'ai pas croisé de jeunes de moins de quinze ans en vie depuis plusieurs semaines. Max s'est levé et s'approche. Je le retiens. J'imagine l'état de détresse dans lequel doit se trouver ce gars pour avoir décidé de la brûler sur un bûcher. Cela rappelle le rituel de la crémation en Inde ou les pratiques des Celtes des temps anciens. On raconte que cela permet à l'âme de s'échapper du corps et de rejoindre le Ciel. Max se dégage pour foncer sur le jeune type. Je me précipite pour l'empêcher de troubler cette cérémonie que je ne me sens pas le droit de juger.

Et là, soudain, c'est comme un électrochoc qui secoue tout mon corps, je croise, durant une fraction de seconde, le visage de l'enfant qui grimace d'effroi. Max a bousculé le gars qui vacille sur ses jambes et a saisi la petite fille. L'autre ne la lâche pas. Ils sont tous deux pris d'une folie furieuse et la petite risque d'être littéralement écartelée. Sans réfléchir, je me glisse derrière le fou, colle le canon de mon pistolet sur sa nuque et appuie sur la détente. Il est cloué sur place quelques secondes avant de s'affaisser en pivotant. Avec le plat du pied, je propulse son corps, tête la première, dans les flammes. L'enfant serre le cou de Max presque à l'étouffer. Nous nous hâtons vers les escaliers alors que deux ados se sont arrêtés sur le pont pour assister à la scène. En haut des marches, nous nous dirigeons vers l'île de la Cité. À notre approche, nos spectateurs s'enfuient parce qu'ils ont peur que je m'en prenne aussi à eux. Max marche vite. Je hurle pour qu'il s'arrête. Il ne répond à mon ordre que lorsqu'il a atteint le milieu du pont.

– Max ! Ne bouge plus ! Il faut qu'on réfléchisse. Cette petite a sans doute une famille. On ne peut pas l'embarquer comme ça. Et qu'est-ce qu'on en ferait ? Max, Max, regarde-moi. Il faut l'interroger.

– Petite sœur ! Petite sœur de Max.

– Tu sais très bien que ce n'est pas vrai. Laisse-moi lui parler, s'il te plaît.

L'enfant fuit mon regard et cherche à enfouir son visage dans la capuche du sweat bleu de Max qui dépasse de son vieux blouson. J'essaie de lui parler avec la plus grande douceur. Je lui caresse les cheveux. Elle est brûlante de fièvre. Max s'est accroupi pour la poser quelques secondes, juste le temps de défaire son blouson et d'y envelopper la gamine. Elle se laisse faire. Elle respire difficilement et paraît épuisée.

– Comment tu t'appelles ?

Elle relève la tête, me fixe mais ne répond pas. Je reprends :

– Comment tu t'appelles ? Tu veux bien me le dire ? Comme ça, ensuite, je pourrai te ramener près de gens qui te connaissent. Tu comprends ? Allez, sois gentille, dis-moi ton nom !

La petite se redresse pour regarder quelque chose derrière moi. Son visage s'éclaire et elle hurle, complètement excitée :

– Diego ! Diego ! Diego !

Je me retourne et j'aperçois un jeune type qui court vers nous. Il paraît complètement bouleversé. Max a également pivoté et l'enfant se projette en avant pour sauter dans les bras de celui qui doit être son véritable frère. Max a compris et ne la retient pas. Je demande d'un ton sec :

– C'est ta sœur ?

L'autre me regarde en acquiesçant. Je sens monter en moi de la colère contre lui. Se rend-il compte de ce qui se serait produit si nous n'avions pas été sur le quai au bon moment ?

– Comment tu expliques qu'elle se soit retrouvée avec ce taré ? Il allait l'immoler.

– C'est l'Indien fou, essaie-t-il de se justifier, il l'a enlevée pendant que…

– C'est ta sœur. Tu n'aurais jamais dû la laisser seule. Tu as mal veillé sur elle. En plus, elle est transie de fièvre. Pourquoi tu ne la fais pas soigner ?

Je ne l'accable pas davantage. Après tout, en ces temps difficiles, il nous arrive à tous de commettre des erreurs. Celle-là aurait coûté la vie à cette pauvre enfant.

– Merci à vous deux d'avoir sauvé Alicia.

– De rien. Allez, salut.

Le gars nous tend la main, mais Max ne réagit pas et moi, sur l'instant, je n'en ai pas envie.

Nous leur tournons le dos et nous mettons en marche. Quelques secondes plus tard, celui qui s'appelle Diego apostrophe Max pour lui demander s'il veut récupérer son blouson. Mon cousin ne l'entend pas. Je réponds à sa place :

– C'est bon, garde-le. Il en a un autre et, là, elle en a plus besoin que lui.

Max s'est figé au milieu du trottoir et fixe la petite fille qui lui fait des signes pour lui dire au revoir. Elle semble avoir décidé que mon cousin s'appelle « Totor ». Max lui sourit béatement en murmurant :

– Moi, Totor. Oui, moi Totor.

Je tire Max par la manche pour l'attirer dans la direction opposée. Il ne consent à me suivre que lorsque l'enfant a complètement disparu de son champ de vision. Je marche doucement pour tenter de me calmer. Je réalise que je viens de flinguer un gars, comme ça. Je ne peux m'empêcher de penser que j'ai agi dans la précipitation. Ce n'était pas nécessaire. À deux, on aurait eu le dessus. J'ai choisi la solution la plus facile mais aussi la plus grave. Sans compter qu'en le poussant dans les flammes, comme on brûle des ordures, j'ai nié son humanité. Je viens de prendre la vie d'un type qui n'était sans doute qu'un malade en manque de soins. Je me surprends à marmonner :

– Je n'aurais pas dû, je n'aurais pas dû…

Max m'entoure de son bras et ça m'apaise un peu. Je regarde devant moi et m'aperçois que nous sommes passés devant le lieu du rendez-vous sans le voir. Nous revenons sur nos pas. L'horloge est là, juste au coin du bâtiment, à plus de deux mètres de hauteur. Elle est couverte de dorures et encadrée par deux personnages en bleu. J'inspecte les alentours. Ce sont des immeubles administratifs que j'aimerais bien visiter pour dénicher un point d'observation donnant sur le cadran.

J'entreprends de secouer les lourdes portes qui permettraient d'accéder à l'immeuble d'en face. Elles sont bien fermées.

– Kori! crie Max quand il voit débouler deux militaires dans leur tenue de protection.

Ils pointent leur arme vers nous mais restent à distance. L'un des deux m'interroge à travers son masque, j'ai du mal à le comprendre.

– Qu'est-ce que vous foutez là?

– On visite Paris, dis-je.

– Toi, la rouquine, tu ne te fous pas de ma gueule, sinon je pourrais faire une bêtise et appuyer malencontreusement sur la détente. Vous dépendez de quel R-Point?

– J'en sais rien.

– Vous habitez où?

– Gentilly.

– Ça doit être Sainte-Anne dans le 14ᵉ. Allez-y sans attendre et restez-y un maximum, ordonne-t-il sèchement, ou je ne donne pas cher de vos vies. Et maintenant, cassez-vous! Qu'on ne vous voie plus jamais traîner dans le quartier.

Après une bonne demi-heure de marche, Max commence à fatiguer et cela agit sur son moral. Je sens poindre la crise. Il va bientôt me reparler de ses parents. Comme nous sommes à Paris, il s'attend peut-être à ce que je les fasse réapparaître par miracle au coin d'une rue. Il m'attrape le bras pour qu'on s'arrête. Il a son air malheureux qui n'annonce rien de bon.

– Kori?

– Oui, Max.

– Papa et maman… papa et maman… papa et maman…

– Oui, Max ?

– Papa et maman, ils sont morts ?

– Oui, Max, dis-je en le regardant dans les yeux.

Il remue les lèvres mais ne prononce aucun son. Il fait un pas vers moi puis il s'effondre dans mes bras. Nous restons un long moment prostrés au milieu du trottoir. Je laisse sortir des larmes qui ne demandaient que ça. Nous rentrons par les rues en nous cachant quand nous entendons des véhicules approcher. Max dit que nous jouons aux Indiens. Nous regagnons notre refuge complètement épuisés.

Mon cousin s'endort comme une masse. Moi, je suis hantée par les événements de la journée. J'ai sauvé deux personnes de la mort mais j'en ai tué une autre. Dois-je croire ma grand-mère qui me disait investie d'une mission ? Ai-je commencé à accomplir la tâche que le destin me réserve ? Elle me conseillait d'écouter mes rêves. Je me souviens de l'un d'entre eux, que j'ai fait avant le départ, celui où je volais. Il y a tellement de similitudes avec le drame d'aujourd'hui qu'il ne peut s'agir d'un hasard : d'abord la présence de l'eau, le visage ravagé par la peur de la petite fille, les flammes où elle devait périr et les chiens qui s'étaient montrés menaçants quelques minutes auparavant. Était-il donc prévu que j'intervienne pour sauver cet enfant ? Et Erell m'a-t-elle sciemment envoyée dans les tunnels pour libérer Zoé qui n'aurait pas tenu un jour de plus ?

Comme la nuit précédente, je suis réveillée par le bruit de motos qui circulent dans la rue et qui surtout s'arrêtent devant le rideau de fer durant quelques secondes. À leur second passage, je me poste à la fenêtre et parviens à observer leur manège. Le passager de la moto descend et manipule rapidement la poignée de la porte latérale, puis celle du rideau de fer. Je n'ai pas l'impression qu'il cherche à ouvrir mais plutôt à vérifier que tout est bien fermé. Quelqu'un veillerait sur nous. Sans doute Marek, qui connaît des gens dans les parages. À moins que ce ne soit la guilde des sorcières bretonnes qui protège sa dernière recrue.

21 NOVEMBRE

Ce matin, je fais un point sur nos stocks de nourriture. Nous avons de quoi tenir au moins un mois pour les denrées solides. C'est l'eau en bouteille qui va bientôt manquer. J'entreprends ma première lessive depuis le départ. Je récupère l'eau qui nous sert à nous laver pour y mettre le linge à tremper. J'utilise peu de savon pour ne pas avoir à trop rincer. Max est content de m'aider et s'occupe de son linge. Enfin, nous vidons tout le liquide sale dans le réservoir de la chasse d'eau. Nous tendons ensuite des ficelles à travers le garage pour étendre les vêtements.

En début d'après-midi, je décide d'aller repérer le R-Point dont nous sommes censés dépendre. Je découvre sur la carte de Paris que Sainte-Anne est le nom d'un hôpital. Nous gagnons prudemment la porte de Gentilly et passons sous le pont du périphérique. J'aperçois sur la droite un grand stade à l'architecture moderne. Nous marchons sur le trottoir en face de l'enceinte sportive, le long d'un grillage noir. Max s'arrête et s'accroupit près de la clôture. Il a aperçu un chaton et se met en tête de l'attraper. Il accélère brutalement son allure jusqu'à une entrée. Il m'a prise de court. Il pénètre dans ce qui s'appelle la Cité internationale de Paris. En le suivant à l'intérieur, je jette un coup d'œil sur un panneau explicatif. Il s'agit d'une résidence pour des étudiants venus du monde entier. Max s'est arrêté à une centaine de mètres. Il tient l'animal dans ses bras et le cajole. L'endroit est agrémenté d'espaces verts, et certains bâtiments semblent inspirés de l'architecture traditionnelle de pays étrangers. Je pense reconnaître le style oriental d'une maison, une autre me paraît typique des pays du nord de l'Europe. J'arrive à la hauteur de mon cousin, quand le chaton lui échappe et nous entraîne vers une grande pelouse où j'imagine que les étudiants venaient s'allonger pour bouquiner ou pique-niquer. Elle est maintenant transformée en lieu du souvenir. Des centaines de portraits protégés dans des pochettes plastique sont accrochés aux arbres. Beaucoup des photos sont délavées et les mots d'hommage écrits sur le papier ont coulé. Même si les visages de jeunes adultes y dominent, on y trouve aussi des personnes de tous âges. Le chat a disparu pour de bon et Max semble avoir renoncé. Il s'arrête devant un monticule composé de cinq blocs de pierre installé près d'un sapin. Chaque rocher doit peser plusieurs dizaines de kilos. Un écriteau est fixé dans le sol juste devant. On peut y lire À *notre petite sœur pour l'éternité.* Mon cousin s'agenouille pour le contempler de plus près. J'aimerais quitter cet endroit qui fait remonter en moi un flot de tristesse, mais je n'ose pas le déranger. On pourrait croire qu'il prie. Après une longue minute d'immobilité, il se lève pour partir. Il me montre sa main droite dont il écarte les doigts.

– Cinq, déclare-t-il, cinq, cinq... Cinq, Kori.

Pourquoi insiste-t-il ainsi sur ce nombre ? Fait-il référence à *Ar Rannoù* ? À ce lieu dont les habitants étaient originaires des cinq continents ?

« *Chante-moi la série du cinq jusqu'à ce que je l'apprenne aujourd'hui* », demande l'enfant.

Et le druide lui répond :

« *Cinq zones terrestres, cinq âges dans la durée du temps, cinq rochers sur notre sœur.* »

Mamm-gozh, que veux-tu me dire encore avec ce signe ? Que tu veilles sur ta petite-fille perdue dans cette grande ville ? Pas besoin, Mamm-gozh, je le sais déjà.

Nous quittons cet endroit et traversons le boulevard. Nous le remontons sur une cinquantaine de mètres avant d'obliquer sur la droite. Nous longeons un grand parc désert. Nous parcourons encore quelques centaines de mètres et nous arrivons devant l'entrée de l'hôpital Sainte-Anne qui, comme l'indique un écriteau, était autrefois un asile de fous. J'aimerais comprendre le fonctionnement de ces points de rassemblement, en quoi ils pourraient nous être utiles. Je vais rester sur mes gardes. Je ne veux pas me retrouver enrôlée plus ou moins de force dans une organisation où je ne contrôlerais plus ma vie. En revanche, ce lieu pourrait être propice à des rencontres. Il est toujours bon d'avoir des gens de confiance sur qui s'appuyer. Il faut parfois être optimiste, même si ce n'est pas vraiment dans ma nature. Sous le porche d'entrée, deux jeunes qui portent des gilets fluos filtrent les arrivants. La quasi-totalité des ados sont connus et accèdent directement à la cour intérieure. Les quelques nouveaux, comme nous, sont dirigés vers des bureaux pour y être enregistrés. C'est une fille à peine plus vieille que moi qui nous interroge sur nos identité, provenance et domiciliation. Elle nous explique que nous pourrons, à partir d'aujourd'hui, récupérer tous les deux jours une ration de nourriture et d'eau. Des largages ont lieu l'après-midi. C'est l'armée qui livre. Avant de nous laisser partir, elle essaie de nous convaincre de nous installer dans les locaux du R-Point.

– C'est un endroit sûr, gardé jour et nuit, précise-t-elle.

– Nous ne sommes pas intéressés, dis-je, mais je te remercie pour ta proposition.

– Tout le monde dit ça au départ. On tient tous à notre indépendance. Mais le jour où on vit une véritable épreuve, où la mort nous frôle, on change d'avis. Crois-moi, je parle d'expérience.

Je vois à son regard qu'elle ne me ment pas.

– En plus, reprend-elle, ici, l'ambiance est bonne. On s'entraide. Chacun trouve son rôle et on a moins le temps de s'apitoyer sur son sort.

– J'y penserai, dis-je simplement en me levant.

– Ne tarde pas trop, Koridwen, ou tu pourrais le regretter. Au fait, moi, je m'appelle Louise.

Nous rejoignons les autres dans une cour assez vaste avec une pelouse. Une longue file est organisée le long des murs. Les jeunes se parlent. Certains semblent se connaître déjà mais d'autres engagent la conversation avec des inconnus. Je réalise que ça fait longtemps que je n'ai pas vu des gens sourire. Je reste polie mais distante. Aujourd'hui, je ne me sens pas prête à me faire des amis. Un bruit lointain fait taire les conversations et tous scrutent le ciel. Ce sont deux hélicoptères qui arrivent presque en même temps. Chacun des deux engins transporte une plate-forme métallique suspendue à ses patins par des filins d'acier. Ils restent en vol stationnaire le temps nécessaire à la livraison. Une dizaine de jeunes s'activent pour faire une chaîne et les débarrasser de leur cargaison. Il ne faut pas plus de dix minutes pour terminer l'opération. Les hélicos repartent et la distribution s'organise. Je sens autour de moi que l'atmosphère a changé. Les adolescents deviennent plus nerveux et lancent des regards anxieux dans toutes les directions. Ils donnent l'impression de vouloir quitter les lieux au plus vite. Je perçois une menace dont je ne saisis pas l'origine. Soudain, je vois surgir un pick-up avec deux gars en armes debout à l'arrière. Le chauffeur roule vite et klaxonne sans discontinuer. Il freine juste devant le tas de ravitaillement. Les deux gars armés descendent. Je n'entends pas précisément ce qu'ils disent mais je comprends que ça parlemente. Les organisateurs de la distribution cèdent sous la menace et remplissent le camion. Les pillards remontent dans leur voiture, mais la tension ne baisse pas. Ils redémarrent en trombe et s'amusent à faire des huit sur le terrain, obligeant les personnes à s'écarter parfois de leur trajectoire en courant. Ils prennent un plaisir évident à contempler la terreur sur les visages. La voiture stoppe près de nous. Le chauffeur a repéré quelqu'un. Il quitte le volant et se dirige vers une fille qui essaie de se cacher derrière un gars blond assez athlétique.

– Alors, Camille, t'es toujours là avec cette bande de faibles. Tu ne veux pas rejoindre le clan des Seigneurs ? Un jour, tu me supplieras à genoux pour que je te prenne avec moi mais il sera trop tard. Allez, amène-toi ! Viens voir ton futur maître.

La fille est en larmes et semble paralysée par la peur. Son copain se place devant elle en gonflant ses pectoraux. La fille l'implore :

– Laisse tomber, Nico, laisse tomber, je t'en prie.

Il se retourne pour lui chuchoter quelques mots que je ne comprends pas.

La brute déclare en rigolant :

– Toi, mon gros, tu veux jouer les héros, c'est ça ? Les mecs, donnez-lui une petite leçon.

Les gars descendent du pick-up et fondent sur le pauvre type qui a juste le temps de lancer son poing devant lui. Il ne touche personne et les deux autres commencent à lui tourner autour en faisant pleuvoir les coups. Le combat est déséquilibré, et Max ne le supporte pas. Il rentre dans la mêlée et assomme d'un coup de tête l'un des deux voyous. Le chauffeur repart vers l'habitacle à grandes enjambées. Je comprends vite son intention. Je le poursuis et braque mon arme sur sa tempe.

– Tu ne sais pas qui je suis, c'est ça ? On m'appelle Attila. Si tu tiens à la vie, la rouquine, tu vas lâcher ton flingue et me présenter des excuses. Et après, tu viendras avec moi pour me servir de bonne à tout faire jusqu'à la fin de ta vie. C'est le seul moyen de sauver ta peau.

Son copain s'occupe de leur complice qui gît par terre, complètement dans les vapes. J'appelle mon cousin :

– Max, récupère les armes. Si tu trouves des munitions, prends-les aussi. Et vous, cassez-vous ! dis-je en essayant de masquer ma peur.

– Cédez pas, les mecs, elle bluffe. Si ça se trouve, elle a piqué son jouet à la Grande Récré.

Je me recule et braque mon arme à la hauteur de sa poitrine.

– Tu veux que je te montre ? dis-je en avalant ma salive.

L'autre me sourit bêtement, sûr de son fait. Le pistolet se fait plus lourd et mon bras commence à ployer. Et soudain, sans que je le décide consciemment, j'appuie sur la gâchette. Le coup part. Le gars se tient la cuisse et se tord de douleur. Ma respiration s'accélère.

– Ça va comme ça, t'es content ? dis-je, soudain euphorique. J'espère que ton copain sait conduire parce que maintenant tu vas avoir du mal à faire des ronds sur la pelouse.

Je me sens soudain différente, comme dans un rêve où je serais toute-puissante. Ça ressemble à WOT, quand on sent que la partie est gagnée mais qu'on prend pourtant du plaisir à continuer le massacre. Sauf que là, c'est pour de vrai.

Les pillards déguerpissent sans attendre. Je les entends hurler leur colère. Au milieu d'insultes, ils me promettent une mort violente précédée de toutes sortes de tortures et d'humiliations. Je fixe ma main armée qui tremble, tandis que le pick-up s'éloigne. Les autres nous entourent pour nous remercier. Certains vont même jusqu'à nous serrer dans leurs bras. Max est aux anges, mais moi je ne me sens pas fière, seulement soulagée d'être toujours entière. Nous ramassons nos vivres puis, avant de partir, je cherche Louise à qui je veux confier les armes que j'ai piquées aux pillards. Ainsi, la prochaine fois, les deux plantons de l'entrée auront plus d'arguments.

Elle n'est plus à son poste et nous patientons une bonne demi-heure dans son bureau. Quand elle arrive enfin, elle nous invite à la suivre dans une salle de réunion. Je la sens mal à l'aise. Là, d'autres gars portant des gilets sont installés autour d'une table. Alors que je lui tends les fusils, un grand type avec des dreadlocks nous rejoint. Il nous jette un regard méprisant. Je ne m'attends pas à des compliments de sa part.

– On n'en veut pas de tes engins de mort. Nous ne voulons pas ressembler à ceux que nous combattons. À cause de toi, ils vont revenir plus nombreux et mieux armés, et il y aura peut-être des morts cette fois.

– Parfois, quand on montre sa force, on évite l'affrontement.

– Elle est vraiment conne, ta copine ! lâche-t-il en se tournant vers Louise.

– Laisse-nous, Joachim. J'imagine que tu as d'autres problèmes à régler.

Elle m'attire dans un coin de la pièce et s'adresse à moi à mi-voix :

– Nous avons un deal avec l'armée. Ils nous livrent du ravitaillement mais nous interdisent d'utiliser des armes. Ils n'ont pas confiance. Ils ont peur que ça dégénère et que la situation devienne incontrôlable.

– En attendant, que faites-vous quand les pillards viennent s'en prendre à des ados désarmés ?

– On essaie de régler le conflit de façon non violente. S'ils ne veulent pas entendre raison, on rédige des rapports qu'on fait parvenir aux soldats.

– Et les militaires interviennent après ?

– Je ne sais pas. J'imagine qu'ils doivent le faire parfois.

– Arrête tes salades, Loulou, intervient un gars qui s'est collé derrière elle. Ils ne posent jamais un pied au sol, sauf pour garder des points vraiment stratégiques. Quant aux pillards, je n'ai pas honte de dire que nous négocions avec eux et que, parfois, le sacrifice de quelques-uns est le prix à payer pour en sauver le plus grand nombre.

Louise reprend la parole, de plus en plus gênée :

– Koridwen, les autres m'ont chargée de te dire qu'on ne vous acceptera plus dans notre R-Point. C'est une question de sécurité. Pour toi d'abord, mais aussi pour tous ceux qui travaillent ou se ravitaillent ici.

Je ne réponds pas et attrape mon cousin par la manche. Je ne suis pas certaine qu'il ait compris la teneur de la discussion. Nous nous dirigeons vers la sortie sans nous retourner. Nico nous attend juste après les deux plantons. Son visage est couvert de pansements et il boitille.

– Je voulais vous remercier. Sans vous, je serais mort. Camille vous remercie aussi.

– De rien, dis-je en faisant signe à Max de lui filer les armes que nous avons récupérées dans le véhicule des voyous. C'est un cadeau. Ça peut servir des fois. Partagez-les avec ceux qui vous sont chers.

Nous repartons chez nous en étant très attentifs au moindre bruit de moteur. Je suis certaine que le gars que j'ai blessé va vite envoyer ses potes quadriller le quartier pour nous mettre la main dessus. Après plusieurs détours, nous arrivons enfin au garage. Nous mangeons nos rations sans attendre. Je suis écrasée de fatigue, probablement à cause du stress éprouvé un peu plus tôt. Je me couche aussitôt mais, contrairement à ce que semblait indiquer mon corps, je ne parviens pas à dormir.

Si je dresse le bilan de ces derniers jours, je me rends compte que j'ai déjà tué un type et en ai gravement blessé un autre. Est-ce pour cela que j'ai quitté ma Bretagne natale ? Pour donner la mort ? Je crois qu'il faut que j'évite de sortir quelque temps pour préserver nos vies et celles des autres.

Je regarde Max dormir et je me demande si je serais intervenue sans qu'il m'y oblige. Aurais-je laissé ce Nico se faire lyncher si mon cousin n'était pas rentré dans la bataille ? Lui n'a pas réfléchi. Il est venu en aide à un inconnu sans penser aux conséquences. Est-ce cela le courage ?

Je m'endors quelques heures plus tard. Je n'ai plus que quatorze balles en réserve et il me reste trente-trois jours à tenir avant le rendez-vous.

22 NOVEMBRE

Aujourd'hui, nous ne quitterons pas notre refuge. Rien ne nous pousse à le faire et je crois qu'il est temps pour moi de me poser un peu et de planifier les prochains jours.

Après le petit déjeuner, je me plonge dans la malle de Mamm-gozh pour y parcourir l'ouvrage intitulé *Mystères et légendes celtiques*, qui comporte de nombreuses gravures. Je m'arrête sur l'image du triskel qui est l'emblème le plus connu des Celtes. Tout en lisant, je serre mon bijou dans la paume de ma main droite. C'est un geste que faisait souvent ma grand-mère quand elle méditait. Je lis le texte de commentaire :

Triskel, le mot vient du grec et signifie trois jambes. Il décrit un mouvement circulaire qui va dans le sens inverse des aiguilles d'une montre. Pour certains, c'est un symbole solaire qui montre le cycle perpétuel de l'astre dans le ciel, de son lever en passant par son zénith et jusqu'à son coucher. D'autres y voient la représentation des dieux majeurs, Lug, Dagda et Ogme. D'autres encore évoquent les trois éléments, la terre, l'air et l'eau, qui correspondraient aux trois états de la matière, le solide, le gazeux et le liquide. Enfin, certains disent que le triskel figure la marche du temps : passé, présent et futur, ou bien la succession des âges de la vie : jeunesse, âge mûr et vieillesse, ou encore celle du monde des vivants, de celui des morts et de celui des esprits.

Mamm-gozh, est-ce que tu me vois depuis l'au-delà ? Pourquoi je ne rêve plus ? Si je ne peux plus interpréter tes messages envoyés durant mon sommeil, comment vais-je faire pour choisir mon chemin ?

J'ai crispé ma main sur le pendentif jusqu'à en ressentir de la douleur. Quand je la desserre, le bijou a marqué ma peau et le triskel a laissé son empreinte. Elle est dessinée à l'envers et la figure tourne cette fois vers la droite, dans le « sens maléfique », précise le livre. Même si cette option est condamnée par les dieux, la solution est de nouveau là sous mes yeux. Il faut rajeunir de quelques mois, retourner en arrière pour changer le cours des événements. C'est la deuxième fois que Mamm-gozh m'envoie ce message. Elle est donc d'accord avec le projet de Khronos et me demande de m'y engager. Je dois y croire. Je dois y croire. Il le faut. Sinon, à quoi bon vivre ?

Je ferme le livre et le range soigneusement. J'ai soudain besoin de bouger, de m'agiter, de sentir mon corps s'échauffer. Si je ne le fais pas, mon cerveau sera tout entier concentré sur la situation difficile où je me trouve en ce moment. Je suis seule, ou presque, dans un milieu étranger et hostile, loin de mon pays. Des gars qui veulent ma mort sont à mes trousses. On se croirait dans WOT, dans la pire phase d'une partie, quand l'existence du personnage qu'on s'est forgé ne tient qu'à un fil minuscule. Dans le jeu, il existe une réelle chance de s'en sortir quelles qu'en soient les conséquences, et au pire on peut toujours renaître. Pourquoi serait-ce si différent en vrai ?

Je trottine dans le garage en longeant les murs au maximum. Je dois slalomer entre les caisses à outils, les éléments de carrosserie abandonnés sur le sol. Après une dizaine de tours, je sens que je vais mieux. Je réalise bientôt que je n'ai pas aperçu mon cousin depuis le petit déjeuner, il y a plus d'une heure. Je monte au petit appartement. Il n'y est pas. J'explore ses coins préférés. L'habitacle du tracteur est vide, comme celui de la vieille Volvo. La bétaillère est fermée de l'extérieur. Je sens doucement monter l'angoisse. Et s'il était sorti ? Dans quel piège a-t-il été se fourrer ? Je me dirige rapidement vers la porte d'entrée qui est bien verrouillée. La clé est toujours dans la serrure. Il est donc caché quelque part. Peut-être veut-il me mettre à l'épreuve. J'avance pas à pas en tendant l'oreille. Je parcours tous les recoins du rez-de-chaussée une première fois sans détecter le moindre signe. Au second passage, je perçois un léger chuintement. Je crois reconnaître le son d'une page de livre qu'on tourne. Je m'immobilise. Le bruit ne se produit de nouveau qu'après une bonne minute. Il semble venir du sol, je me baisse et remarque sous mes pieds des plaques métalliques auxquelles je n'avais pas prêté attention jusque-là. Elles sont en partie dissimulées par la voiture que Max a élue comme chambre à coucher. Je progresse à quatre pattes en essayant d'être la plus légère possible. Il y a une fosse en dessous. Elle devait servir autrefois à se placer sous les voitures pour procéder aux réparations, quand il n'y avait pas de pont élévateur. Elle est très longue et pouvait sans doute être utilisée pour les camions. Je passe la tête par l'ouverture. J'aperçois mon cousin tassé sur lui-même à l'autre extrémité, une bougie allumée posée à ses pieds. Il manipule de grandes feuilles de papier en parlant tout seul. Je n'ose pas le déranger. Je me redresse et m'éloigne pour le laisser tranquille. Chacun a le droit d'avoir ses petits secrets.

La frayeur qui nous avons eue la veille en revenant au garage me revient soudain en mémoire. Nous avons dû faire face à plus de trente chiens qui bloquaient une rue. L'attitude très agressive de certaines bêtes nous a fait reculer. J'ai même cru un court instant que la meute allait nous prendre en chasse et nous mettre en pièces. Nous avons terminé le trajet en courant, la peur au ventre. Il devient urgent de trouver une solution. Je me plonge dans l'herbier de Mamm-gozh. J'y trouve une préparation répulsive pour les animaux : loups, ours et autres animaux sauvages… Cela me semble parfaitement approprié à notre problème. Je détaille les ingrédients et les cherche parmi les enveloppes en kraft soigneusement étiquetées. Je trouve celles qui renferment œillet d'Inde, lavande, citronnelle et herbe de grâce. Il faut également du poivre de Cayenne, ça, j'en ai dans mes réserves, et de la cannelle. Je vais devoir visiter un des commerces abandonnés du quartier pour en dénicher. Cela me semble faisable car ce n'est pas le produit que les survivants doivent chercher en priorité.

Je profite du fait que Max soit occupé pour sortir sans le prévenir. Je me dirige vers la grande rue. À vue d'œil, il n'y a aucun être humain ni aucun chien dans les parages. Je traverse la rue jusqu'à une supérette. Je me faufile à l'intérieur par la porte restée ouverte. L'odeur est irrespirable. Je comprends qu'un cadavre d'humain ou d'animal doit se décomposer derrière un des étalages. J'essaie de retenir ma respiration. Les linéaires sont, à certains endroits, totalement vides. Beaucoup de nourriture est répandue sur le sol. J'imagine les scènes de panique qui se sont déroulées là il y a quelque temps. Le rayon des épices a également été retourné. Je trouve miraculeusement par terre deux flacons intacts de cannelle en poudre. Je les mets dans ma poche et ressors sans tarder. Deux gars m'attendent de l'autre côté de la rue. Leurs visages sont dissimulés sous des capuches. Je glisse prudemment ma main sous la ceinture de mon pantalon et m'empare de mon arme. Je laisse pendre la manche de ma veste pour la dissimuler. J'avance vers eux d'un pas décidé. Je suis à quelques mètres et ils ne bronchent pas. Je baisse la tête au moment de les dépasser.

– Stop! dit l'un, d'un ton autoritaire. Il faut qu'on cause cinq minutes. Après, on te laissera vivre ta vie.

– D'accord, dis-je, la peur au ventre.

Je crispe ma main sur la crosse de mon pistolet. Je suis prête à faire feu. Je distingue maintenant leurs visages. Ils sont tous les deux d'origine africaine ou antillaise.

– Mettons-nous à l'abri. On ne peut pas rester à la merci des snipers plus longtemps.

Je les suis sans rien dire. Ils ne me paraissent pas mena-çants mais je reste sur mes gardes. Je pense à ces gars qui passent la nuit jeter un œil sur la porte du garage. C'est peut-être eux. Nous ne faisons qu'une dizaine de mètres et entrons dans ce qui était autrefois un restau à kebab. Ils s'assoient sur des chaises en plastique autour d'une table étonnamment propre et m'invitent à en faire de même. Je glisse mon arme dans la poche de ma veste et garde la main droite sous la table. Un des deux surveille la rue pendant que l'autre s'adresse à moi :

– Tu as trouvé ce que tu voulais ?

– Oui.

– C'est quoi ?

Je pose mes deux flacons de cannelle devant eux.

– Tu vas faire des gâteaux ? demande-t-il, amusé.

– Pas vraiment. C'est un ingrédient utilisé dans une recette de ma grand-mère pour éloigner les chiens.

– Et ça marche ?

– Je ne sais pas. Je vais la tester.

– Si c'est le cas, tu nous intéresses. Ces clébards enragés, c'est pire que les voyous ou les soldats. Même les coups de feu n'arrivent pas à les chasser. Alors, tu t'appelles Kori, c'est ça ?

– Et vous ?

– Marek m'a dit que tu n'avais peur de rien. Je vois qu'il avait raison.

À la simple évocation de ce nom, je sens ma tension se relâcher. Ce sont des alliés et je n'ai rien à craindre.

– Non, il a tort, dis-je. J'ai presque tout le temps la trouille, pour moi, pour mon cousin, pour les autres...

Je suis surprise par le ton de ma voix. C'est celui d'une petite fille sur le point de pleurer. Je respire un grand coup pour me calmer et retrouver de l'assurance.

– Craque pas, ma petite, c'est normal. Ceux qui n'ont pas peur ne vivent pas longtemps. Moi, c'est Ibra et lui, c'est Youss, mon frère. Tu sais que t'es jolie, Kori, avec tes grands cheveux ! T'es la copine de Marek, alors ?

Je baisse la tête en rougissant.

– Oui ? Non ? Tu sais pas ? Alors, j'ai peut-être mes chances, déclare le gars en riant.

Je change de sujet pour masquer mon trouble.

– Tu sais où il est, Marek, en ce moment ?

– Non, pas précisément. Il fait son business dans la capitale. Il a encore un peu de matos à fourguer avant de repartir. Il a prévu de passer te voir bientôt. Tu as besoin de bouffe ?

– Non, mais je cherche des vélos.

– On va te trouver ça. En attendant, reste à l'abri chez toi. Évite au maximum de sortir. Ah oui, j'oubliais… Si tu as besoin de communiquer avec nous, écris un message sur l'ardoise murale derrière le comptoir. On passe ici régulièrement.

Je les quitte pour rentrer au garage. Max est ressorti de son trou et s'est installé à la table de la cuisine. Il fait du modelage avec de la cire récupérée le long des bougies qu'il réchauffe sous la flamme. Il est absorbé par son travail et ne me voit pas revenir. Je sors le petit chaudron et y verse un à un les ingrédients en respectant l'ordre indiqué et la posologie. Max s'interrompt dans son ouvrage pour m'observer. J'annonce à haute voix :

– En premier, une cuillerée d'herbe de grâce. En deux, neuf brins de lavande séchée. En trois, deux cuillerées de poivre de Cayenne…

– En quatre ! déclare mon cousin qui commence à comprendre.

– Sept grandes feuilles de citronnelle.

– En cinq ! reprend Max, très excité.

– Trois cuillerées de poudre d'œillet d'Inde récolté une nuit de pleine lune.

– En six ! hurle-t-il.

– Deux cuillerées de cannelle. Et c'est fini pour les ingrédients. J'y ajoute un litre d'eau du puits et je vais faire bouillir le tout.

Je pose le chaudron sur le feu de la gazinière. Je déclare à mi-voix :

– Ça y est, Mamm-gozh, je fais ma première potion ! Je suis devenue une vraie sorcière.

Max me demande s'il peut m'aider à terminer ma recette. Je le laisse touiller mais reste près de lui. Il s'acquitte de sa tâche avec beaucoup de sérieux. Lorsque le liquide bout, je coupe le feu. Je dois laisser macérer la préparation vingt-quatre heures avant de l'utiliser. Je déniche ensuite dans une armoire métallique un vaporisateur rempli de liquide pour nettoyer les pare-brise. Je le rince et le mets à sécher.

Max m'appelle pour me présenter ses œuvres :

– C'est des petits enfants. Y a le un, le deux, le trois, le quatre, le cinq et le six, comme les herbes de Kori.

J'applaudis son travail. Tout à coup, l'évidence s'impose à moi. Je récite dans ma tête :

« Chante-moi la série du six jusqu'à ce que je l'apprenne aujourd'hui », demande l'enfant.

Et le druide lui répond :

« Six petits enfants de cire, vivifiés par l'énergie de la lune, si tu l'ignores, je le sais. Six plantes médicinales dans le petit chaudron ; le petit nain mêle le breuvage, son doigt dans la bouche. »

Tout correspond, sauf la taille de Max que je vois plutôt comme un géant. Que veux-tu encore nous dire, Mamm-gozh ? Peut-être que nous suivons le bon chemin, celui que tu as tracé pour nous.

Je consulte le carnet d'adresses de ma grand-mère. Elle a deux copines en région parisienne. Une réside à une quinzaine de kilomètres au nord de la capitale, l'autre dans le quartier de Montparnasse, près de la gare des Bretons. Celle-là n'est pas très loin d'ici. Je me souviens que ma visite à Erell m'avait fait beaucoup de bien. Elle m'avait redonné confiance et sans doute permis d'arriver à bon port jusqu'ici. Et sans elle, je n'aurais jamais déniché cette planque. J'aurais envie d'y aller tout de suite mais je dois me réfréner. Le répulsif n'est pas prêt et je me suis promis de ne pas utiliser mon arme aujourd'hui. Je vais m'ennuyer et risque de déprimer. C'est dans ces instants que je regrette les animaux de la ferme et leur présence apaisante. Enfant, je pouvais contempler les vaches durant des heures. J'essayais d'imaginer ce qu'elles pensaient et qui était copine avec qui. Je leur parlais aussi.

Elles ne répondaient pas davantage que mes parents mais au moins elles ne détournaient pas le regard. Mes yeux se ferment et je revois soudain les paysages qui entourent notre exploitation. Les champs en pente bordés de noisetiers. Là-bas, on n'est pas obligé de lever la tête pour voir le ciel.

23 NOVEMBRE

Ce matin, je commence par ouvrir la porte qui donne sur la rue. J'ai entendu cette nuit qu'on nous livrait des vélos. Les gars ont été efficaces. J'aurais préféré qu'ils viennent en journée. Nous aurions pu passer un petit moment ensemble, et le temps m'aurait paru moins long. Max entreprend de débarrasser le sol du garage de tout ce qui traîne. Il veut pouvoir s'exercer à pédaler à l'intérieur. Ça l'occupe une bonne partie de la matinée. Quand enfin la voie est dégagée, il se rend compte que l'espace n'est pas suffisant pour qu'il puisse rouler vraiment. Il me tanne donc pour sortir. J'y consens en début d'après-midi, lorsque je juge que mon répulsif est prêt. J'en vaporise sur nos jeans, nos baskets et le bas de nos vestes. Max trouve que ça pue et fait la grimace.

Avant de partir, je fais deux tresses à mes cheveux et je me couvre la tête d'un petit bonnet noir. Nous circulons par des ruelles désertes. J'apprécie la discrétion et la rapidité de ce moyen de transport. J'évite de longer les cités par peur d'être la cible d'un tireur. Nous sommes bientôt pris en chasse par deux chiens d'attaque. Ils se portent très vite à notre hauteur. Ils aboient et montrent les crocs. Je fais signe à Max de ralentir l'allure et retiens ma respiration. Mon cousin, tout à sa joie de faire du vélo, ne se rend pas trop compte de la menace. Les bêtes nous reniflent avec insistance. Après une bonne minute d'angoisse, je comprends que c'est gagné. Un premier chien décroche et nous laisse filer. Je murmure pour moi-même :

– Merci, Mamm-gozh.

Nous passons au-dessus du périphérique et entrons dans la capitale par la porte d'Orléans. Max est ravi de faire du sport. Il se tient juste un peu devant moi pour me montrer qu'il est plus rapide. Cela me rappelle des souvenirs d'enfance. Au début de son apprentissage, il se crispait toujours trop et avait du mal à rouler droit. Sa mère avait essayé de le dissuader de continuer mais il avait tenu bon et s'était acharné des jours entiers pour parvenir à ses fins. Il en avait acquis une immense fierté. Ma mère me demandait de le laisser me doubler et ça ne me plaisait pas.

Nous longeons le mur d'un grand cimetière. J'ai la tour Montparnasse en ligne de mire. Nous approchons du but. Nous roulons sur un boulevard depuis quelques minutes quand déboulent deux mecs qui se plantent devant nous les bras écartés. J'accélère en tentant de les contourner. J'y arrive mais essuie une bordée d'injures et de menaces. Max est touché à l'épaule par un des deux tarés. Son vélo est déséquilibré un instant et je crains le pire. Il se rétablit *in extremis*, évitant la chute. Les gars nous poursuivent sur une centaine de mètres. Nous les distançons aisément.

Nous stoppons bientôt devant l'entrée de l'immeuble de la dénommée Elwen. Le boîtier du digicode a été explosé et la lourde porte s'ouvre sans peine. Nous garons nos vélos dans un large couloir qui débouche sur une courette où sont stockées les poubelles. Celles-ci sont renversées et couvertes d'une masse grouillante de rats en plein festin. J'en conclus que le tas a été fraîchement approvisionné. Des gens vivent encore ici et balancent leurs ordures par les fenêtres. Nous grimpons jusqu'au dernier étage et frappons doucement à la porte. Il ne se passe rien durant de longues minutes. Nous nous installons sur les marches pour attendre. Je pense à Mamm-gozh qui avait souvent besoin de somnoler durant l'après-midi. Après plus d'une heure, je fais un ultime essai avant de redescendre. À cet instant, nous entendons les pas de quelqu'un qui monte. Je fais signe à Max de ne pas bouger. La personne s'est immobilisée elle aussi. J'essaie de prendre ma voix la plus douce pour ne pas la faire fuir :

– Je m'appelle Koridwen, je suis la petite-fille de Rozenn. Je viens de Menesguen près de Morlaix. Je suis venue voir Elwen que connaissait ma grand-mère.

Après un court silence, une voix de fille m'interroge avec fermeté :

– Et le gars, qui c'est ?

– C'est Max, mon cousin.

– Mettez les mains sur la tête. Je vous préviens que je suis armée.

J'obtempère et mon cousin m'imite en me jetant un regard inquiet. La fille prend son temps pour nous rejoindre et ne nous lâche pas des yeux. Elle est plutôt massive. Elle tient un cutter dans la main droite.

– Ma grand-mère est morte, commence-t-elle. Mais ça ne doit pas être un scoop pour vous. Cela fait des semaines qu'il n'y a plus d'adultes.

– J'espérais, dis-je, que, puisqu'elle avait des connaissances médicales, elle avait pu se protéger.

– Eh bien, tu t'es plantée ! Dépêchez-vous de partir maintenant.

Elle brandit son arme sous notre nez en tremblant. Elle ne serait pas difficile à désarmer mais se battre dans un escalier peut s'avérer périlleux. Et j'ai décidé de ne plus tuer ni blesser volontairement personne. Je me rapproche de Max et lui fais signe d'obéir. Je crains toujours qu'il ne tente quelque chose. Il me suit sans rien dire. Dans la rue, je relève une dernière fois la tête vers les fenêtres de l'appartement d'Elwen. Le rideau se soulève doucement et j'aperçois la silhouette d'une femme âgée. Elle lève le bras pour signaler sa présence. Elle appelle au secours. Je lui réponds furtivement par un geste de la main et je remonte sur mon vélo. Je reviendrai.

Pour éviter le boulevard où des gars s'en étaient pris à nous, nous empruntons des petites rues sur le début du parcours. Nous débouchons près d'un grand square où nous sommes déjà passés. Nous ne sommes pas loin de l'appartement de Zoé et ses copines. Je décide de faire un détour et de longer leur immeuble. Si elles nous aperçoivent et nous invitent, je dirai oui. Sinon, nous rentrerons. Même si j'ai très envie d'avoir des copines, je ne veux pas m'imposer. Des aboiements me tirent de mes pensées. À une centaine de mètres, un gars est encerclé par une meute qui s'apprête à donner l'assaut. Il est armé d'un bâton et fait des moulinets pour écarter ses assaillants. Pour l'instant, il les tient à distance, mais ça ne va pas durer. Il va s'épuiser et tôt ou tard un des chiens se sacrifiera pour lancer l'attaque. Nous fonçons vers lui. J'espère que l'odeur du répulsif est bien imprégnée. Nous ralentissons à vingt mètres de la bagarre. Nous déposons nos vélos sur le sol et avançons au milieu des bêtes qui s'écartent un instant mais se resserrent ensuite. Le gars nous a vus mais semble désespéré. Je lève les bras en l'air. Max en fait autant. Le malheureux arrête de s'agiter et nous venons nous coller contre lui. Il pue la sueur et la peur. Il est soudain parcouru de spasmes et respire étrangement. Je pose les mains sur ses épaules pour l'apaiser. Je lui chuchote à l'oreille :

– Ne bouge pas et ferme les yeux. Ils vont partir.

Comme quelques heures plus tôt, l'effet n'est pas instantané. Certains chiens continuent à montrer les crocs et à aboyer. Ils ne veulent pas renoncer trop vite. Enfin, ils partent tous et nous pouvons souffler.

– C'est fini, dis-je au garçon.

Il met du temps à réaliser qu'il s'en est tiré vivant. Il paraît hébété et complètement déboussolé. Nous l'entraînons vers un banc pour qu'il reprenne ses esprits. Il a pris sa tête entre ses mains et pleure bruyamment. Lorsque je veux lui saisir le poignet pour le réconforter, il a un brusque mouvement de recul. Max veut partir et me le fait comprendre. Il est déjà sur son vélo et fait fonctionner son klaxon. Moi je ne bouge pas. Pourquoi est-ce que j'hésite à me lever? Est-ce que j'attends des remerciements? Cette idée me rend soudain honteuse et je rejoins mon cousin.

Nous pédalons sur une centaine de mètres avant d'entendre quelqu'un crier mon nom.

– Kori! Kori!

Je rattrape Max et lui dis de s'arrêter. C'est Zoé qui court derrière nous. Mon cousin est en colère:

– Veux rentrer à la maison! Veux rentrer à la maison! Tout de suite!

J'essaie de l'attirer à moi pour le raisonner, mais il résiste et se dégage. Zoé est arrivée à notre hauteur. Elle a repris des couleurs et elle est ravissante. Elle me saute au cou pour m'embrasser puis fait pareil à mon cousin. Il est surpris, son visage s'illumine. Il l'a reconnue et a apprécié ce geste de tendresse. Il n'est plus si pressé.

– Kori, vous montez à la maison? Je suis super-heureuse que tu sois repassée dans le coin.

– Avec plaisir.

– Ne traînons pas dans la rue. C'est de plus en plus dangereux.

Zoé s'installe d'autorité sur mon porte-bagages et me serre au niveau de la taille. Je sens sa tête s'appuyer sur mon dos. Nous n'avons que quelques dizaines de secondes de trajet avant d'atteindre sa porte. Deux filles se sont postées à l'extérieur et observent les alentours. L'une est armée d'une carabine d'un autre âge. Nous les suivons à l'intérieur. Pendant que nous rangeons nos engins dans la cour, les trois filles placent une lourde barre pour bloquer complètement l'ouverture de la porte. Ensuite elles se détendent. Les copines de Zoé nous embrassent à leur tour, ce qui met Max dans un véritable état d'excitation.

– On va chez les filles, dit-il un peu fort.

Mon regard est attiré par la vieille pétoire que tient l'une d'elles. Elle remarque mon intérêt et me tend l'arme.

– C'est juste pour impressionner, tu sais, elle n'est pas chargée. De toute façon, je ne saurais pas m'en servir. C'est un fusil de collection. Il était accroché dans le salon de mes voisins retraités. On n'a pas trouvé les munitions.

– Je pourrai vous en donner un vrai. Ça peut servir par les temps qui courent.

Sur le palier du quatrième étage, le reste du groupe nous attend. Elles portent toutes des pulls et même une écharpe pour la plus frileuse. Nous pénétrons par une large entrée dans un salon immense avec de hauts plafonds. Des tableaux anciens et des photos en noir et blanc décorent les murs. Il y a deux grands canapés recouverts de plaids et trois vieux fauteuils de cuir. C'est un endroit hyper-chaleureux, à l'image des appartements où des filles vivent en colocation, dans les séries américaines. Seul détail incongru, une grosse bouteille de gaz, comme celles que j'ai rapportées de ma campagne, trône au beau milieu de la pièce. Le réchaud est posé à côté, sur une jolie table en bois. Une bouilloire chauffe. Elles préparent du thé. Je sors trois paquets de Paille d'Or de mon sac. Les filles applaudissent. Nous nous présentons. Il y a Adèle, qui porte des lunettes et semble la plus vieille, Lola et Coline qui sont sœurs. Elles ont toutes les deux attaché leurs cheveux clairs en chignon de danseuse classique. Enfin, il y a Sarah qui est très brune, et dont la peau mate tranche avec celle des autres. La discussion s'engage sur nos exploits. Elles sont persuadées que je possède des pouvoirs magiques.

– Comment expliquer, commence Lola, que tu sois tombée par hasard sur la prison où était retenue Zoé ?

Je n'ai pas le temps de me lancer que déjà sa sœur enchaîne :

– C'était écrit quelque part, déclare-t-elle très sérieusement.

– Et comment tu justifies le miracle de tout à l'heure ? reprend Lola. La meute de chiens allait dévorer ce pauvre gars. Nous, complètement impuissantes depuis nos fenêtres, on bouchait nos oreilles en priant pour qu'il ne souffre pas trop longtemps. Et vous deux, vous arrivez et, sans ressentir la moindre peur, vous fendez la masse grouillante des molosses enragés et vous les faites fuir.

– On pourrait appeler ça le miracle des chiens ! déclare Coline.

– C'est un ange protecteur, je vous l'avais dit, les filles, commente Zoé en me serrant affectueusement contre elle.

– Une envoyée du ciel, renchérit Sarah.

Je suis de plus en plus mal à l'aise et je me tasse dans le canapé. Adèle s'en aperçoit la première et agite ses mains pour faire taire les autres.

– On pourrait peut-être la laisser s'exprimer, dit-elle avec autorité.

Ses amies se taisent et m'adressent des regards bienveillants.

– C'est vrai, excuse-nous, Kori, murmure Zoé.

– J'ai fabriqué un répulsif contre les chiens. C'est une recette de ma grand-mère. On l'avait testé plus tôt dans l'après-midi. Visiblement, c'est efficace. Quant au trajet par les tunnels du RER, je venais de débarquer de ma Bretagne et je pensais que c'était moins dangereux de circuler à couvert plutôt que de nous déplacer en pleine rue. C'est juste un merveilleux hasard si nous avons pu entendre Zoé.

– Je ne crois pas trop au hasard, s'entête Coline, et ma sœur non plus. Hein, Lola ?

– N'insiste pas, lui demande gentiment Zoé. Je crois que Kori voudrait changer de sujet.

Nous dégustons le thé en discutant. Elles me racontent comment elles ont choisi de vivre ensemble, alors que certaines d'entre elles ne se connaissaient pas avant la catastrophe.

– Là aussi, nous avons été sous l'influence d'une sorte de magie, des échanges de regards dans la rue, une envie irrépressible d'aller vers l'autre, un sentiment de confiance qui s'installe immédiatement, résume Lola. Nous étions faites pour survivre ensemble.

Aucune n'évoque ce qui s'est passé avant, la mort des proches et les premiers jours où on s'est demandé pourquoi on survivait et s'il ne valait pas mieux en finir au plus vite. Je leur raconte brièvement la ferme, ma famille, Cindy, mon voyage en tracteur et les rencontres avec Anna et Marek. À leurs yeux, je suis une héroïne et elles disent envier mon courage. De quoi parlent-elles ? J'ai si souvent peur. Comme le jour est tombé, elles refusent que nous repartions. Max reste mutique mais apprécie la compagnie de ces filles qui l'entourent de leur sympathie.

Nous mangeons deux boîtes de raviolis pour le dîner et de la crème Mont-Blanc à la pistache en dessert. Ensuite, Sarah va chercher sa guitare et nous entonnons ensemble de vieilles chansons dont nous ne connaissons que les refrains ou les débuts. L'ambiance se réchauffe et les rires fusent dès qu'une de nous se lance seule et se trompe de paroles. Lola nous sert de l'alcool dans des petits verres. Avec un père dépendant, j'avais toujours évité d'y toucher. Là, je n'ai pas envie de refuser et surtout d'avoir à expliquer pourquoi. C'est amer et très fort. Comme les autres, je fais la grimace pour l'avaler. Max a du mal à garder les yeux ouverts. Une des filles le conduit dans une chambre au bout du couloir. Lola me tend la main pour que je vienne danser. Toutes les filles s'y mettent. Nous quittons nos pulls. Je me crois soudain revenue en arrière, quand j'étais gamine, au début du collège, et qu'on se faisait des soirées pyjamas entre copines. Je me sens libérée de mes complexes et je participe sans hésiter à une chorégraphie dirigée avec sérieux par Adèle. D'habitude, je n'ose pas me lâcher et je regarde les autres avec envie. Vers 2 heures, la fatigue se fait sentir. Je range la cuisine avec Sarah pendant que ses amies mettent un peu d'ordre dans le salon.

– C'était super, dis-je.

– C'est sans doute une des dernières fois. On commence à manquer de tout et on a voté hier pour rejoindre un R-Point dans quelques jours. On en a marre de risquer nos vies dès qu'on met un pied dehors.

– Vous allez perdre votre liberté. En plus, les R-Points ne sont pas des endroits particulièrement sûrs. J'en ai fait l'expérience.

– Je sais. On nous a raconté des trucs là-dessus. On va aller dans celui de la Salpêtrière qui est, paraît-il, le mieux gardé. Là-bas, il y a un militaire armé qui surveille le site vingt-quatre heures sur vingt-quatre.

Sarah m'accompagne ensuite jusqu'à la chambre où dort Max. Il est en plein milieu du lit avec les bras en croix. Elle me propose de partager le sien. J'accepte sans hésiter. Je passe par la salle de bains. Un cubitainer rempli d'eau est posé sur le rebord de la baignoire. Je me contente de mouiller un gant pour me rafraîchir. Des bonbonnes pleines d'une eau un peu trouble sont stockées un peu partout. Sarah m'explique qu'elles récupèrent les eaux de pluie dans la cour intérieure. Elles ont démonté le bas des gouttières pour y placer de grands récipients. Je me déshabille et plie mes affaires. Sarah aperçoit mon arme lorsque je la range au fond de mon sac à dos.

– C'est un flingue ? demande-t-elle, impressionnée. Il est chargé ?

– Toujours, dis-je simplement. Mais j'ai mis la sécurité.

– Tu t'en es déjà servie ?

– Oui.

– Tu as tué quelqu'un ?

Je n'ai pas envie de répondre et je détourne la tête. Sarah a compris car elle n'insiste pas. Le lit n'est pas très large et je sens sa chaleur. Je suis bien.

24 NOVEMBRE

Ce matin, je reste avec les filles. Elles veulent me montrer le R-Point où elles s'installeront bientôt. Elles en profiteront pour se ravitailler. Je vais en faire autant. Après avoir dégusté quelques biscottes, avec deux sucres et un peu d'eau en bouteille, je pars avec Max, Zoé et Sarah. Cette dernière grimpe sur un vélo derrière lequel est attachée une carriole bringuebalante. L'autre enfourche un vélib. Nous longeons un très long boulevard. La rue descend doucement et on peut se laisser glisser sans trop appuyer sur les pédales. Nous ne croisons strictement personne à l'aller.

La Salpêtrière est un hôpital dont une grande partie est constituée de pavillons très anciens. Pour y entrer, on passe sous un porche. Comme à Sainte-Anne, Max et moi devons nous identifier afin de figurer sur leurs listes. Je donne l'adresse des filles en précisant que je viens juste d'arriver de Bretagne avec mon cousin Max. Nous longeons une église. J'aperçois dans le clocher un sniper de l'armée chargé de protéger l'entrée et de veiller au bon déroulement des livraisons. Zoé me montre la zone où les militaires déposent le ravitaillement en hélicoptère. C'est un square dont la majorité des arbres ont été abattus pour faire de la place. Ensuite, mes nouvelles copines me font visiter les lieux. Je ne trouve pas l'endroit très engageant. Sarah me donne la main comme le faisait Cindy. Je la laisse faire parce que ce contact me plaît. Nous attendons ensemble l'arrivée de l'hélico et nous nous chargeons de nourriture et de bouteilles d'eau minérale. Sur le chemin du retour, je les sens plus angoissées qu'à l'aller parce qu'elles sont chargées et qu'il y a un peu de pente à remonter. On va moins vite, alors forcément on gamberge davantage. Les filles échangent leurs places au tiers du chemin. Un peu plus loin, Max passe son vélo à Zoé et la remplace. Nous sursautons en traversant le carrefour des Gobelins car plusieurs détonations se font entendre, suivies de cris horribles. Sans nous concerter, nous accélérons l'allure. Nous arrivons chez elles complètement épuisés, mais soulagés. Elles voudraient que nous restions avec elles mais je suis décidée à repartir. Elles me font promettre de revenir avant la fin de la semaine pour ce qu'elles appellent leur fête de départ. Max aurait bien prolongé son séjour parmi elles et il me fait la gueule en descendant les escaliers. Je crains qu'il ne m'adresse pas la parole pendant un bon moment.

Nous effectuons le trajet de retour en prenant beaucoup de précautions. Nous nous mettons à l'abri au moindre bruit. Nous évitons de justesse une voiture en maraude, peut-être envoyée par Attila sur nos traces.

Lorsque j'ouvre la porte d'entrée, je découvre qu'un papier a été glissé dessous. C'est Marek.

Qu'est-ce que tu fous ? Je t'ai dit d'éviter de sortir.
Je repasserai ce soir ou cette nuit.
Marek

Je suis heureuse à l'idée de le revoir. Je comprends qu'il tient à moi et qu'il s'inquiète. Mais je n'aime pas qu'il s'arroge le droit de me dicter ma conduite. Il doit me faire confiance et savoir que je peux me débrouiller sans lui.

Je traîne comme une âme en peine dans le garage tout le reste de la journée. Max est dans sa cachette secrète et je suis contente de ne pas avoir à l'occuper. Je me connais : quand je ne fais rien, j'ai tendance à me laisser envahir par des idées noires. J'hésite à me replonger dans la malle de Mamm-gozh. Ce qu'elle renferme m'attire et m'effraie en même temps. Quand je parcours ses vieux ouvrages, j'ai l'impression que ma grand-mère est près de moi et me parle, mais aussi qu'elle veut m'entraîner sur les chemins de la croyance. Est-ce que je ne risque pas de m'y perdre ? J'aurais besoin d'Elwen, l'amie de Mamm-gozh qui est retenue prisonnière dans son propre appartement. Je suis certaine qu'elle pourrait m'aider à y voir plus clair. Mais je ne sais pas comment faire pour entrer en contact avec elle.

Max réapparaît en fin de journée parce qu'il a faim et nous mangeons rapidement tous les deux. Il me fait part de son désir de retourner voir les filles qui lui manquent déjà. Je le lui promets volontiers. Sa journée l'a épuisé et il se couche sans tarder. Je me fais du thé en espérant que mon ami ne me fera pas trop attendre.

Marek arrive vers une heure. Youss le dépose en moto et m'adresse un petit signe quand il m'aperçoit à la fenêtre par laquelle je guettais leur arrivée. À peine ai-je ouvert la porte que Marek m'attire dans ses bras. Nous nous étreignons et nous embrassons durant plusieurs minutes. Je suis prise d'une sorte de vertige et je m'accroche à lui. Lorsque nous nous détachons, j'ai du mal à le regarder en face. Je crois que lui aussi éprouve une certaine gêne. L'un comme l'autre avons laissé notre corps parler sans rien contrôler. Il y a une semaine, nous nous sommes quittés à la manière de bons copains un peu pudiques et là, sans échanger le moindre mot, nous nous sommes transformés en deux amoureux passionnés. Le trouble ne dure pas. Je lui saisis la main et l'entraîne à l'étage.
– J'étais inquiet, commence-t-il.
– J'ai vu. Moi aussi. Tu as bien cicatrisé après mon intervention chirurgicale ?
– Nickel. Tu as utilisé l'arme ?
– Oui. Deux fois.
– Pour faire quoi ?
– Pour m'entraîner.
– Si tu avais des problèmes, tu me le dirais, j'espère ?
– Je gère, Marek.
– Et Max ?
– Ça va. Il dort.
– Et…

Je mets mon doigt devant sa bouche pour qu'il se taise. Nous sommes à côté du lit et nous nous déshabillons. Nous nous glissons sous les draps. Mon corps est parcouru de frissons. Je me sens presque fiévreuse. Je me laisse guider. Je m'abandonne. C'est ma première fois.

25 NOVEMBRE

Ce matin, j'ai le sentiment d'être différente parce que je l'ai fait. Je ne me l'explique pas vraiment mais je me sens libérée d'un poids, d'une peur. Hier, tout s'est décidé si vite. Nous avons obéi à une envie physique qui, à cet instant-là, semblait irrésistible. Est-ce que, pour autant, j'éprouve des sentiments à l'égard de Marek ? Je n'en suis pas certaine. Et lui, ressent-il quelque chose pour moi ? Je ne sais rien de sa vie.

Max est ravi d'avoir retrouvé un copain. Marek m'a annoncé au réveil qu'il repartirait la nuit suivante pour Chartres, où il doit réceptionner une nouvelle cargaison. Je lui demande :

– Des armes encore ?

– Pas forcément. On verra. C'est quand même la marchandise qui a la plus grosse valeur.

– Mais aussi celle qui apporte la mort et la souffrance.

– Si je ne faisais pas le boulot, un autre prendrait ma place.

Je n'aime pas ce genre d'argument un peu facile mais je n'ai pas envie de me disputer avec lui. Je me promets de lui confier plus tard ce que j'en pense car, entre amis, il ne faut pas se mentir. Il me demande de lui expliquer ce que je voulais dire quand je lui ai annoncé, il y a une semaine, que j'étais là pour sauver le monde. Je m'engage à lui donner des explications, mais un autre jour. Je ne veux pas qu'il me prenne pour une cinglée et qu'il se détourne de moi.

– Et aujourd'hui, tu vas faire quoi ?

– Rien de spécial.

– Et ensuite ? insiste-t-il avec un petit sourire au coin des lèvres qui montre qu'il n'est pas dupe.

– Je veux rendre visite à une personne qui est retenue prisonnière chez elle. La porte est blindée. Elle habite au dernier étage d'un immeuble de Montparnasse et je crois qu'il y a une surveillance depuis la rue.

– C'est qui ?

– Une copine de ma grand-mère.

– Une adulte toujours vivante ?

– Avant-hier, en tout cas, elle l'était.

– Tu peux passer par les toits. Youss et Ibra t'emmèneront demain.

Comme je le regarde d'un air sceptique, il m'explique qu'à Paris, en général, les toits sont en zinc et ne sont pas trop pentus. Avant la catastrophe, les gens les investissaient, principalement l'été, pour bronzer ou boire des coups en admirant le paysage.

– C'est interdit et dangereux. Ça devrait te plaire, conclut-il.

Il s'en va une demi-heure plus tard en me promettant de revenir vite. Nous nous embrassons longuement, ce qui fait rire aux éclats mon cousin.

Une fois la porte fermée, je reste un long moment immobile. Je suis essoufflée comme après une longue course et je mets plusieurs minutes à retrouver une respiration normale.

Le reste de la journée, je le passe sur mon lit à tenter d'imaginer ce que pourrait être une vie tranquille avec Marek, quand on aura surmonté la catastrophe. Je somnole aussi beaucoup et me réveille en larmes. Je ne sais pas pourquoi.

26 NOVEMBRE

L'expédition a lieu en fin d'après-midi. Max et moi montons chacun à l'arrière d'une moto. Nous sommes casqués et équipés de pantalons et de blousons adaptés. Youss et Ibra roulent à vive allure sur des chaussées désertées. Nous croisons un char qui occupe le centre d'un rond-point. Un militaire lève les bras pour nous faire stopper. Les gars lui font signe qu'ils s'excusent de ne pas obtempérer et contournent l'obstacle. Un peu plus loin, nous dépassons une meute de chiens regroupés autour du cadavre d'un des leurs. Ils ont à peine le temps de tourner leur museau vers nous. Nous arrivons sur la place Bienvenüe, toute proche de la gare Montparnasse. Ensuite, nous pénétrons dans une cour entre deux immeubles. Les moteurs sont coupés à la même seconde. J'interroge Youss :

– Pourquoi vous ne vous êtes pas arrêtés au signal des militaires ?

– Si on leur avait laissé l'occasion de nous fouiller, explique-t-il, ils nous auraient sans doute confisqué nos armes. C'est arrivé à d'autres. Pour l'instant, on profite du fait qu'ils n'occupent pas vraiment le terrain. D'après la rumeur, les choses vont bientôt changer.

– Qu'est-ce qui va se passer ?

– On dit qu'ils vont instaurer un couvre-feu, obliger les ados à rejoindre les R-Points, réquisitionner les motos et les voitures. Des drones pourraient aussi quadriller les rues à basse altitude. Des gens arrivés récemment de Lyon racontent que c'est déjà comme ça là-bas.

Je comprends vite que les gars ont effectué des repérages car ils s'engagent dans un des escaliers sans réfléchir une seconde. Sur le dernier palier, Youss sort d'une poche intérieure une feuille de plastique grise. Il l'introduit entre le dormant et le battant de la porte, juste sous la poignée. Il réussit ainsi à l'ouvrir. Je lui demande comment il a fait.

– La porte était juste claquée. Dans ce cas, on peut utiliser une feuille de plastique à la fois souple et solide. L'idéal, c'est une radio. Tu la glisses dans l'interstice et tu la remontes.

Je me rappelle que j'ai trouvé une radio du poignet de Mamm-gozh dans un de ses bouquins. Comment pouvait-elle connaître ce truc ?

Nous pénétrons dans une minuscule chambre de bonne. Mon guide déniche un escabeau et l'installe sous le vasistas. Il grimpe et l'ouvre largement. Il se hisse sans problème sur le toit. Nous le suivons. Max n'est pas très à l'aise et Ibra le fait vite asseoir contre une cheminée. Il n'était de toute façon pas prévu qu'il vienne avec moi jusqu'au bout.

– Il faut marcher doucement, m'explique mon guide, et bien vérifier où tu poses les pieds. Tu évites aussi de regarder en bas.

Nous parcourons une cinquantaine de mètres en posant dès que c'est possible un pied de chaque côté du faîtage. Nous nous faufilons entre les cheminées et les antennes. Je ne discerne pas toujours à quel moment nous passons d'un immeuble à un autre. Mon guide me désigne une ouverture. Nous nous penchons au-dessus du vasistas qui surplombe un petit salon. Je tape doucement sur la vitre. Elwen réagit vite et me contemple quelques secondes avant de me sourire. Elle a la même corpulence et le même regard noir que sa petite-fille. Elle me fait signe de m'écarter et actionne avec une manivelle l'ouverture de la fenêtre de toit. Elle pousse ensuite une table juste en dessous. Je me glisse à l'intérieur. Je suis suspendue quelques secondes. Mes pointes de pieds effleurent le plateau. Je me laisse tomber le plus doucement possible. Le meuble vacille un peu puis se stabilise. Elwen me donne l'ordre de ne plus bouger.

– Je te récupère quand tu veux, m'explique Youss en passant sa tête. Bonjour madame.

– Bonjour jeune homme. Koridwen, je ne vais pas t'apprendre que tu ne dois pas m'approcher ni toucher avec ta peau quoi que ce soit ici. Je vais me protéger et toi tu vas enfiler ces gants et accrocher ce masque devant ta bouche.

– Bien sûr, dis-je.

Je me baisse pour saisir le matériel qu'elle vient de déposer à mes pieds. Comme la table est un peu branlante, je fais des gestes très lents. Une fois équipée, je descends sur le sol et attends son retour. Elle porte devant elle une chaise recouverte de film alimentaire transparent qu'elle pose à côté de moi.

Elle s'installe à cinq ou six mètres dans son fauteuil.

– Je t'attendais plus tôt, Koridwen.

– Comment cela, vous m'attendiez ?

– Avant que Rozenn ne rejoigne les esprits, elle nous avait beaucoup parlé de toi. Ta grand-mère avait pressenti la catastrophe et elle disait que tu étais en partie la solution aux problèmes du monde. Aussi avait-elle réuni pour toi toute sa science dans une malle et prié les dieux pour qu'elle ait le temps de t'en expliquer le contenu. Il n'en a pas été ainsi mais si tu es là, c'est que tu as accepté son héritage.

– Quel sera mon rôle ?

– C'est toi qui dois le découvrir. Cerridwen, la déesse galloise dont tu portes le nom, ne m'a jamais parlé à moi. Je ne suis pas comme ta grand-mère, je ne communique pas avec les dieux. Je me contente d'être une bonne guérisseuse.

– Vous ne pouvez pas m'aider ?

– Non. Tu n'en as pas besoin.

– Pourquoi dites-vous cela ?

– Tu as en toi des connaissances que tu n'exploites pas.

Que veut-elle me dire ? Je ne comprends pas. J'insiste encore :

– Mais vous, vous croyez qu'on peut retourner dans le passé pour réécrire l'histoire ?

– Je connais des gens qui ont la capacité de se projeter dans le passé pour assister à des événements très anciens.

Mais ils ne peuvent jamais agir sur ce qu'ils voient, car seul leur esprit est présent, pas leur corps.

– Mais le faire physiquement, cela vous paraît donc impossible ?

– Je ne le conçois pas, mais est-ce que cela signifie forcément que ça ne peut pas se produire ?

Elle réfléchit un long moment et ajoute :

– Admettons que cela soit possible. Est-ce qu'il faudrait pour autant suivre cette voie ? Cela pourrait s'avérer dangereux pour celui qui voyage et peut-être dramatique pour l'humanité.

Je mets une bonne minute à digérer sa réponse. Avant de repartir, je lui demande si elle ne veut pas que je l'aide à s'échapper de son appartement. Elle secoue la tête négativement.

– Cela n'a plus d'importance. Cette prison est ma protection. Ils me prêtent des pouvoirs magiques et me conservent comme un bien précieux, comme un trophée. Tant que cela durera, je ne serai pas exposée au virus.

– Qui « ils » ?

– Attila et ses hommes. Ce quartier est leur fief. Pourquoi fais-tu cette tête ? Tu le connais ?... Ne me dis pas que c'est toi qui lui as tiré une balle dans la cuisse ? Grands dieux ! J'aurais dû le deviner. Si j'avais su...

Elle réfléchit un long moment puis reprend :

– Je lui ai évité la mort et bientôt il sera sur pied. Il affirme partout qu'il s'occupera personnellement de sa vengeance. Koridwen, tu n'es pas responsable de tes actes. Si tu as agi ainsi, c'est que c'était écrit. La déesse veille sur toi, heureusement. Si ce n'était pas le cas, je ne donnerais pas cher de ta peau.

Je monte sur la table, puis sur un tabouret qu'Elwen a placé dessus. La vieille dame contrôle la stabilité de l'ensemble. Quand je parviens au sommet de cet empilement, mes bras dépassent du toit. Youss les attrape et me tire fermement. En allant rejoindre les autres, il m'interroge :

– Alors, tu as appris des choses intéressantes ?

– Oui. Elle m'a dit qu'une déesse veillait sur moi.

– Super-nouvelle, dit-il en souriant. Tu as bien fait de venir.

Discrètement, je récupère de la suie dans un conduit de cheminée pour m'en couvrir les sourcils. Avant d'enfourcher une des motos, je prends soin de bien attacher mes cheveux afin qu'aucun ne dépasse du casque. Youss s'impatiente et fait vrombir le moteur. Nous sortons de la cour et quittons la rue pour nous engager sur un boulevard. Deux types trônent sur des fauteuils de jardin au milieu de la chaussée. Les motos freinent et s'arrêtent à leur hauteur. Je chuchote à mon chauffeur :

– Pourquoi on s'arrête ?

– Là, on ne peut pas faire autrement.

Youss se place devant Ibra et lève sa visière.

– Salut les gars, dit-il sobrement.

– Enlève ton casque, mec !

– J'ai pas trop le temps. Je travaille pour Marek qui fournit votre patron en guns.

– T'es Ibra ?

– Non, c'est l'autre. Moi, c'est Youss.

– OK, OK. Et la demoiselle ? C'est qui ? Fais-moi voir tes yeux !

Je relève ma visière. Il sourit, visiblement très satisfait.

– Tu t'emmerdes pas. C'est joli tout ça. Nous, en ce moment, on cherche plutôt de la rouquine. T'en as pas croisé, mon frère ?

– Non.

– Sinon, tu nous le dirais, hein ?

– Bien sûr.

Youss le salue de la main et démarre. Je le serre très fort. J'ai cru que ma dernière heure était arrivée. Je garde les yeux fermés jusqu'à ce que nous ayons regagné le garage.

Une fois chez nous, je grimpe dans ma chambre, pour enlever mon équipement. J'en profite pour nettoyer mes sourcils. J'enfile un jogging et je descends les rejoindre.

– C'est bizarre, le gars cherchait une rousse. J'ai eu peur qu'il insiste.

– Il y a des filles qui ont des cheveux plus roux que les miens. Moi, ça s'appelle auburn. Il en cherchait une autre.

– Si tu le dis.

– En tout cas, merci de ne pas avoir parlé de moi.

– Je déteste ces mecs. Ce sont des fous.

Ibra et Youss repartent. J'aurais peut-être dû les mettre au courant de la menace qui pèse sur Max et moi. La chance finira par tourner, et tous les deux on ne fera jamais le poids.

27 NOVEMBRE

Je repense à ma visite de la veille chez Elwen. Toutes ces vieilles sorcières me voient comme une sorte de super-héroïne, mais se gardent bien de m'expliquer pourquoi et surtout comment je pourrais agir pour changer la face du monde… Leurs discours commencent à me lasser.

Je vais attendre le rendez-vous de Khronos du 24 décembre pour voir ce qui s'y passera. Je suis venue pour ça et je veux avoir tout tenté avant de m'en retourner à Menesguen. D'ici là, je vais bien me garder de prendre des risques. Je vais me terrer au maximum dans mon garage et m'organiser. Je m'ennuierai certainement mais au moins je resterai en vie et préserverai celle des autres.

Je m'active donc toute la journée pour ranger, astiquer les sols et faire la lessive. Max m'aide un peu puis prend le prétexte d'aller aux toilettes pour disparaître, sans doute dans son repaire secret. Je copie le système de récupération des eaux qu'ont adopté les filles de Paris en sciant les tuyaux de descente des gouttières avec une scie à métaux et en installant en dessous tout ce que je trouve comme bidons pas trop sales. Je garderai l'eau de source bretonne qui me reste uniquement pour boire et pour cuisiner.

Vers 17 h 30, alors que la nuit s'installe, j'entends frapper doucement à la porte. Ce n'est pas Marek ou ses copains qui tapent toujours d'une façon très reconnaissable. Je me colle aux carreaux à l'étage et distingue deux silhouettes. Un garçon et une fille. C'est Nico, le mec du R-Point qui s'était sacrifié pour sauver sa copine des griffes d'Attila, ce qu'il avait failli payer très cher. Je descends avec une bougie pour les faire entrer. Camille, que je n'ai aperçue que quelques secondes la semaine précédente, m'embrasse comme une copine de toujours. Nico a enlevé ses pansements mais garde un visage très marqué. Nous nous installons dans la cuisine où je leur propose du thé.

– Où est ton copain ?

– Max ? C'est mon cousin. Il est caché dans un coin mais ne devrait pas tarder à se montrer.

– C'est sympa chez toi, déclare Camille. C'était le garage de ton père ?

– Non, pas du tout. Je suis arrivée de ma Bretagne natale il y a une semaine.

– Avec le tracteur ?

– Oui.

Tous deux échangent un regard amusé. Et puis Nico se tourne vers moi, le visage grave. Je me doutais bien qu'ils ne venaient pas me rendre une simple visite amicale.

– C'est Louise qui nous envoie, la fille du R-Point qui vous a fait remplir...

– Je me rappelle, dis-je en le coupant.

– Elle voulait qu'on vous prévienne. Attila est venu hier réclamer tes coordonnées.

– Ils ne les lui ont pas données, quand même ! dis-je, anxieuse.

– Non.

– Mais… ? Parce que je sens le « mais ».

– Il a posé un ultimatum à la communauté. Si on ne lui donne pas ce qu'il demande dans les vingt-quatre heures, il lâchera ses troupes dans le R-Point. En revanche, si on cède avant, il s'engage à ne plus perturber les distributions de nourriture. Les membres du conseil sont partagés. Louise craint que la balance finisse par pencher du mauvais côté.

– Je dispose de combien de temps ?

– Jusqu'à demain midi.

Je sers le thé. Max nous rejoint et s'installe entre les deux autres. Il est souriant et ne paraît pas percevoir la tension qui règne ici. Je dois réfléchir vite. Je ne suis pas surprise par la nouvelle. D'une manière ou d'une autre, le chef des Huns devait fatalement finir par me débusquer. La difficulté va être de trouver un autre lieu sûr où cacher mon tracteur. Je vais avoir besoin de l'aide de Youss et Ibra qui connaissent parfaitement les alentours. Camille semble impatiente de me voir réagir. Je la rassure :

– Je vais trouver une solution. En tout cas, merci d'être venus me prévenir. Vous avez pris des risques pour arriver jusqu'à nous. D'ailleurs, si vous hésitez à repartir maintenant qu'il fait nuit, vous pouvez dormir ici.

Nico fait un geste pour refuser mais Camille déclare :

– Bonne idée, ainsi on se connaîtra mieux et, demain, on vous aidera à déménager. T'es d'accord, Nico ?

– Si tu veux, répond-il à regret.

Je les quitte un instant pour me rendre au kebab du bout de la rue et écrire mon message sur l'ardoise. Même si l'endroit paraît désert, j'y pénètre à pas feutrés en serrant mon arme dans ma poche. Je ramasse une craie sur le comptoir et rédige mon mot pour les deux frères. Je perçois bientôt un bruit de moteur qui s'amplifie rapidement. C'est un camion militaire muni d'un projecteur qui balaye les façades. Je me plaque au sol le temps de le laisser passer. J'attends quelques minutes avant de me relever et de repartir chez moi.

J'explique la situation à Max qui est contrarié et refuse de m'aider à réunir nos affaires. Nico est sur les nerfs et fait les cent pas dans le garage en sursautant au moindre bruit qui vient de l'extérieur. Je crois qu'il a peur d'être sur place au cas où Attila débarquerait avec de l'avance. Je comprends aussi qu'il ne s'imagine pas laisser Camille qui, elle, n'a pas l'intention de partir tout de suite. Elle me file un coup de main pour ranger une partie de nos affaires dans la bétaillère. Elle me parle de sa vie d'avant. Elle était en seconde option théâtre et se voyait plus tard devenir comédienne. Elle m'explique qu'aujourd'hui elle continue à lire des pièces et apprendre des rôles, qu'elle se joue la nuit quand elle a des insomnies.

– Je sais que c'est débile, que ça ne sert à rien. Mais j'ai besoin de me remplir le cerveau, de faire comme si ça avait du sens, parce que sinon… sinon… je ne sais pas ce que je deviendrais.

Elle marque un temps avant de me demander :
– Et toi Kori, à quoi tu te raccroches ?

J'hésite à lui répondre. Même à moi-même, je ne l'ai jamais formulé nettement. J'ai bien peur qu'en l'énonçant à haute voix je ne sente le vide et l'absurdité des raisons qui m'ont pourtant conduite jusqu'à Paris.

– Je me raccroche aux paroles de ma grand-mère qui m'a dit que j'avais une mission à accomplir, que la vie des hommes dépendait de moi... et que, par conséquent, je n'avais pas le droit de mourir.

Je n'ose relever la tête par peur de sentir dans ses yeux de la pitié ou de l'amusement. Elle me parle doucement et je la sens sincère :

– Il y a une semaine, ma vie et celle de Nico auraient pu s'arrêter dans l'enceinte d'un R-Point si tu n'étais pas intervenue. Alors, tu as raison de croire en ta grand-mère.

28 NOVEMBRE

Je suis réveillée très tôt par Camille qui se lève. Elle a dormi à côté de moi et Nico s'est trouvé une banquette arrière de voiture. J'entrouvre les yeux et la vois s'habiller. Son ami est près d'elle et lui passe ses vêtements un à un. Ils s'en vont. Je devine qu'il n'a pas réussi à fermer l'œil de la nuit. Je demande :

– Il est quelle heure ?

– 5 heures, répond le garçon.

– Je vous accompagne jusqu'à la porte.

– Pas la peine, dit-il en chuchotant.

Je suis debout et je m'enroule dans une couverture. J'enfile mes chaussons et les suis dans l'escalier. J'embrasse ma nouvelle copine qui s'excuse de ne pas pouvoir m'aider davantage. Nico me sourit. Il semble soulagé de quitter enfin cet endroit.

– Ne tarde pas à t'en aller d'ici, me conseille-t-il.

– Ne t'inquiète pas. Je vais me mettre à la recherche d'un nouveau chez-moi juste après mon petit déjeuner.

Ils sont partis depuis une heure et j'ai déjà pris ma douche et rangé le reste de mes affaires. Je réunis aussi celles de mon cousin qui dort encore profondément. Je vais aller inspecter les rues de l'autre côté du boulevard.

Le jour se lève à peine. Je passe devant le restau de kebab mais sans y entrer. S'ils avaient lu mon message de détresse, Youss et Ibra seraient venus directement aux nouvelles. J'ai dans mon sac quelques outils de cambrioleur, un coupe-boulon, une tenaille, un pied-de-biche, une scie à métaux. Spontanément, je suis attirée par un garage qui a un peu la même configuration que chez nous, mais le rideau métallique a été défoncé et il sera impossible de le refermer correctement. Cinq cents mètres plus loin, je jette mon dévolu sur une entreprise de ferronnerie. La porte a été forcée. Je la pousse prudemment. Et je sors mon arme. C'est un atelier avec des établis, des postes de soudure, des machines qui servent à découper ou tordre le métal. L'endroit est vaste mais encombré, et les meubles paraissent trop lourds pour être déplacés. Les bureaux administratifs ont été pillés mais je ne relève aucune trace de présence humaine récente. Une porte donne sur un entrepôt plus spacieux où sont stockées les réserves de ferraille. Je découvre aussi une petite cour intérieure fermée qui débouche dans une rue parallèle. La camionnette de la société y est garée. Je monte dans l'habitacle. La clé et les papiers du véhicule sont coincés dans le pare-soleil. Les voyants du tableau de bord s'allument. Le réservoir est vide, sans doute a-t-il été siphonné quelque temps après la catastrophe.

Je reviens en courant chez nous et réveille Max qui dort toujours comme un bienheureux au fond de sa Volvo. Je l'attire doucement hors du véhicule pour le faire déjeuner. Je lui réexplique la situation. Il fait comme si c'était la première fois que j'abordais le sujet. Il baisse la tête et se cramponne à la table des deux mains. Il va résister. Je m'assois près de lui, mais il fait mine de ne pas remarquer ma présence. Il commence imperceptiblement à osciller la tête d'avant en arrière. La crise arrive au pire moment. Je le laisse et termine de remplir la bétaillère avec mon matelas, mon oreiller et les affaires qui traînent encore çà et là. Pour lui, je découpe, avec le coupe-boulon, les attaches qui maintiennent la banquette arrière de sa voiture préférée. Je la charge avec le reste. L'idée que je m'attaque ainsi à sa propriété le rend fou de rage et il se précipite dans la remorque pour la récupérer. J'en profite pour le piéger et fermer la porte derrière lui. Je pénètre dans l'habitacle du tracteur et fais démarrer le moteur. Les cris perçants de Max me vrillent l'estomac mais je ne dois pas perdre une minute. Je roule le plus vite possible. Heureusement, je ne croise pas âme qui vive. Quand je descends de mon siège, ses hurlements n'ont pas cessé. Je verse un peu de gasoil dans le réservoir de la camionnette qui démarre sans problème. Je la gare un peu plus loin dans la rue. Puis je manœuvre pour faire entrer la bétaillère dans l'entrepôt. Je laisse le tracteur dans la cour et referme le grand portail. Je verrouille bien toutes les issues avant de laisser sortir Max. Il jaillit comme un diable de sa boîte et va donner des coups de pied furieux dans toutes les portes. Il ne se résigne qu'au bout d'un bon quart d'heure. Alors il part se cacher derrière un stock de barres de fer. Il pleure doucement. Moi je respire enfin.

Avant de déballer nos affaires, j'entreprends de visiter les lieux de fond en comble. Je découvre un vestiaire avec des armoires métalliques fermées par de petits cadenas à code. Il y a aussi des lavabos, deux toilettes et deux cabines de douche.

Je sors les vélos de la bétaillère. Ensuite, je débarrasse le local administratif d'un bureau très massif que je suis obligée de traîner sur une dizaine de mètres. Je veux libérer de l'espace pour y poser mon matelas. J'aimerais que Max m'aide, mais c'est encore trop tôt pour y penser. Pendant l'heure qui suit, j'essaie d'aménager au mieux notre nouvel intérieur. Puis je décide d'aller voir discrètement dans quel état se trouve mon cousin. Il a changé de cachette.

– Alors mon gros, dis-je à haute voix, on veut jouer à cache-cache avec sa cousine ? Je sais que tu es fort à ce jeu...

Je me dirige vers les toilettes. Une des deux cabines est fermée mais je n'entends pas le moindre bruit. Par contre je perçois un courant d'air frais. Je saisis un extincteur et frappe violemment le battant à la hauteur du loquet. Ce dernier explose au cinquième coup. À l'intérieur, une fenêtre est ouverte. Max est parti. J'avais laissé la clé de notre ancienne maison au-dessus du tableau de bord du tracteur et elle a disparu. Il est à peine 10 heures. Normalement l'ultimatum arrive à échéance dans deux heures. Je ne dois pas paniquer. J'enfourche le vélo et fonce sur place. La porte est ouverte et la clé a été replacée dans la serrure à l'intérieur comme j'avais l'habitude de le faire. Je vais directement à la fosse dissimulée sous la Volvo. Je soulève la première plaque. Mon cousin est assis au même endroit que la fois précédente et tient une bougie dans une main et ses grandes feuilles dans l'autre. Il a retrouvé son sourire, mais moi je n'ai pas le temps de plaisanter. Je contrôle ma colère et essaie de lui parler doucement.

– Viens, Max. Si tu veux, on emporte tes papiers. Qu'est-ce qu'il y a sur ces feuilles ? Tu as fait des dessins ? Tu veux me les montrer ?

Il fait non de la tête. Je m'apprête à le rejoindre dans son trou lorsque j'entends des bruits de véhicules qui s'engagent dans notre rue. Ils sont très nombreux. Visiblement, l'attaque a été déclenchée plus tôt que prévu. Je me redresse et cours à la porte pour fermer à clé. Je me précipite vers la fosse. Je n'ai pas le temps de l'atteindre que déjà on actionne la poignée avec insistance. Un gars donne des consignes à voix basse. Ce n'est pas Attila.

– Entourez le bâtiment. On sait qu'ils sont à l'intérieur. Un de nos guetteurs les a vus entrer. Vous ne tentez rien. Ils sont armés et n'hésiteront pas à tirer.

J'ai sorti mon pistolet. À cet instant, je pense davantage à m'en servir contre moi-même que pour combattre. Ils ne me prendront pas vivante.

– Korimachin et l'autre débile, hurle maintenant le type, on a bloqué toutes les issues. Sortez tout de suite avec les mains sur la tête. Sinon, on vous fera griller comme des poulets. Je vous laisse une minute.

Max me fait signe de descendre dans la fosse. Je crois que maintenant il a parfaitement compris la situation. En me glissant dans son antre, j'ai l'impression de rentrer dans ma tombe. Il replace la plaque au-dessus de moi et m'entraîne vers le fond. Il boite un peu et je crois apercevoir du sang au niveau de son mollet droit. Quand nous sommes installés côte à côte, il souffle sur sa bougie et me serre dans ses bras. On entend la voix atténuée du chef de nos assaillants qui reprend :

– Le temps est écoulé. Vous avez fait votre choix !

Le silence s'installe durant de longues secondes. Soudain, on entend le bruit d'une vitre qui explose, puis d'une autre. Ce que nous percevons ensuite, c'est l'odeur d'essence, avant celle de la fumée. La sensation de chaleur arrive un peu plus tard. L'incendie vient de commencer. Je me défais de ma veste, mon jean et mon pull. À l'aveugle, je débarrasse mon cousin de ses vêtements. Nous reprenons notre position initiale. J'ai toujours appris qu'au ras du sol les gaz étaient moins denses. Nous qui sommes encore plus bas avons donc une chance de nous en sortir. Des explosions dont je ne parviens pas à déterminer l'origine retentissent au-dessus de nous. Les plaques qui recouvrent la fosse diffusent la chaleur. J'essaie de respirer le moins possible. Après environ un quart d'heure, le sol se met à trembler. J'imagine que le toit est en train de s'effondrer. Je chuchote pour moi-même :

– Alors Mamm-gozh, dis-moi, c'est fini ? Notre histoire va s'arrêter là, au fond d'un garage, si loin de la terre de mes ancêtres ? Mamm-gozh, tu m'aurais menti quand tu disais que j'allais vivre assez longtemps pour sauver ce monde ? Tout ça n'était finalement que du vent ?

J'ai du mal à respirer, autant à cause des vapeurs de carbone que de l'angoisse qui m'étreint. Je me mets à réciter :

« *Tout beau, bel enfant, dit le druide, que veux-tu que je te chante ?* »

« *Chante-moi la série du nombre un jusqu'à…* »

Mes yeux se ferment. Peut-être suis-je en train de mourir asphyxiée.

Combien de temps ai-je dormi ? Le silence s'est fait autour de nous. Je secoue Max pour le réveiller. Je ramasse mon jean et l'enroule autour de mes mains. J'essaie de soulever une des plaques. Elle est encore tiède et me paraît extrêmement lourde. Je parviens tout de même à la faire glisser de quelques centimètres. De l'air frais s'engouffre par le trou. C'est comme si on sortait enfin la tête de l'eau. Soudain, j'ai froid et je tousse. Je cherche ma veste à tâtons et l'enfile. Max me prête main-forte et nous réussissons à écarter encore un peu la plaque qui est couverte de tôles tordues par la chaleur. Je me rhabille et grimpe la première hors de la fosse. J'aide Max à faire de même. Je me rends compte que, sous sa veste épaisse, il est en pyjama et chaussons. Nous sommes debout au milieu d'un amas de gravats. La nuit est presque tombée. Nous nous faufilons dans la rue déserte et progressons prudemment vers notre nouveau domicile distant de cinq ou six cents mètres. Max boite de plus en plus. Sa blessure au mollet droit me semble assez sérieuse. Une morsure de chien probablement. Je le soutiens pour avancer. Nous mettons plus de vingt minutes pour atteindre notre objectif. Sur place, nous engloutissons chacun un bon litre d'eau puis nous nous traînons jusqu'à nos lits.

29 NOVEMBRE

Au réveil, l'odeur de brûlé qui colle à mes vêtements m'écœure au point de me donner la nausée. Je me force à grignoter quelques gâteaux secs. Je vais me laver entièrement avec un seau d'eau et du savon. Je frotte fort autant pour être efficace que pour me réchauffer. Puis je mets des vêtements propres.

Je passe voir mon cousin. Je vais enfin découvrir ce qu'il a dessiné sur les feuilles de papier qui semblaient si importantes pour lui. Elles traînent par terre près de sa banquette. Je les ramasse et les déplie. Ce sont des portraits très ressemblants de ses parents. J'y reconnais ma tante avec son regard triste et ses pommettes un peu hautes et mon oncle au visage envahi par une barbe épaisse. Je comprends mieux l'attitude de Max. Il ne pouvait pas abandonner leurs images au fond d'une fosse. Je soulève sa couverture pour dégager sa jambe. J'inspecte sa morsure. Elle semble assez profonde. Je vais attendre qu'il se réveille pour commencer les soins.

J'aimerais prévenir Marek et ses amis de ma nouvelle adresse mais j'hésite à utiliser le tableau du restaurant.

Si un des hommes d'Attila revenait dans le quartier, il pourrait deviner que nous sommes encore vivants.

Mon cousin émerge vers midi. Je le force à faire sa toilette avant de m'occuper de sa blessure. La peau est bien entaillée sur plusieurs centimètres et cela nécessiterait sans doute des points de suture. Comme Marek m'a confirmé que le traitement de Mamm-gozh dont je me suis servi pour désinfecter et cicatriser sa coupure avait bien fonctionné, je n'hésite pas à l'appliquer à mon cousin. J'utilise en plus des petites bandes adhésives pour refermer la plaie. Je couvre le tout d'un bandage propre. Je l'installe dans un fauteuil en lui conseillant de ne pas trop bouger pour éviter de faire saigner sa blessure. Il me montre ses deux dessins avec fierté.

– Elle est belle, ma maman.

– Oui, très belle, dis-je.

– Et mon papa il est beau… comme… un nounours !

– C'est vrai.

– Toi aussi, t'es belle. Moi je veux dessiner Kori.

Je l'embrasse pour le remercier de son affection. Nous restons collés quelques minutes comme deux petits enfants en manque de câlins. Je vais ensuite lui chercher des feuilles de dessin et un crayon dans la bétaillère. J'attrape une chaise et je m'installe devant lui. C'est la première fois que je prends la pose. Au début je souris mais, impressionnée par sa concentration et l'énergie qu'il déploie, j'adopte un air plus neutre. Je le vois tracer de grands traits, j'imagine qu'il dessine mes cheveux. Après plus d'un quart d'heure, il déclare, satisfait :

– J'ai fini Kori.

Je m'approche pour contempler son chef-d'œuvre. Il m'a représentée en pied. Mes cheveux touchent le sol et mes yeux sont comme deux grosses billes. On dirait une folle ou une sorcière. Il me regarde et attend visiblement une réaction de ma part. Je l'interroge sur un ton que je veux léger :

– Tu me vois vraiment comme ça ?

Il ne comprend pas le sens de ma question et me fixe avec angoisse.

– C'est très bien, dis-je. Ton dessin est très beau, Max.

– Oui, t'es belle, conclut-il en souriant.

Je le laisse à son art. Moi je fouille l'entrepôt et l'atelier à la recherche de récipients pour récupérer l'eau de pluie. Je tombe sur une grande poubelle étonnamment propre. J'ouvre doucement la porte du garage et observe longtemps les alentours avant de la faire rouler à l'extérieur. Je décroche le conduit de descente d'une gouttière qui ne tenait que par des clips. À peine ai-je fini de mettre en place mon installation que l'orage éclate. Je ne peux m'empêcher de penser une nouvelle fois que quelqu'un veille sur moi.

30 NOVEMBRE

Cette nuit, j'ai été réveillée par le passage d'une moto. Le temps que je me lève, elle s'était déjà éloignée. J'aurais juré que c'était celle de Youss ou d'Ibra. Je suis retournée me coucher, partagée entre deux hypothèses. Soit mes amis m'ont retrouvée et je dois me réjouir à la perspective de les revoir bientôt, soit une personne est sur ma piste pour le compte d'Attila et nous allons devoir fuir encore. Jusqu'au petit jour, je cogite et somnole en alternance. À chaque réveil, mon humeur oscille entre la joie et le désespoir.

Après le petit déjeuner, j'inspecte la blessure de mon cousin et je lui refais son pansement. Il ne souffre pas moins ni davantage que la veille, ce qui me paraît normal. Il faudra être patient. Ce n'est pas une plaie qui se résorbera vite.

Vers 11 heures, j'ai l'immense soulagement de voir débarquer les deux amis de Marek.

– Vous êtes bien vivants, alors ? commence Youss sur un ton grave. Tu t'imagines dans quel état on était quand on a découvert la maison en flammes avec les mecs d'Attila qui faisaient la fête autour. Putain, Kori ! Tu aurais dû nous prévenir !

– J'ai laissé un message sur le tableau du keb…

– Arrête, reprend Ibra, tu sais très bien de quoi on parle. Ne nous prends pas pour des cons ! Tes problèmes avec Attila ne remontent pas à hier.

Son ton est dur. Je le sens très en colère et je fais profil bas.

– C'est vrai, j'ai déconné. Mais je pensais pouvoir gérer. Je m'excuse.

– Si tu ne nous fais pas confiance, tu mourras. Dans la situation actuelle, personne ne peut survivre seul !

– Même pas celle qui se croit protégée par une déesse, ironise son frère.

– Comment vous avez su que nous nous en étions sortis ?

– On n'a pas trouvé de corps dans les décombres. Alors, on a fouiné dans le quartier et repéré que la camionnette de la ferronnerie avait été sortie. On s'est dit que ça pouvait libérer de la place pour y mettre un tracteur, par exemple. Et puis hier, une poubelle a été installée sous le conduit de la gouttière.

– Est-ce que vous pensez qu'Attila nous croit morts ?

– Depuis hier matin, il en est sûr, annonce Youss.

– Comment ?

– Tu veux vraiment que je t'explique ? Je ne crois pas que ça va te plaire.

– J'ai faim, dit soudain Max qui se désintéresse de la conversation, Kori, j'ai faim. J'ai faim, Kori !

Les deux autres ont compris et s'installent autour de la table. J'en profite pour leur proposer de déjeuner avec nous. Ils acceptent avec plaisir. Je leur demande de choisir leur menu. Ils optent pour des pâtes avec une sauce au thon et aux tomates. Mon cousin leur montre fièrement son bandage et explique :

– Chien très méchant. Fait mal à Max.

Pour les rassurer, je détaille les soins que j'ai apportés à la blessure. Ils ne font pas de commentaires. L'ambiance se réchauffe petit à petit. Max adore avoir de la compagnie et se montre très bavard. Quand nous avons fini, les gars me remercient et se lèvent pour partir. J'interroge Youss du regard. Il souffle un grand coup et se rassoit à contrecœur. Après avoir gardé un long moment les yeux fermés, il se lance :

– Nous avons appris qu'Attila avait prévu de venir vérifier sur place que vous étiez bien morts. On s'est dit que s'il ne trouvait pas de cadavres, il pourrait tirer les mêmes conclusions que nous et continuer à te traquer. On s'est donc mis en quête de macchabées qui pourraient nous servir à le leurrer. Des gars nous ont signalé la présence de plusieurs corps près du pont du périph. Il y a eu une bagarre au couteau entre deux bandes rivales quelques heures avant l'incendie. Parmi les victimes, nous avons trouvé un couple d'ados ayant à peu près vos corpulences. Ils n'étaient pas équipés pour le combat et ne portaient aucun signe de reconnaissance. Aussi on pense qu'ils se sont retrouvés au milieu de la bataille par hasard. Nous avons transporté leurs corps dans les ruines du garage et les avons aspergés d'essence pour les brûler. Voilà, tu sais tout.

Rien que d'imaginer la scène, je sens mes entrailles se crisper et des frissons me parcourir tout le corps. Je bafouille :

– Vous… vous… vous n'auriez pas dû… On ne peut pas faire ça. On n'a pas le droit.

– Il le fallait, Kori. Après le passage de l'autre taré, on leur a donné une sépulture dans le terrain vague juste derrière. On te montrera l'endroit précis et tu pourras venir, si tu veux, leur réciter des prières chrétiennes.

– Et vous les connaissiez ?

– Non. Ils n'étaient pas du quartier. La fille avait ses papiers sur elle. Elle s'appelait Camille.

Je suis prise d'un haut-le-cœur et je me précipite aux toilettes pour vomir. Je reste penchée sur la cuvette pendant un long moment alors que plus rien ne peut sortir. Je tremble et ne parviens pas à me remettre debout. Les deux autres m'ont suivie et m'aident à me relever. Je leur raconte dans quelles circonstances j'ai rencontré cette fille et son ami, et ce qu'ils faisaient dans les parages du garage ce matin-là.

– Elle est morte à cause de moi et c'est encore à cause de moi que son corps a été souillé. Comment je vais vivre avec ça maintenant ?

Les gars n'essaient pas d'argumenter et m'entraînent doucement jusqu'à mon lit. Je me laisse faire. Ils me couvrent avec deux couvertures. Youss me caresse la tête comme il le ferait pour une petite sœur malade. Ils s'en vont. Max me rejoint en boitant et s'allonge près de moi. Je pleure doucement avant de m'endormir contre lui.

Je me réveille quelques heures plus tard. Le sommeil n'a rien effacé et je me sens toujours aussi mal. Je revois le visage rayonnant de Camille. Si elle n'était pas venue me prévenir, je serais morte et elle serait en vie. Quel sens donner à tout ça ? Pourquoi les gens meurent-ils autour de moi et pourquoi moi je m'en sors toujours ? Suis-je vraiment une « élue » protégée par des forces mystérieuses ? Était-il nécessaire que Camille et Nico disparaissent pour que je continue à exister ? Les paroles d'Elwen me reviennent en mémoire : *Koridwen, tu n'es pas responsable de tes actes. Si tu as agi ainsi, c'est que c'était écrit.* Qu'est-ce que cela veut dire ? Le destin déciderait pour moi et je n'aurais qu'à faire confiance aux forces qui me guident ? Cette idée devrait me rassurer. Bien au contraire, elle m'effraie.

Les gars ont laissé un mot sur la table avec un plan dessiné en dessous :

En cas d'urgence, n'utilise plus le tableau du kebab mais viens directement à cette adresse. Frappe à la porte en respectant le code.

Je goûte avec mon cousin de gâteaux secs au citron. Il m'entraîne ensuite vers sa nouvelle cabane aménagée sous un établi. Il a disposé, à la verticale, des planches de toutes sortes pour faire office de murs. C'est comme une grotte dans laquelle on pénètre à quatre pattes. À l'intérieur, il y a sa banquette arrière de Volvo, un duvet et un oreiller. Il m'invite à m'allonger puis allume une bougie. Il éclaire les portraits de ses parents qu'il a punaisés sur les planches les plus proches de l'endroit où il pose sa tête.

Ainsi, il se sent protégé par leurs visages bienveillants. C'est vrai qu'il doit être bien dans ce cocon. Moi, cela fait trop longtemps que je n'ai pas construit de cabane. La lumière de la bougie se pose sur des dessins au feutre argenté réalisés sous le plateau de l'établi. Ils représentent un ciel étoilé avec des croissants de lune, des… disques, des soleils. Sept de chaque… sept comme dans cette maudite comptine qui me suit partout. J'essaie de cacher mon trouble en demandant à mon cousin :

– C'est toi qui as dessiné ça ?

Je connais déjà la réponse.

– Non, Kori, pas Max.

Je récite pour moi-même :

« *Chante-moi la série du sept jusqu'à ce que je l'apprenne aujourd'hui* », *demande l'enfant.*

Et le druide lui répond :

« *Sept soleils et sept lunes, sept planètes, y compris la Poule. Sept éléments avec la farine de l'air.* »

1ᴱᴿ DÉCEMBRE

Ce matin, je profite du sommeil profond de mon cousin pour aller prendre l'air. J'ai pris soin de parfumer mes vêtements avec du répulsif et je suis aux aguets. Je ne perçois que les cris des oiseaux. J'imagine qu'ici, avant la catastrophe, personne n'y faisait jamais attention. J'emprunte un itinéraire que j'ai déjà utilisé en vélo la première fois où je suis allée chez Elwen. Je n'avais pas d'idée précise du but de ma promenade mais, en avançant, je me souviens que nous étions passés près d'une école. Je pourrais y récupérer du matériel pour occuper Max.

La porte d'entrée est bien entendu fracturée. À l'intérieur, les visiteurs n'ont pas laissé beaucoup de traces de leur passage. Pas de casse ni de dégradation apparente. Je me dirige vers le secteur réservé aux maternelles. Immédiatement, l'émotion me saisit en voyant les photos des enfants au-dessus des portemanteaux et les grandes peintures colorées qui ornent les murs. Je ne vais pas supporter ce décor bien longtemps. Je me glisse dans une classe et trouve un carton vide dans lequel je fourre pêle-mêle des crayons de couleur, des craies, des feutres, des bidons de peinture et des pinceaux. Je fais ensuite un

194

rouleau avec de grandes feuilles utilisées d'habitude pour les affichages. Ce lieu retrouvera-t-il un jour son activité? Dans combien d'années? Il faudra attendre que des filles comme moi se décident à faire des enfants. Comment pourrais-je m'imaginer devenir mère un jour? Combien d'entre nous survivront à ce chaos? Combien auront le courage ou l'inconscience de procréer?

Je retourne à la maison en prenant les mêmes précautions. Max dort encore. J'ai hâte qu'il se réveille et découvre ce que je lui ai rapporté. Je lui prépare un petit déjeuner avec du lait chaud au chocolat et des biscottes à la confiture. C'est le dernier pot de la vieille Yvonne. Une fine couche blanche de pourriture s'est formée sur le dessus. Je l'enlève et plonge une cuillère propre dans le pot. Je goûte, elle est délicieuse.

Je laisse mon cousin dormir. Son corps doit se remettre de toutes ces épreuves. En fin d'après-midi, je commence à m'inquiéter et décide de le réveiller en douceur. Il est en sueur alors qu'il n'a sur lui qu'une couverture légère. C'est de la fièvre. Il ouvre un œil et me sourit mais il est très faible. Je défais son bandage pour constater que la peau autour de la plaie a pris une couleur grise. Quand j'effleure la zone, il tressaille. C'est certainement infecté. Je prends la décision de ne plus y toucher et d'aller chercher de l'aide à l'extérieur. J'irai d'abord voir Youss et Ibra qui connaissent bien les ressources du quartier. En attendant, pour faire tomber la fièvre, je vais expérimenter la décoction aux chatons de saule. Dans la nature, ça ressemble à de jolies boules duveteuses. Dans le flacon de

Mamm-gozh, on dirait plutôt des petits cotons moisis. Je dilue deux cuillerées de ce jus dans un demi-verre d'eau. Max fait un peu la grimace mais accepte finalement de le boire entièrement.

J'enfourche mon vélo et me rends en à peine dix minutes devant chez mes amis de Gentilly. Ils habitent un pavillon en meulière un peu ancien. Je pousse la lourde porte métallique, fais quelques pas sur une allée bien dessinée et gagne le perron. Je frappe trois coups rapides puis trois coups plus espacés. Il ne se passe rien pendant plusieurs minutes. Je sais que quelqu'un est là car je me sens observée. La clé tourne finalement dans la serrure et la porte s'entrouvre. Je suis face à une fille qui ressemble beaucoup à Ibra. Elle a laissé en place la chaîne qui bloque l'ouverture complète.

– J'ai besoin de voir Ibra ou Youss. C'est une urgence.

– Tu es Kori, une des meufs de Marek ?

– C'est ça, dis-je, un peu troublée, avant de reprendre : Mon cousin est dans un sale état. Sa blessure s'est infectée, je ne sais pas quoi faire.

– Mes frères ne sont pas là, déclare-t-elle en tirant lentement la porte vers elle. Je leur dirai de passer te voir lorsqu'ils reviendront.

– Quand ?

La réponse qui me parvient à travers la porte est à peine audible :

– Je ne sais pas. Bientôt.

Je reste plantée là un certain temps avant de me décider à rebrousser chemin.

À la maison, j'essaie de me calmer pour raisonner avec efficacité. Je ne sais pas vers qui me tourner. Je ne peux rien attendre du R-Point de Sainte-Anne et, de toute façon, je dois éviter à tout prix le secteur où règne Attila. Je vais aller à celui de la Salpêtrière. J'étale le plan que j'ai récupéré au garage. C'est beaucoup plus loin mais le trajet n'est pas compliqué. Je vais longer le périphérique par l'extérieur et rentrer dans Paris en suivant la Seine. Je réveille Max pour le faire boire et je repars à vélo. La nuit commence à tomber. Je ne sais pas si un couvre-feu a déjà été mis en place. J'espère pouvoir éviter les barrages et les patrouilles.

Je rase les murs et me cache au moindre bruit, même lointain. Je prends le temps de l'analyser avant de repartir. Du coup, je progresse lentement. J'entends des voix déformées sortant des mégaphones des forces de l'ordre, mais aussi des cris provenant des immeubles. J'imagine que ce sont des bandes qui se réunissent avant leurs virées nocturnes. J'angoisse déjà à l'idée du trajet retour. Au niveau de la porte d'Ivry, je passe sous l'échangeur du périphérique. Au-dessus de moi, j'entends des bruits de moteurs qu'on pousse à plein régime. J'imagine que des courses de voitures se déroulent là-haut. Le vacarme me cerne de toutes parts et m'oppresse. J'accélère pour sortir de cette zone. Je longe les marches qui mènent à la bibliothèque Mitterrand puis rejoins la gare d'Austerlitz. Je remonte le boulevard et j'atteins enfin mon but. L'entrée du R-Point est bloquée par deux plantons. Je gare mon vélo et avance doucement vers eux. Ils m'ont repérée.

– Stop ! crie l'un d'eux.

Ils portent des casquettes à visière et des gilets fluos. Je suis encore à une cinquantaine de mètres. C'est trop loin pour se parler. Je continue à avancer mais lève mes mains au-dessus de ma tête.

– Stop, on t'a dit ! T'es sourde ?

Ils sont fébriles mais je ne m'arrête pas, je veux les regarder dans les yeux.

– Bonsoir, je m'appelle Koridwen. Je suis déjà venue ici, dis-je en élevant la voix. Mon cousin est atteint d'une grave infection. J'ai besoin d'antibiotiques. C'est urgent ! Il faut que...

– Si tu ne t'arrêtes pas tout de suite, je te promets que je lève ma main en l'air. C'est le signal convenu avec le tireur perché dans le clocher. Il te dégommera sans aucune pitié.

Je ne bouge plus. Je reprends tranquillement :

– Il faut que...

– Le R-Point est fermé pendant le couvre-feu, de 18 heures à 7 heures. Tu pouvais t'en douter, non ? Reviens demain matin.

– Demain, il sera sans doute trop tard.

– Casse-toi, on te dit, hurle celui de gauche en portant sa main à la hauteur de son oreille.

Je comprends la menace. Il n'a pas l'air de plaisanter.

– Mais mon cousin va peut-être mourir si on...

– Eh bien il crèvera. Ce ne sera pas le premier. Par les temps qui courent, les cadavres, ce n'est pas ce qui manque.

Je renonce et bats en retraite. Je remonte difficilement sur mon vélo tellement je suis énervée. Je mets du temps à prendre de la vitesse car je me sens vidée de toute mon énergie. Je file dans la nuit sans réfléchir. Je ne pense plus à ma peur, juste à Max que je ne peux soulager et qui va peut-être perdre sa jambe ou la vie. Des larmes de rage inondent mes joues. Cette nuit, si quelqu'un se place en travers de ma route, je n'essaierai pas de comprendre, je le buterai direct.

2 DÉCEMBRE

En rentrant vers 1 heure du matin, je ne trouve aucun message de Youss et Ibra. Je me plonge dans les livres de Mamm-gozh mais je renonce assez vite. J'ai peur d'aggraver la situation. Mon cousin semble dormir calmement. Sa respiration est régulière et son front n'est pas trop chaud. Je me résigne à me coucher.

À 6 heures, je suis debout et passe voir si mes amis sont rentrés. Je frappe à la porte pendant un bon moment avant qu'elle ne s'ouvre. C'est de nouveau leur sœur qui m'accueille. Cette fois-ci, elle me paraît moins dure. Elle me fait entrer.

– Ils ne sont pas revenus. Je commence à me faire du souci. Ils n'ont pas l'habitude d'être absents si longtemps. Tu n'as pas trouvé de solution pour ton cousin ?

– Je vais retourner dans un R-Point. Hier soir, il était trop tard et ils m'ont refoulée. Je te remercie de m'avoir ouvert. J'espère que tes frères ne vont pas tarder.

Elle me tend les bras et nous nous enlaçons quelques secondes comme de vieilles copines. Je crois qu'on en a besoin toutes les deux.

À 7 heures précises, je suis devant l'entrée de la Salpêtrière en compagnie de trois ados. L'un d'eux a été blessé à l'épaule, et son tee-shirt est taché de sang. On nous fait poireauter une dizaine de minutes avant de nous inviter à l'intérieur. Une fille en blouse d'infirmière pose quelques questions aux types qui m'accompagnent puis entraîne le malade dans un bâtiment de brique rouge. Deux gardes s'approchent de moi et me demandent de les suivre. Je me retrouve en face de celui qui m'avait inscrite sur ses listes quelques jours plus tôt. Je m'assois devant son bureau. Les gars restent plantés à mes côtés.

– Je te reconnais, dit-il, c'est toi qui as un prénom bizarre, Koridwin.

– Koridwen.

– J'ai reçu un rapport te concernant peu après ta visite. Il émane du R-Point de Sainte-Anne. Tu y es décrite comme une fouteuse de merde particulièrement dangereuse. Toujours armée. Là, t'es armée, par exemple ?

Je pressens que la discussion va devenir serrée. Je veux gagner du temps et montrer ma bonne volonté. Je sors mon arme et la pose sur la table.

– Je ne suis pas venue faire d'histoires.

– Vous ne l'avez pas fouillée, bande d'imbéciles ! s'énerve le chef contre les deux autres qui baissent la tête.

– Excusez-moi. Mon cousin a été mordu par un chien, j'ai besoin d'un antibiotique puissant parce que ça s'est infecté.

– On ne laisse pas sortir de médicaments du R-Point.

– D'accord. Alors, vous vous déplacez jusqu'aux malades ?

– Trop périlleux.

– Vous rigolez ? J'ai fait deux fois l'aller-retour en vélo en douze heures et je suis encore entière.

– Va-t'en, lance-t-il sèchement. Ici comme ailleurs, tu es indésirable. On a reçu des ordres.

Je tends la main pour récupérer mon arme. Le gars change de couleur. Les deux autres s'écartent, paniqués. Je la glisse dans ma ceinture et déclare :

– Moi, je ne vais pas te flinguer. Je ne l'ai jamais fait de sang-froid. Toi, par contre, en me virant, tu vas sans doute tuer mon cousin ! Et tu le fais en toute conscience. T'es qu'un pauvre lâche !

Je me retrouve dans la rue, complètement désemparée. Je traverse le boulevard et rentre dans ce qui était un café. Je m'assois sur une banquette et prends ma tête dans mes mains. Je respire lentement puis entame la récitation de ma comptine :

« *Tout beau, bel enfant, dit le druide, que veux-tu que je te chante ?* »

« *Chante-moi la série du nombre un jusqu'à…* »

À peine au nombre quatre, je me sens de nouveau en capacité de réfléchir. Je vais m'inspirer de WOT et infiltrer le R-Point par les égouts. Je planque mon vélo et regagne la rue. Je vérifie qu'il n'y a personne en vue aux alentours et je soulève la première plaque que je trouve. Le réseau sous terre correspond exactement à celui en surface. Il y a même les indications de rues. Je n'en reviens pas, c'est encore plus facile que dans le jeu pour s'orienter. J'allume ma torche et je suis mon cap sur une centaine de mètres. Je grimpe le long d'une première échelle. Le faisceau de lumière qui passe par le trou au milieu de la plaque disparaît toutes les vingt ou trente secondes. Ce doit être un endroit très passant, sans doute le jardin central où ont lieu les débarquements de vivres. Je parcours une quarantaine de mètres sur la droite. Là, le rai de lumière est constant. Je soulève doucement la plaque et la pousse sur le côté. Je risque un œil à l'extérieur. Je suis cachée entre un mur et un bosquet aux feuilles persistantes. Je sors et reste sans bouger un moment pour analyser la situation. Il faut que je localise leur pharmacie et que je me serve moi-même. Je repère plusieurs groupes d'ados qui discutent. J'aperçois Lola, une des deux sœurs qui partageaient l'appartement avec Zoé. Je m'approche d'elle discrètement. Quand elle me reconnaît, son visage s'illumine. Je lui fais signe de ne pas parler. Une fois à l'écart, je lui explique ma situation.

– Et tu es passée par les égouts ? Tu es incroyable ! Excuse-moi, je m'égare. Ce que tu vis, ma pauvre Koridwen, est vraiment horrible. Viens, suis-moi, tu vas te planquer pendant que j'essaie de te trouver une solution.

Elle me conduit jusqu'au parking d'un bâtiment plutôt moderne où sont garées des ambulances couvertes de poussière.

– Rentre dans celle-là. On revient dès qu'on peut.

On me secoue. J'ai dû dormir. C'est Sarah.

– Bonjour Koridwen, dit-elle en me prenant dans ses bras. Je suis si contente de te revoir! Nous ne pouvons pas te procurer le médicament dont Max a besoin. Ici, les règles sont très strictes. Seuls ceux qui sont habilités à soigner ont accès à la pharmacie. Elle est gardée jour et nuit.

– Tu pourrais me montrer où se trouve cette pharmacie?

– Bien sûr.

Nous marchons main dans la main entre les bâtiments. Celui en brique rouge qu'elle me désigne n'est pas très haut. Il semble assez facile d'accéder au toit. Je ferai une tentative cette nuit. Je fais part de mes projets à Sarah.

– De notre côté, nous avons réfléchi. Si ton plan échoue cette nuit, dépose ton cousin devant la porte principale vers 4 heures du matin. À cette heure-là, ils relèvent les gardes. Un type que connaît bien Coline sera alors de service. Elle est sûre qu'elle pourra le persuader de laisser entrer Max. Une fois qu'il sera à l'intérieur, ils seront obligés de lui porter secours.

– Je ne sais pas comment le transporter jusque-là.

– Récupère le vélo avec la carriole. Il est resté dans la cour de notre immeuble.

– Et vous, ça va la vie dans le R-Point?

– À peu près. Pour dire la vérité, pas vraiment. Comme nous avons décidé de rester ensemble et de ne pas chercher la protection de garçons, nous sommes parfois victimes de harcèlement, de gestes déplacés, de tentatives d'intimidation. On réplique bien sûr, mais ça ne s'arrange pas.

– Aucune de vous n'a pratiqué de sport de combat?

– Non, on était plutôt «piano et violon».

Nous nous serrons dans les bras l'une de l'autre pour nous dire au revoir. Comme ce matin avec la sœur de Youss et Ibra, ce contact m'apaise. Je croise le regard goguenard de garçons qui nous observent de loin. J'ai le sentiment qu'ils nous prennent pour des lesbiennes. Je les fixe à mon tour sans montrer la moindre gêne. Si j'étais amoureuse de Sarah, je ne m'en cacherais pas. Mon amie, qui leur tourne le dos, n'a rien remarqué. Elle me chuchote à l'oreille:

– Promets-moi de revenir nous voir quand les choses iront mieux.

– Promis.

– Qu'est-ce qui ne va pas?

– Rien. Juste des gars qui nous matent. J'ai l'impression qu'ils croient qu'on est ensemble.

– Je connais un moyen agréable de leur faire détourner le regard à ces petits cons, annonce-t-elle en souriant.

Elle approche ses lèvres des miennes. Je me crispe et me dégage doucement.

– J'en ai pas envie.

– On rigole, là, Kori, déclare Sarah en me fixant dans les yeux. C'était juste pour les provoquer.

Au retour, je fais un crochet par Port-Royal pour troquer mon vélo contre celui auquel est accrochée la carriole des filles. Je rentre en faisant comme d'habitude de grands détours. Je n'ai jamais fait autant de vélo de ma vie. Je découvre que Paris est loin d'être une ville plate, et mes mollets s'en plaignent. À la maison, j'essaie de faire avaler un peu de nourriture à Max. J'y arrive à force d'insister. Je désinfecte sa plaie qui n'a pas changé d'apparence. Il souffre toujours autant lorsque je touche sa peau. Je ne sais pas si j'ai raison, mais cela me rassure que cette zone soit encore sensible. J'imagine que ça signifie qu'elle est toujours vivante.

Nous prenons tous les deux du repos avant notre expédition. Je mets le réveil à 22 heures.

Malgré la charge, le trajet me paraît moins long que la veille. Il est vrai que je commence à bien le connaître. Cette nuit, je ne sais pas pourquoi, mais j'ai moins peur. Du coup, je prends moins de précautions. Après tout, Mamm-gozh veille sur moi.

3 DÉCEMBRE

Il est minuit vingt. Nous sommes dans le café désert en face de la Salpêtrière depuis un bon quart d'heure. Max a les yeux ouverts. Je lui caresse la tête. Il est faible mais me semble moins chaud. Je voudrais qu'il s'endorme avant que je le laisse seul. Je lui parle doucement :

– Je vais chercher des médicaments pour te remettre sur pied. Ne t'inquiète pas. Je vais être rapide. Tu verras que je serai de retour avant ton réveil. D'accord ?

– D'accord, murmure-t-il mais en continuant à se cramponner à ma manche.

Je dois encore attendre de longues minutes pour le voir enfin fermer les yeux. Je me glisse hors du café. Je traverse le boulevard et me colle contre un platane. J'écoute longuement les bruits aux environs. Comme je ne détecte rien de particulier, je me déplace le dos courbé jusqu'à la plaque d'égout que je soulève aisément. Je me glisse à l'intérieur, allume ma torche et fais glisser la plaque au-dessus de moi. La puanteur ce soir est insoutenable et des dizaines de rats semblent s'être donné rendez-vous. Je ne perds pas de temps et franchis en courant, et quasiment en apnée, les cent cinquante mètres qui me permettent de passer sous l'entrée de l'hôpital et de rejoindre l'issue que j'ai utilisée la veille. Je grimpe en haut de l'échelle et approche mon oreille de l'orifice circulaire situé au milieu de la plaque de fonte. J'entends parler. Deux gars sont en faction à moins de vingt mètres. Après une trentaine de secondes, ils bougent. Ils passent au-dessus de ma tête. L'un des deux en profite pour écraser sa cigarette et la pousser dans le trou. J'évite de justesse que le mégot ne tombe sur ma joue. J'attends encore quelques minutes avant de sortir à l'air libre. Je pue. Heureusement que j'ai pensé à protéger mes cheveux sous mon bonnet. Il n'y aura que mes vêtements qui seront imprégnés de cette odeur de pourriture. Je circule sur l'herbe pour ne pas faire crisser les gravillons. Je parviens au petit bâtiment en brique rouge que j'escalade en coinçant la pointe de mes chaussures dans les joints de ciment. Arrivée sur le toit pentu, je m'accroche au faîtage et me déplace très lentement en crabe. Je démonte le chapeau qui protège l'évacuation de la ventilation. J'accroche une corde à une cheminée et la fais pendre à l'intérieur. Je me laisse glisser dans le conduit, les pieds en avant. Une fois en bas, je dégage d'un coup de talon la grille qui masque l'entrée de la prise d'air. Je suis à peu près à deux mètres du sol. Je me laisse tomber. L'endroit est très grand. Je dissimule la grille en la poussant sous un meuble. Les médicaments sont enfermés dans des armoires verrouillées par des codes ou des systèmes de reconnaissance par empreintes digitales. Mais les gens du R-Point ont fait sauter toutes les sécurités pour pouvoir se servir. Je cherche les antibiotiques.

Je pensais qu'il y aurait moins de choix et je passe un certain temps à faire le tri. Dans le doute, je prends plusieurs boîtes. Je récupère aussi des ampoules de vaccin contre la rage. On ne sait jamais. Je suis absorbée dans la lecture d'une notice quand j'entends du bruit venant de la porte. Je n'ai pas le temps de m'enfuir et, surtout, je n'ai pas fini de faire mon marché. J'éteins ma lampe et me tapis derrière une paillasse qui doit servir à réaliser des préparations. J'observe la personne qui entre. C'est un mec large mais pas trop grand. Il balaye l'espace avec un faisceau puissant. Il sort un papier puis commence à inspecter les lieux. Il s'attarde longuement devant une des armoires que je viens d'explorer. Va-t-il donner l'alarme en découvrant que le stock a baissé ? Je dois agir vite. En quelques enjambées, je suis derrière lui et bénéficie de l'effet de surprise. Je le ceinture et le déséquilibre sans peine en fauchant son pied d'appui. Je m'écrase sur lui et appuie mon avant-bras sur sa pomme d'Adam. Si je force un peu, il y passe. Conscient du danger, il ne se débat pas. Avec la main gauche, j'éclaire son visage. C'est le gars du pont Saint-Michel dont on a sauvé la petite sœur. Lui, avec la lumière qui l'aveugle, ne peut pas me reconnaître. Je relâche un peu la pression pour qu'il puisse parler.

– Si tu l'ouvres pour donner l'alarme, je te tue. T'as compris ?

– Compris, articule-t-il difficilement.

– Qu'est-ce que tu fous là ? Tu travailles dans ce R-Point ?

– Non, je suis juste venu chercher des trucs pour mes…

Des cris retentissent à l'extérieur. L'alarme a été donnée. Nous allons être découverts. Je me relève et lui demande sur un ton de reproche :

– C'est comme ça que tu as neutralisé le planton ?

– Je ne pouvais pas le tuer ! On n'est pas dans un jeu.

– Ferme-la et suis-moi.

Ce gars m'énerve. Il manque totalement de rigueur. Mais je ne peux pas le planter là. Il serait capable de donner ma description aux forces de l'ordre et j'ai déjà assez d'emmerdes comme ça. Je grimpe à la corde la première. Je m'engage dans le conduit et atteins le toit en une trentaine de secondes. Mon suiveur met plus de temps à me rejoindre. Il est costaud mais un peu lourd. Je remonte ma corde et la range dans mon sac. Nous rampons en silence sur la toiture de zinc. En bas, des patrouilles s'organisent pour fouiller les moindres recoins. Nous nous laissons glisser sur un minuscule toit-terrasse. Nous sommes collés l'un à l'autre. Les gars de la sécurité lâchent les chiens qui courent dans tous les sens en aboyant. Nous restons muets un long moment en attendant que les patrouilles se soient lassées d'explorer la zone. Deux gardes se sont installés sur ma plaque d'égout de sortie. Ils éteignent leurs torches et commencent à discuter. Nous sommes coincés là pour longtemps. Je pense à Max qui s'est peut-être réveillé et qui va paniquer.

– Pourquoi on ne bouge pas ? On ne pourrait pas trouver un moyen de les éviter ?

– Ils sont pile sur la plaque d'égout qui me sert de porte de sortie.

– Quoi ? Tu passes par les égouts, toi ?

– Pour éviter les mauvaises rencontres, il faut prendre les chemins les plus dégueulasses.

– C'est drôle, ça me rappelle des parties de Warriors of Time.

– WOT, je connais, j'y ai joué, avant.

Je lui demande ce qu'il cherchait dans la pharmacie. Il voulait se procurer du Novibac, un vaccin contre la rage, pour une amie qui a été mordue par des chiens.

– Si c'est vraiment urgent, je pourrai t'en filer, j'en ai pris plusieurs boîtes.

– T'inquiète, j'ai eu le temps d'en récupérer aussi. Et toi, t'en as besoin pour ton frère ?

– Max, c'est mon cousin. Il s'est fait attaquer par un chien et sa plaie s'est infectée.

– Écoute, si tu as besoin d'aide, vous pouvez venir chez nous, Maïa, notre Apothicaire, est très forte, elle pourra le soigner.

Les gardes bougent enfin. On attend cinq minutes pour être certains qu'ils ne vont pas être relayés. Je donne le signal du départ. Il me suit sans dire un mot. Nous nous faufilons dans les égouts. Il allume sa torche. Je lui dis de s'accrocher à moi et d'éteindre sa lampe parce que ça évite de ne rien voir quand on sort et en plus je connais le chemin. Je réfléchis à la proposition qu'il m'a faite. Je suis tentée d'accepter, je veux mettre toutes les chances de mon côté pour sauver mon cousin. Nous sortons sur le trottoir, non loin du café où Max est caché. Il n'a pas bougé et semble à bout de forces. Nous le chargeons dans la carriole. Je l'attache avec ma corde pour ne pas qu'il glisse.

– C'est loin, chez vous ?

– Une petite demi-heure, c'est tout en haut du boulevard Saint-Michel, au croisement avec le boulevard de Port-Royal.

Chacun monte sur son vélo. Nous remontons le boulevard et tournons ensuite à droite. C'est le même itinéraire que celui que nous avons emprunté pour aller chez les filles. J'y ai mes repères. J'aperçois la statue de Jeanne d'Arc. Des phares au loin nous annoncent une patrouille de militaires. Nous nous planquons derrière une voiture tout-terrain dont les vitres ont été brisées et les pneus crevés. Un militaire en combinaison kaki armé d'une mitraillette scrute les trottoirs. Il fait feu à deux reprises sur des poubelles, sans raison apparente. Une fois le danger passé, nous reprenons notre progression. Après le croisement des Gobelins, une meute d'une dizaine de chiens nous assaille. Je rassure mon camarade en lui glissant à l'oreille :

– Fais comme si de rien n'était, je m'en occupe.

J'enlève ma veste et la fais tournoyer lentement devant leurs gueules. Ils ne tardent pas à s'éloigner. Le gars a un soupir de soulagement. Au fond, c'est un type bien. Il a su garder son calme. Nous arrivons bientôt à son domicile. Il habite à quelques centaines de mètres de l'ancien appartement de nos copines. À l'entrée, un gars athlétique, au visage fermé, braque son fusil sur nous. L'autre le rejoint et discute longuement avec lui. Il n'est pas difficile de deviner qu'ils parlent de nous. Nous extirpons finalement mon cousin de la carriole et nous pénétrons dans l'immeuble. En bas des marches, je reconnais l'enfant malade du pont Saint-Michel. Elle tient un singe en tissu et une poupée dans ses bras. Elle se réjouit du retour de son frère puis pointe son doigt vers Max.

– Totor, Totor, Totor, répète-t-elle.

Le frère de la petite appelle du renfort. Une fille, très brune aux cheveux noirs, ainsi que le type qui était de faction, viennent m'aider. Le garçon, dont je ne connais toujours pas le nom, m'explique qu'il va coucher la fillette. Nous montons mon cousin, complètement inconscient, au troisième étage. Nous pénétrons dans une chambre avec trois lits simples vides et nous posons Max sur le premier.

Je reste seule avec la fille, qui m'interroge de façon très précise, ce qui me met en confiance. Elle prend quelques notes et examine la plaie consciencieusement, attentive aux moindres détails. Elle ne dit rien mais lève les yeux au ciel lorsque je dis que j'ai désinfecté la blessure à l'alcool de millepertuis, puis appliqué du miel de lavande en guise de cicatrisant.

– Il était temps, dit-elle simplement.

– Oui, j'ai déconné, dis-je, un peu honteuse.

– Ne te culpabilise pas. On va le soigner. Les trucs de grand-mère, j'imagine que ça peut marcher sur les petites blessures. Dans le cas de morsures aussi profondes, une simple désinfection, même avec des produits classiques, n'aurait de toute façon pas suffi. Tu as rapporté des médicaments?

Je déballe tout sur son bureau. Elle en repère très vite un qui lui convient. Elle ouvre la boîte et vérifie rapidement la notice. Il y a quatre flacons identiques. Elle attrape une seringue stérile et plante l'aiguille dans le bouchon. Elle injecte la dose complète un peu au-dessus de la plaie.

– Maintenant, il va avoir besoin de soins et de beaucoup de repos, commente-t-elle. Je vais le garder sous surveillance ici quelques jours. D'accord ?

– D'accord, dis-je.

– Tu veux récupérer tes médicaments ? Tu sais, ici, ça nous serait très ut...

– Garde-les.

J'ai la conviction que Max est entre de bonnes mains mais je ne peux me décider à quitter la pièce.

– Il faut le laisser dormir. Je vais bien m'en occuper. Tu peux me faire confiance.

– Je sais. Merci, dis-je simplement.

– On va te trouver un endroit pour dormir. Tu ne peux pas repartir à cette heure...

– Si, je vais y aller.

– Mais ton ami...

– C'est mon cousin.

– Ton cousin va demander après toi demain. Qu'est-ce que je vais lui dire ?

Je suis bien obligée d'admettre qu'elle a raison. Je souffre par avance d'abandonner Max mais je m'entends déclarer :

– Je dois y aller maintenant. Excuse-moi. Je reviendrai dans deux jours.

Je remonte sur mon vélo et démarre sans me retourner. Pourquoi ai-je refusé son offre ? De quoi ai-je si peur ? D'être dépendante des autres ? De ne plus pouvoir pour un temps décider de ma vie ? Je l'ai fait et c'est trop tard pour avoir des regrets.

4 DÉCEMBRE

Hier, de retour à la maison, je suis allée directement me coucher. Je ne me suis réveillée qu'une douzaine d'heures plus tard. J'avais faim, une sensation que je n'avais plus ressentie depuis un moment, parce que j'étais trop préoccupée par la santé de Max. Je me demande encore pourquoi je ne suis pas restée près de lui. La fille me l'avait pourtant proposé. J'espère qu'il va déjà mieux et qu'il ne sera pas trop déçu de mon absence à son réveil. Je me suis réchauffé une conserve de flageolets et lardons que j'ai mangés directement dans la boîte. Le souvenir du baiser furtif de Sarah me fait rougir. J'étais paralysée et troublée. Je me demande comment elle a pu faire ça juste pour rigoler. Moi je n'aurais jamais osé. Peut-être l'a-t-elle déjà fait avant ? Pour de vrai.

Que vais-je faire de ces deux prochains jours sans Max ? Je sais bien que si je reste inactive et solitaire, je risque de me laisser envahir par des idées noires. Je n'ai pas trouvé de message d'Ibra et de Youss. Cela signifie sans doute qu'ils ne sont pas revenus chez eux. Un peu plus tard, j'irai rendre visite à leur petite sœur. À mon tour de réconforter quelqu'un.

Une parole qu'elle a prononcée la première fois où je l'ai entrevue me revient en mémoire. Elle avait dit que j'étais «une des meufs de Marek». Sur le coup, j'avais enregistré et classé l'information dans un coin de ma mémoire sans l'analyser. J'avais des préoccupations plus graves en tête à ce moment-là. Je suis «une des», donc pas la seule, et peut-être même «une des nombreuses».

Qu'est-ce que je ressens à cet instant? De la déception parce que c'était ma première fois et que j'aurais voulu que ce soit le début d'une belle histoire? Par les temps qui courent, est-ce bien réaliste de croire qu'il puisse encore y avoir de belles histoires? Dois-je en vouloir à Marek? Un peu sans doute. Mais, ce soir-là, je ne lui ai pas trop laissé l'occasion de me parler.

À la réflexion, je m'attendais à être davantage touchée par cette révélation. Je dois donc me rendre à l'évidence, mon attrait pour Marek relevait plus d'une attirance physique que d'un sentiment profond. Mais les deux choses ne peuvent-elles aller ensemble? Moi, c'est comme ça que j'imagine l'amour, le vrai.

La prochaine fois que je le rencontrerai, je serai plus distante et même s'il se justifie, je lui dirai que je souhaite tourner la page. Pourrai-je malgré tout le garder comme ami?

Je prends le temps de me laver avant de sortir retrouver la sœur d'Ibra et de Youss. Je lui apporte quelques paquets de Paille d'Or. J'espère qu'elle appréciera. Ce soir, il est difficile de se diriger car la lune est totalement absente. Je débarque chez elle à la nuit tombée. Tous les volets sont clos. Je ne distingue pas la moindre lumière. Elle reconnaît ma manière de frapper à la porte et m'ouvre sans attendre. Elle me fait entrer et referme à double tour. Je la découvre encore plus angoissée que la veille. Elle me demande des nouvelles de mon cousin. Je la renseigne brièvement et tente de la rassurer :

– Cela va s'arranger pour toi aussi, j'en suis sûre.

– Il ne faut pas qu'ils tardent. Les nouvelles vont vite dans le quartier. Leur absence crée un vide que d'autres sont prêts à combler. La nuit dernière, des gars qui sont en rivalité avec mes frères sont venus me menacer.

– Qu'est-ce qu'ils voulaient exactement ?

– Les armes, pardi ! Et ma petite personne intéresse beaucoup un des chefs ! J'ai la trouille qu'il m'enlève pour me séquestrer quelque part.

– Tu veux que je reste avec toi cette nuit ?

– J'aimerais bien. Tu sais tirer ?

– J'ai une certaine expérience.

– Super. Au fait, dit-elle, moi, c'est Kadi.

Nous nous préparons une purée lyophilisée. C'est ma première depuis bien longtemps. Mes parents préféraient le congelé. Ce n'est pas si mal et ça me rappelle la cantine du collège. Je sors mes gâteaux secs pour le dessert. Ma nouvelle copine est ravie. J'aimerais essayer de comprendre ce qui est arrivé à ses frères. Je lui demande :

– Et tu sais où ils sont partis ?

– Ils ne le disent jamais. Soi-disant pour ne pas que je m'inquiète. Mais j'écoute ce qu'ils racontent. Je sais qu'ils vont récupérer des stocks parfois assez loin et qu'ils font des livraisons. Marek est un chef pragmatique, respecté, qui ne cherche pas les embrouilles. Pour l'instant, les affaires roulent plutôt bien. Comment tu l'as connu, Marek ?

– Je l'ai pris en stop vers Chartres. Si j'ai bien compris, il était en fuite.

– Et tu es amoureuse de lui ?

– Je n'en sais rien.

– Tu savais qu'il était déjà avec quelqu'un ?

– Non, c'est toi qui me l'as appris.

– Ah ? Pardon.

Notre discussion est interrompue par un violent coup dans la porte. Kadi m'entraîne dans sa cave. Ils y entassent du matériel informatique et surtout un immense stock d'armes. Tout y est bien rangé. Je choisis un fusil qui ressemble au mien et je bourre mes poches de cartouches. Mon amie ramasse un pistolet et quelques chargeurs. Elle me conduit ensuite à l'étage où nous essayons de repérer la menace à travers les lames des volets. Ils sont deux, une fille et un gars. Elle a un fusil et lui utilise une fronde. Je les distingue mieux quand ils allument leurs torches pour pouvoir viser. J'ouvre la fenêtre et les mets en joue à travers deux lamelles de bois. Le gars continue à envoyer ses pierres contre la porte et aussi contre les fenêtres du bas. Kadi s'éloigne pour observer les alentours depuis les autres pièces. Elle me signale un autre groupe avec des flingues et une lampe qui ressemble à un phare de voiture. Je lui explique :

– Je peux viser les lumières.

– D'accord.

Je prends mon temps. Je respire doucement comme lorsque je m'exerçais sur des cibles avec mon père. Bang! Le recul me frappe l'épaule mais la lumière s'est éteinte. Au cri que je perçois, je réalise que je n'ai pas touché que la torche.

– Super, Kori! Viens, on va s'occuper des autres.

Je la suis jusqu'à une petite chambre qui n'a pas servi depuis longtemps.

Nous restons un long moment à scruter la pénombre. Nous ne percevons aucun bruit.

– Il semble qu'ils soient tous partis, déclare-t-elle.

Nous redescendons. Mon amie éteint sa lampe et allume une bougie. Nous nous installons sur le canapé. Malgré notre petite victoire, elle semble abattue.

– Ils reviendront, annonce-t-elle d'une voix triste.

Nous restons prostrées là un long moment avant qu'elle ne se mette à me raconter sa vie d'avant, sa nombreuse famille avec trois petits frères et une petite sœur dont elle me montre la photo prise par un photographe à l'école. Elle me parle de son père chauffeur de poids lourd et de sa mère qui faisait des ménages chez des personnes âgées.

– Avant, il y avait toujours du bruit la nuit, les chamailleries des petits ou leurs respirations bruyantes dès qu'ils étaient enrhumés. Maintenant, il y a trop de silence. Et toi?

– Moi, je suis fille unique. Mes parents voulaient d'autres enfants, des garçons surtout, mais après ma naissance ma mère ne pouvait plus en avoir. Ça, c'est ce que j'ai fini par comprendre parce qu'ils ne parlaient pas beaucoup et surtout pas de choses intimes. Moi j'en ai rêvé, de frères et sœurs.

– Si on s'était connues avant, dit-elle dans un demi-sourire, mes parents auraient pu t'adopter.

– C'est gentil.

Nous montons nous coucher dans l'ancienne chambre du couple. Nous nous enroulons chacune dans une couverture, en gardant nos armes à portée de main.

5 DÉCEMBRE

Je me réveille après Kadi. Elle a fermé la porte pour me laisser dormir. Je me lève. Je perçois des chuchotements dans l'escalier. Je reconnais immédiatement les voix graves de Youss et Ibra. Kadi s'est changée et maquillée. Elle est resplendissante. Les gars semblent épuisés mais ils m'accueillent avec le sourire.

– Alors, tu squattes chez nous maintenant? commence Ibra.

– Et tu utilises notre maison comme stand de tir... plaisante l'autre.

J'ai la sensation qu'ils se forcent un peu à prendre un ton détaché mais qu'au fond ils sont préoccupés. Kadi me remplit un bol de corn-flakes au chocolat en me précisant:

– Ce sont les derniers. Après, il ne restera que des «nature». À moins que mes frères n'en dénichent quelque part.

Ils me regardent manger. J'ai l'impression de faire beaucoup de bruit. Après cinq très longues minutes, Youss se lance enfin:

– La situation empire de jour en jour et les bandes s'affrontent sans arrêt. Avant, si tu respectais le territoire de l'autre, personne ne venait t'emmerder. Il y avait une sorte d'accord non écrit mais connu de tous. Depuis quelque temps, la pression monte, comme si certains cherchaient à mettre de l'huile sur le feu.

– Et vous avez une idée, demande Kadi, de qui ça pourrait être ?

– Moi je penche pour les militaires, déclare Ibra.

J'interviens :

– Mais dans quel but ? Eux, ce qu'ils veulent, c'est limiter le nombre de morts, non ?

– Ils veulent surtout limiter le nombre de gens qu'ils ne contrôlent pas. Leur tactique, c'est de nous encourager à nous éliminer entre nous.

– Où est Marek ?

– Il est parti rencontrer les autres chefs, pour négocier un cessez-le-feu dans un premier temps. Il espère ensuite réunir les bandes pour décider d'une stratégie commune de résistance aux forces de l'ordre.

– Il milite pour la paix, dis-je, enthousiaste, c'est bien.

Ma remarque fait sourire les deux frères. Ils me considèrent comme une pauvre gamine qui n'a rien compris. Cela me vexe mais j'essaie de ne pas le leur montrer. Youss explique :

– Marek, il s'en fout de sauver des vies, il le fait parce que c'est dans l'intérêt de son business.

Les deux frères vont dormir et moi je retourne chez moi faire un brin de toilette. Ensuite, je pars à vélo voir Max qui commence à me manquer. Je fais un long détour et arrive au squat en fin de matinée. Je salue le gars avec qui j'ai cambriolé la pharmacie. Il est de faction et paraît s'ennuyer. Il semble ravi de me voir et me propose même que nous passions un moment ensemble à la fin de sa garde. Je ne m'attarde pas. J'ai hâte de retrouver mon cousin. Je grimpe dans les étages et me dirige directement vers l'infirmerie. Je frappe doucement à la porte. Maïa sort et referme derrière elle. Elle parle tout bas :

– Bonjour.

– Bonjour.

– Tu viens aux nouvelles ? Max va mieux. C'est peut-être un peu tôt pour le dire avec certitude, mais il semble que l'infection soit écartée. Le gonflement se résorbe et la plaie reprend progressivement une allure plus saine. Je lui ai fait des points de suture pour accélérer la cicatrisation.

– Merci beaucoup, dis-je. Vraiment merci. Je peux le voir ?

– Bien sûr, dit-elle en ouvrant la porte. Il a été agité ces dernières heures alors je l'ai mis sous calmant. Je ne suis pas certaine qu'il pourra t'entendre. Je te laisse. Passe me voir après.

Max dort profondément. Je lui prends la main et je lui parle doucement :

– J'ai eu peur de te perdre, mon grand. Je ne sais pas comment j'aurais pu vivre s'il t'était arrivé quelque chose. Tu es le frère que je n'ai jamais eu. Tu es fort, courageux. Tu es bon, gentil. Je t'aime, mon Max.

Mon regard se brouille. Je sens poindre les larmes. Comme je suis seule, je les laisse couler. Je l'embrasse sur le front avant de quitter la pièce. Je retrouve Maïa dans le couloir.

– Quand sera-t-il transportable ?

– Pas avant quatre ou cinq jours. C'est plus prudent. Il ne faudrait pas que sa plaie se remette à saigner.

– Il va être sous calmant encore longtemps ?

– Je vais diminuer les doses progressivement. Je pense que dans deux jours il pourra te parler.

– D'accord. Je reviendrai après-demain. Merci encore, Maïa.

Je dégringole les escaliers, un peu déçue. Je n'avais pas imaginé repartir toute seule. J'essaie de voir les choses de manière positive. Max est hors de danger et il est bien soigné. Je recroise le gars en bas des marches. Je lui fais un signe d'au revoir et je me dirige vers mon vélo. Il m'interpelle :

– Tu pars déjà ?

– Comme tu vois… dis-je en me retournant. Max dort. J'ai parlé avec Maïa, il va mieux.

Je m'apprête à enfourcher mon engin quand il m'appelle à nouveau.

– Koridwen !

Tiens, il connaît mon prénom. Je suis étonnée que Max le leur ait donné. D'habitude, il n'utilise que mon diminutif. Je me retourne vers lui. Il reprend :

– Tu veux pas discuter un peu avec moi ? Je vais être relevé de ma garde dans dix minutes.

– Discuter ? De quoi ?

– Faut qu'on parle de Khronos !

Sa phrase résonne en moi. Je me fige sur place. Comment peut-il savoir ? Et en quoi cela peut-il l'intéresser ? Je me retourne vers lui. Il reprend, visiblement satisfait d'avoir vu juste :

– Tu es Koridwen, tu es une Experte de WOT.

– Et toi, qui es-tu ?

– Je m'appelle Jules et, dans le jeu, je suis Spider Snake.

– Spider Snake ! Je n'aurais jamais pu le deviner.

– Tu vas aller au rendez-vous ?

– J'ai fait cinq cents bornes en tracteur pour ça.

Il me sourit carrément et se frappe le cœur deux fois avec le poing fermé. C'est ainsi qu'on se salue dans le jeu. Instinctivement, je lui rends la politesse. Cela me procure un frisson de plaisir. Je me sens tout de même un peu ridicule. Nous restons silencieux un bon moment. J'ai retrouvé Spider Snake. C'était mon premier objectif en venant ici. Une nouvelle aventure va commencer bientôt. Et cette fois-ci, ce sera pour de vrai. Ce ne seront plus nos personnages qui sauveront le monde, mais Jules et la vraie Koridwen réunis à Paris pour rencontrer Khronos et remonter le temps. Dans une ville aussi grande, c'est carrément un miracle qu'on se soit rencontrés. J'essaie de ne pas le lui montrer mais je suis sous le choc. Quand je pense que je l'ai croisé la première fois où j'ai posé les pieds à Paris. Comment pourrais-je croire que ce n'est que le fruit du hasard ? À moins que… à moins que Mamm-gozh y soit pour quelque chose. C'est Jules qui rompt le premier le silence :

– Est-ce que tu sais qui est Khronos ? demande-t-il.

– On s'en fout de savoir qui c'est, non ? L'important, c'est qu'il apporte la solution.

Il me demande comment j'éloigne les chiens. Je lui parle de Mamm-gozh et de ses recettes qui ne fonctionnent pas toujours. Je ramène le sujet sur la quête du Maître du temps.

– Tu as déjà été repérer les lieux pour le 24 ?

– Non, je n'en ai pas encore eu le temps. Et toi ?

– Moi, je suis passée devant la tour de l'Horloge et j'ai essayé de trouver une entrée. Tout est bouclé bien entendu, mais je compte bien y retourner d'ici quelques jours avec du matériel. Ça te dirait de venir avec moi ?

– Il faut d'abord que je voie avec les autres. C'est que j'appartiens à une communauté et nous avons l'habitude de prendre les décisions ensemble.

– OK, je reviens dans deux jours. À ce moment-là, tu me diras, d'accord ? Bon, j'y vais.

– Et si Max a besoin de toi entretemps, comment je te retrouve ?

J'enlève mon sac à dos et en sors mon carnet. Je griffonne mon adresse et arrache la page. Je réajuste bien mon bonnet et remonte sur mon vélo. J'ai retrouvé Spider Snake mais je suis un peu déçue. Jules ne ressemble pas vraiment à son avatar. Lui doit demander la permission à ses potes pour sortir.

6 DÉCEMBRE

Si je m'écoutais, j'irais voir Max dormir. Il me manque et pourtant je dois reconnaître que, quand il est avec moi, je le perçois souvent comme une charge. Je dois le surveiller sans cesse pour qu'il ne lui arrive rien. Je repense aussi à Jules dont la croyance en Khronos m'a réconfortée. Cette rencontre m'a donné envie d'explorer au plus vite la tour de l'Horloge et ses environs. J'espère vraiment que nous irons ensemble, même si nous sommes loin du duo idéal formé par nos alias dans WOT. En attendant, je me sens seule et désœuvrée. Je décide d'aller au R-Point de la Salpêtrière pour retrouver Sarah, Zoé et toute la bande. Après tout, je le leur avais promis. Avant, je leur prépare un petit cadeau pour affaiblir les lâches qui les harcèlent. La recette se trouve bien entendu dans la deuxième partie du livre de Mamm-gozh :

Provoquer une diarrhée violente
Faire bouillir cinquante centilitres d'eau, y plonger six haricots à œil noir, deux cuillerées de casses puantes séchées, et deux autres de feuilles de margousier. Ajouter une noix de muscade grossièrement broyée.

Faire chauffer dix minutes avant de filtrer et de laisser refroidir.

Conseil : ne pas doser au-delà de dix gouttes par litre. (On peut aller jusqu'à quinze si l'ennemi est vraiment redoutable.)

J'enfourche mon vélo et suis mon itinéraire habituel. Je remarque que la circulation des véhicules militaires s'est intensifiée, ce qui m'oblige à m'arrêter et me planquer à plusieurs reprises. Ce R-Point et ses environs me sont très familiers, pourtant je sais que je n'y suis pas la bienvenue. J'utilise à nouveau la voie des égouts et débouche à l'abri des regards. La fois précédente, j'avais eu la chance d'apercevoir très vite une des filles. Là, ce n'est pas le cas. Je constate qu'il y a de plus en plus de monde dans cet endroit. Certains sont assis sur les pelouses et attendent dans le froid. À leur état de fatigue et de saleté, je devine qu'ils viennent de passer la nuit dehors. Je me suis plaquée contre un mur, à l'écart de l'activité. Je ne peux m'empêcher de jeter un œil au sniper qui surveille l'entrée du haut de son perchoir. Je suis là depuis une demi-heure et je songe à repartir. Deux gars en gilets fluos s'approchent des jeunes qui attendent dans le froid. Je reconnais de loin celui que j'avais traité de lâche. Je m'éloigne doucement pour sortir de son champ de vision. Il parle dans un mégaphone. Il annonce à ceux qu'ils nomment les « réfugiés de la banlieue » qu'ils vont être examinés, interrogés, triés avant d'être répartis dans des cars à destination de R-Points hors de la ville. Cette nouvelle les fait réagir et certains lèvent le poing en l'air, exprimant leur opposition. Le chef augmente la puissance de son appareil pour couvrir les cris. Soudain, des balles sifflent au-dessus des têtes des contestataires. Le silence se rétablit immédiatement. Je tressaille car on m'empoigne le bras. Une fraction de seconde, je crois avoir été identifiée. Si c'était le cas, je rejoindrais sans doute la cohorte de ces futurs déplacés. Je souffle en reconnaissant Zoé. Elle me fait la bise et m'entraîne derrière le bâtiment.

– Salut Kori. Ne reste pas là. On t'expliquera, mais ici les règles se durcissent et toi, avec ta réputation, tu risques gros.

Comme la fois précédente, elle me conduit dans le parking désaffecté. Nous pénétrons dans l'ambulance où elles semblent avoir leurs habitudes.

– Ici, on ne craint rien. Coline peut surveiller l'entrée depuis une fenêtre des cuisines. Elle nous préviendra en cas de visite. Comment va Max?

– Il est hors de danger. Je suis revenue la nuit pour piquer les antibiotiques. Après, j'ai rencontré des gens compétents qui l'ont pris en charge dans un squat situé près de votre ancien appartement.

– Nous étions certaines que tu allais réussir. Le lendemain, on a eu droit à une fouille en règle des dortoirs et de nos effets personnels. Je suis contente d'apprendre qu'il va mieux.

– Et vous?

– Nous, c'est un peu le blues ici, surtout depuis l'arrivée de tous ces gens. Ils ne font que transiter par le R-Point. Il est interdit de les approcher. On les voit souffrir sous nos yeux sans avoir le droit de leur donner un verre d'eau.

– Mais pourquoi? C'est absurde. Les autorités font tout pour attirer les ados dans les R-Points en leur vantant la sécurité, les soins, la nourriture dont ils bénéficieront… et ensuite ils les accueillent comme des chiens.

– Ils leur font payer le fait d'avoir mis longtemps à se décider. «Les derniers arrivés sont les derniers servis», répètent-ils en guise d'explication. Et si tu tentes quelque chose pour eux, ils t'envoient grossir leurs rangs. C'est ce qui a failli arriver à Adèle hier. On a cru qu'on allait être séparées. Et toi, tu t'en sors toute seule?

– Je me suis fait quelques amis dans mon quartier. Et hier, j'ai retrouvé un gars que je connaissais par Internet. Un vrai miracle!

– Je vais aller relayer les autres en cuisine. On dit qu'on fait notre pause pipi. Tu vas toutes les voir défiler cette fois, je te préviens. À bientôt Kori.

– Super, dis-je en l'embrassant.

Je comprends vite qu'elles se sont concertées, car chacune aborde un aspect de la vie ici puis me pose une question différente. Je les imagine dans leur dortoir ensuite, en train de faire la synthèse. J'apprends que les habitants du R-Point ont été réunis pour parler de l'après-crise. D'ici quelques semaines, chacun sera appelé à se déterminer pour une occupation ou un métier utile au pays. C'est l'armée qui prendra en charge une partie de la formation. Des terres seront données à ceux ou celles qui s'engageront à les exploiter. Mes copines rêvent de fonder une coopérative paysanne avec moi et me demandent mon adresse en Bretagne au cas où. Elles doivent avoir une vision un peu idéalisée du travail agricole, mais je les accueillerais toutes avec un immense plaisir. Les filles se plaignent de nouveau des gars qui les maltraitent quand elles servent à la cantine. Je leur offre mon cadeau en leur faisant tout de même des recommandations de prudence, puis j'ajoute :

– Une bonne diarrhée, rien de tel pour apprendre à certains la politesse. Ils seront faibles, honteux et totalement à votre merci. Faites-leur comprendre que vous êtes un peu sorcières. Ce genre de connerie, ça peut servir des fois.

Sarah passe la dernière. Je la sens mal à l'aise. Elle me fixe dans les yeux :

– Tu m'en veux pour la dernière fois quand j'ai essayé de… ?

– Non, dis-je. Ce jour-là, j'étais à cran à cause de Max, alors je n'avais pas saisi que c'était pour rire. Je m'étais trompée.

– Non, déclare-t-elle, tu ne t'étais pas trompée. C'était un test, une tentative pour sonder tes sentiments à mon égard. Je suis attirée par toi depuis notre première rencontre, mais je sais maintenant que ça n'est pas réciproque. C'est comme ça. Ce que je veux, Koridwen, c'est qu'on puisse quand même rester amies. Est-ce que tu accepterais, si la situation évolue dans le bon sens et qu'on a de nouveau le droit de circuler, que je vienne vivre près de chez toi à la campagne ? Je ne voudrais pas te perdre.

– J'aimerais beaucoup, dis-je. Je t'y attendrai, Sarah.

Je les quitte à regret mais ressens un peu plus tard un vrai soulagement à me savoir dehors. En repartant, je me fais la réflexion que, sans cette catastrophe, jamais je n'aurais rencontré ces Parisiennes des beaux quartiers dont je me sens si proche aujourd'hui.

Je passe chez Kadi et ses frères en fin d'après-midi. Je leur donne des nouvelles de Max et leur raconte ma visite à la Salpêtrière.

– Koridwen, me gronde Youss, évite de te balader comme ça. Tu crois quoi ? Que la vie est redevenue comme avant ? T'es complètement folle ? Si les hommes d'Attila te reconnaissent, tu imagines ce qui pourrait t'arriver ?

– Elle fait ce qu'elle veut, intervient Kadi. T'es pas son frère.

– Tais-toi, toi ! s'énerve-t-il.

– S'il vous plaît, ne vous engueulez pas à cause de moi, dis-je. Youss, ne t'inquiète pas. Je fais très attention.

– Je vais te croire, oui ! répond-il en soufflant. En attendant, si tu t'ennuies, au lieu de risquer ta peau, je préfère que tu t'installes ici avec ma sœur.

Il s'éloigne et monte à l'étage, peut-être pour rejoindre Ibra. Kadi me glisse tout bas :

– Ils ne se rendent pas compte comme c'est dur d'être toujours enfermée à les attendre, à ne rien faire et à gamberger. Eux trouvent ça naturel, parce que je suis la petite sœur.

Je passe la soirée avec Kadi. Comme souvent, dès la tombée de la nuit, ses frères partent en « promenade pour affaires ». Elle est contente que je sois là. Après le repas, elle me parle de sa grand-mère. Je découvre que, comme pour moi, elle a beaucoup compté dans sa vie. Elle, malheureusement, ne la voyait qu'en été, et encore, pas tous les ans, loin de là. Ses parents ne trouvaient pas toujours l'argent pour payer le billet d'avion pour le Mali.

– Tu crois, demande-t-elle, que l'épidémie est allée jusque là-bas ?

– Je ne sais pas. Je me rappelle que le virus s'est répandu dans le monde entier à une vitesse incroyable mais que certains pays ont bloqué leurs frontières très tôt. Après, il n'y a plus eu d'infos nulle part. Plus de radio, plus de télé. Toi, si tu avais le pouvoir de revenir dans le passé pour tuer le virus à son début et retrouver la vie d'avant, tu le ferais, bien sûr ?

Kadi me regarde étrangement. Elle paraît réellement choquée par ma question.

– Jamais, réplique-t-elle. Nul ne peut toucher au destin, Koridwen. Ce qui arrive était écrit et, aussi dur que cela puisse paraître, c'était sans doute nécessaire.

– Mais comment, dis-je, très troublée, comment peux-tu dire une chose pareille ? Comment une telle injustice pourrait-elle être nécessaire ?

Nous restons un long moment sans rien ajouter. Kadi m'a pris les mains. Peut-être a-t-elle peur qu'on se dispute alors qu'on a tant besoin l'une de l'autre.

Vers minuit, Ibra et Youss nous trouvent pelotonnées sous une couverture dans le salon, en pleine discussion.

– Kori, il y a une fille qui a débarqué dans le coin. Elle dit qu'elle est ta copine. Elle vient de Bretagne. On voulait vérifier que tu étais d'accord avant de te l'envoyer.

– C'est qui ? je demande, car il est impossible que ma seule véritable amie, Cindy, ait pu me retrouver.

– Elle s'appelle Anna.

Je souris à ce nom. C'est celle que j'ai laissée sur le bord de la route et qui comme Marek avait été tracée. Je pensais ne jamais la revoir. Youss me fixe en attendant ma réponse. Je leur explique les circonstances de notre rencontre et ajoute :

– Je la croyais fâchée contre moi.

– On lui dit quoi, alors ? demande Youss.

– Dis-lui qu'elle peut venir.

7 DÉCEMBRE

J'ai encore dormi avec Kadi. Mais cette fois-ci, c'est moi qui me suis levée la première. Je leur ai laissé un mot où j'expliquais que je devais aller chercher mon cousin. Je repasse chez moi pour me changer. Je décide de prendre le vélo avec la remorque pour ramener Max sans qu'il ait à produire le moindre effort. J'insisterai pour que Maïa le laisse sortir. J'ai hâte que nous reprenions notre vie ensemble. Et puis il va avoir la surprise de retrouver sa copine Anna. Je pédale avec entrain mais en restant bien attentive aux bruits et aux déplacements de véhicules. Je me sens lourde avec cet engin. J'utilise des jumelles pour quadriller l'espace avant d'emprunter chaque nouvelle rue. À un moment, je repère, à quelques centaines de mètres devant moi, une bande de gars très agités. Je n'arrive pas à déterminer s'ils se battent ou s'ils s'amusent. Je préfère rebrousser chemin et faire un grand détour. Cette nuit, je n'ai pu m'empêcher de repenser à Anna. Est-ce que je ne prends pas un risque en l'acceptant à l'entrepôt ? J'imposerai que cette fois-ci elle joue cartes sur table. Maintenant, c'est trop tard, mais je me dis que je n'aurais pas dû la faire venir directement chez moi. J'aurais dû proposer un rendez-vous ailleurs.

J'arrive au squat. Je salue Jules qui semblait guetter mon arrivée. Il veut qu'on parle des repérages. Je lui promets de m'arrêter au retour et grimpe jusqu'à l'appartement. J'ai vraiment hâte de retrouver Max.

Maïa est devant la porte de l'infirmerie, en pleine discussion avec une fille aux yeux clairs qui porte un énorme pansement sur la joue droite. Je reste à distance et leur souris poliment. Maïa se tourne vers moi.

– Bonjour Koridwen. Je te présente Katia, notre jardinière.

– Bonjour, dis-je simplement.

– Max est réveillé et il est en pleine forme. Katia va t'accompagner.

J'ai envie de dire que je connais le chemin et que je n'ai besoin de personne mais ce n'est pas une question. La jardinière me devance dans le couloir.

Je découvre mon cousin hilare. Alicia, la petite fille, est près de lui et lui chantonne des trucs à l'oreille. Il met plusieurs secondes à se rendre compte de ma présence. Je le serre dans mes bras. Je suis émue.

– Ça me fait plaisir de te voir comme ça, mon grand, dis-je en l'embrassant.

– Bonjour Kori... Au revoir Kori, lâche-t-il en me souriant.

Je reste quelques secondes immobile, refusant d'admettre ce que sous-entendent ses dernières paroles. Il insiste alors :

– Au revoir Kori !

– Quoi? Tu veux que je parte, c'est ça? Je suis venue pour te chercher. Nous allons repartir ensemble et…

Je m'interromps parce qu'il me regarde en souriant. Il ne perçoit pas mon trouble. La petite fille reprend, comme si de rien n'était, son conciliabule avec lui. Katia me saisit la main gentiment et m'entraîne dans le couloir. Je me laisse faire. Elle me guide jusqu'au salon et me prépare du thé. Un chat pénètre dans la pièce. Il me fixe quelques secondes avant de rebrousser chemin. Il a dû flairer le répulsif. Je reste un long moment sans pouvoir parler. Je n'arrive pas à croire que Max puisse me rejeter de cette manière. J'en aurais presque les larmes aux yeux. Je dois me ressaisir devant ces gens que je ne connais pas. Je me force un peu pour remercier cette fille de sa bienveillance.

– Alors, tu es chargée du jardinage? Moi, je viens de Bretagne, je suis fille d'agriculteurs. Nous faisions surtout de l'élevage.

– Et tu as laissé tes animaux à quelqu'un? demande-t-elle doucement. Je veux dire, là-bas, quelqu'un s'en occupe?

– Non. Je compte bientôt y retourner. Après le 25 décembre.

– Tu veux fêter Noël avec des amis à Paris?

– C'est un peu ça. Merci pour tout, Katia, je vais y aller.

Elle me tend sa joue gauche et je l'embrasse. Cette fille m'apaise. Dans une autre vie, je m'en serais bien fait une copine.

– Tu reviendras quand?

– Je ne sais pas, dis-je.

En descendant les escaliers, je croise Jules qui s'étonne:

– Tu t'en vas ? Seule ?

– Max préfère rester avec Alicia.

Il me parle avec gentillesse mais je ne l'écoute pas. Il prend soudain un ton enjoué pour me demander :

– Alors, on y va quand à la Conciergerie ?

Je ne veux pas craquer devant lui alors je me force pour lui répondre.

– Je ne sais plus, Jules. Là, tout de suite, je n'ai envie de voir personne. Je veux juste être seule. Salut.

Je reprends mon vélo en essayant de dominer la colère qui m'envahit. Je roule vite malgré la carriole accrochée derrière, jusqu'à ressentir des douleurs dans les jambes puis dans le dos. C'est ce que je cherche : être concentrée sur ma souffrance physique et ne plus penser à Max. J'irai demain à la Conciergerie, sans Jules. Je sais que je l'ai déçu. Je le regrette déjà.

De retour à l'entrepôt, je range et nettoie en attendant l'arrivée d'Anna. Elle frappe à la porte vers midi. Nous ne nous sommes quittées que depuis une vingtaine de jours, pourtant j'ai l'impression que cela fait une éternité. Elle semble très fatiguée mais essaie de me sourire. Elle porte toujours mes vêtements. Nous nous embrassons rapidement. Je ne suis pas tellement à l'aise et elle le sent.

– Où est Max ? commence-t-elle.

– Il va bien mais il n'est pas là.

– Il est où ?

Je ne relève pas et l'invite à s'asseoir. Nous nous regardons un long moment. Elle ne semble pas décidée à se lancer. Je déclare d'un ton sec :

– Tu me dois des explications. Si tu veux vivre ici ou même nous fréquenter, je dois avoir confiance en toi. Tu ne dois rien me cacher.

Elle baisse la tête. Elle s'attendait peut-être à un accueil plus chaleureux. Comme elle ne se décide pas, je reprends :

– Tu as été tracée parce que tu as fait quelque chose de grave. Tu ne t'es pas enfuie de leur camp, sinon tu aurais tout fait pour neutraliser ton mouchard. Donc, ce sont les militaires qui t'ont relâchée. Que t'ont-ils demandé en échange ?

– Je ne sais pas.

– Ça commence mal. Si tu ne fais pas d'efforts, tu peux te casser tout de suite.

Elle met les mains devant ses yeux. À quoi joue-t-elle ? Je me lève pour aller ouvrir la porte d'entrée et l'inviter à déguerpir. Je regrette déjà qu'elle connaisse mon adresse. Quelle imbécile je fais !

– Ils m'ont mis un marché en main. J'étais libre et ils me promettaient d'annuler les charges contre moi, si je m'engageais avec eux. Ils ont ensuite précisé que si j'en profitais pour disparaître en masquant ou éliminant leur puce de géolocalisation, ils lanceraient les recherches pour me retrouver et me condamneraient définitivement à la prison.

– Et tu t'es engagée à quoi ?

– À pas grand-chose en fait. Aller à Paris, sympathiser avec des gens qui vivent en marge des R-Points et attendre sans me faire remarquer que les militaires me contactent au cas où ils auraient besoin de moi. Depuis le début, ils n'ont jamais essayé de me joindre. J'ai rencontré plein de gens dans le même cas que moi, ils n'ont jamais été approchés eux non plus. D'après certains, la probabilité que ça arrive est quasi nulle.

– Pourquoi vous auraient-ils tracés et relâchés, alors ?

– C'est une manière de se débarrasser de nous. Ils sont trop peu nombreux pour surveiller efficacement des camps et ont des tâches plus urgentes à effectuer. Je crois qu'ils ont inventé cette histoire de traceur pour que nous nous sentions surveillés.

– Et tu as fait quoi pour être condamnée ?

– J'ai été considérée comme complice du meurtre d'un soldat. Une bagarre qui a mal tourné. En réalité, je n'ai rien fait.

Ses propos me paraissent cohérents, mais je vais rester sur mes gardes. Tôt ou tard, elle sera sans doute appelée et nous mettra en danger.

Elle me raconte durant l'après-midi son périple jusqu'à Paris. Elle a vécu un temps dans une communauté d'une vingtaine de personnes près de Versailles. Ses membres ont récemment voté pour rejoindre un R-Point. Elle s'est retrouvée à la rue du jour au lendemain. Elle avait réussi à convaincre un gars de rester avec elle, mais ce dernier a été tué par une bande armée deux jours plus tard. Elle s'est souvenue que j'avais parlé de Gentilly et a cherché à entrer en contact avec moi.

Je lui raconte brièvement les mésaventures de mon cousin. Elle ne fait aucun commentaire. Une question me taraude, que je finis par lui poser dans la soirée :

– Comment les militaires sont-ils censés te contacter ?

– Je ne le sais pas exactement. Ils ont juste précisé qu'ils nous trouveraient. Mais, je te l'ai dit, j'ai bon espoir qu'ils m'aient totalement oubliée et que ça n'arrive jamais.

– Si tu crois vraiment que c'est bidon, tu vas me faire le plaisir d'accepter d'isoler ton traceur avec du papier alu cette fois-ci.

Je me lève pour aller en chercher. Je prends aussi du scotch et dépose le tout devant elle. Elle hésite quelques secondes puis se fabrique un large bracelet.

– Quand tu es avec moi ou chez moi, tu gardes cet isolant au bras, compris ?

– Compris.

8 DÉCEMBRE

Marek passe dans la matinée. Je ne l'ai pas revu depuis quinze jours, depuis notre nuit ensemble. Je ne sais pas vraiment comment me comporter. Lui n'a pas ce genre d'état d'âme. Il m'embrasse furtivement sur les lèvres mais sans me serrer dans ses bras. Il n'est pas là pour une visite sentimentale.

– Tu es toute seule ?

– Anna se lave. Tu veux la voir ?

Je suis persuadée que c'est pour elle qu'il est venu. Je ne dois pas être déçue. Je connais sa volonté de tout contrôler. Il vient juste s'assurer que je ne suis pas en danger.

– Tu crois qu'elle en a pour longtemps ?

– Avec le froid qui règne, c'est rare qu'on traîne pour se laver.

– Tu fais attention à toi ? Tu ne sors pas trop ? J'ai appris ce qui est arrivé à Max. Il va mieux ?

En guise de réponse, je ne lui adresse qu'un sourire discret. Je suis certaine qu'il est au courant de tous mes faits et gestes par les frères de Kadi. Je l'interroge à mon tour :

– Et toi ? Les affaires, ça marche ?

– Les choses se compliquent, explique-t-il. Le gouvernement provisoire a prévu de fermer complètement Paris dans moins d'une semaine. Des militaires monteront des barrages filtrants à toutes les portes et feront murer tous les passages possibles vers la capitale. Je tiens l'information d'un ancien copain qui a été enrôlé par l'armée. En ce moment, les soldats ratissent les R-Points et les cités pour recruter des ados qui les aideront à imposer leur loi.

– Et tu vas faire comment après pour ton commerce ?

– On va prendre les devants et construire un souterrain. D'ailleurs, si tu veux participer, on va avoir besoin de main-d'œuvre.

– Pourquoi pas ? J'ai besoin d'occuper mes journées, et l'effort m'évite de trop réfléchir.

– Très bien, je dirai aux gars de passer te chercher en début d'après-midi.

– Je les rejoindrai plutôt demain matin. Cet après-midi, j'ai d'autres projets.

– Du genre ?

J'hésite à lui répondre. Je ne vais pas lui parler du rendez-vous de Khronos et de voyage dans le temps.

– Tu ne veux pas me le dire ? insiste-t-il.

– Euh… j'ai envie d'aller… euh, dis-je en cherchant mes mots pour lui mentir.

– Où ça ?

– Nulle part, en fait.

– Qu'est-ce que tu me caches ?

– Laisse tomber. C'est OK pour le tunnel cet après-midi. Tu peux confirmer à Youss et Ibra que je suis d'accord.

– Je préfère. Ça me rassure de te savoir avec eux. Ah oui, j'oubliais… Tu as entendu parler du renforcement de la loi martiale ? À partir du 15, il deviendra obligatoire de vivre dans les R-Points. Toutes les personnes non autorisées qui circuleront dans les villes seront arrêtées. Celles qui tenteront d'échapper aux forces de l'ordre seront abattues. Le ciel de Paris va se couvrir de drones qui chasseront les hors-la-loi. Comme je doute que tu ailles rejoindre le troupeau, essaie de te déplacer à couvert.

Je suis abasourdie par ce qu'il vient de m'annoncer. Anna apparaît enfin. Elle a entortillé ses cheveux dans une serviette et porte un des gros pulls de mon père qui lui descend presque aux genoux. Les regards qu'ils échangent me révèlent qu'ils se connaissent.

– Je n'ai pas besoin de faire les présentations, dis-je.

– En effet, ce n'est pas nécessaire, commence Marek. Je m'en doutais mais je voulais le vérifier.

Il se lève, me salue de la main et s'en va.

Anna m'apprend qu'ils ont été retenus quelques jours dans le même camp de l'armée près de Rennes.

– Je ne l'aime pas, déclare-t-elle spontanément avant de se reprendre : Enfin, c'est ton ami, c'est ça ?… Ne me dis pas que vous êtes ensemble ?

– Pas vraiment en fait. Je n'ai pas envie d'en parler. Toi, explique-moi pourquoi tu ne l'aimes pas. Je ne lui dirai rien, je te le promets.

– Dans le camp, il essayait d'imposer son autorité auprès des autres prisonniers, ce qui créait des tensions.

Il s'est battu avec mon copain et a fait preuve d'une grande violence. Il est tracé lui aussi, tu sais ?

– Il l'était. C'est moi qui lui ai retiré la puce.

L'après-midi, comme prévu, Youss et Ibra passent à la maison. Je suis ravie de voir que Kadi les accompagne. J'ai enfilé la combinaison de travail de mon père et des bottes qui montent aux genoux. On emporte aussi quelques outils : une pioche, un râteau et une pelle. Ibra s'extasie :

– Y a vraiment tout dans ta remorque !

– On dit bétaillère, Ibra, c'est pour le transport des bêtes.

Anna se joint à nous malgré les regards méfiants que les autres lui adressent. Nous retrouvons une dizaine de personnes dans un square situé à cinq cents mètres de chez moi. Les frères me présentent sous le pseudonyme de « Cousine ».

– Koridwen, c'est trop rare et trop reconnaissable, m'a expliqué Youss sur le chemin. Si ce nom remontait aux oreilles de qui tu sais, tu ne vivrais pas longtemps.

J'apprends que des garçons du groupe appartiennent à deux bandes qui ont décidé de faire la paix parce que la situation les y contraint. Nous pénétrons dans un égout puis nous suivons le boyau sur une centaine de mètres. Nous nous arrêtons devant un mur de béton qui a été percé sur quatre-vingts centimètres de large pour cent cinquante de haut. Nous sommes maintenant face à une paroi constituée de terre et de remblai.

– D'après nos repérages, nous sommes en dessous de la clôture du cimetière de Gentilly. Au même moment, à la surface, des collègues percent un trou dans un caveau abandonné qui jouxte le mur d'enceinte.

– Il va être long, ce tunnel ? demande Kadi.

– Quelques mètres tout au plus. Cette nuit, on a fait le plus dur : percer le mur de béton avec un gros marteau-piqueur qui fonctionnait grâce à un groupe électrogène. On a vraiment souffert avec la poussière. Là, ça va être plus facile. C'est pour ça qu'on a passé l'engin à ceux d'au-dessus. Il faudra évacuer la terre et étayer le tunnel si besoin.

J'interroge Youss :

– Mais pourquoi ne pas utiliser le réseau des égouts ?

– Tu penses bien que les militaires ont prévu le coup. Ils ont fait fixer des grilles dans les souterrains qui font la jonction entre Paris et la banlieue. Dans le coin, ils n'ont pas eu à en installer beaucoup parce que le réseau des eaux usées de la Cité universitaire et celui du stade ne sont raccordés qu'au système parisien.

Je saisis ma pioche et entame le mur. Je me fais relayer par un gars au bout d'une heure. Je le remplace alors dans la chaîne de transport des seaux de terre et de gravats. Le travail avance, mais pas bien vite. Un cri nous stoppe dans notre effort. Le tunnel s'effondre. Nous avons négligé l'étayage. Je m'y colle avec Kadi, Youss et Anna. Les madriers qu'ils ont dégottés me paraissent un peu légers. On doit les tailler à la bonne mesure avec une tronçonneuse. Youss ne parvient pas à la démarrer. Je le laisse s'épuiser puis lui propose :

– Tu veux que je te montre ?

Il me tend l'engin en souriant.

– C'est ça, fais ta maligne, Cousine ! Il ne marche pas, ce truc, c'est tout.

Je saisis la machine et vérifie l'arrivée d'essence. Je tire sur le cordon et la fait vrombir au premier essai. Je hurle pour surmonter le bruit :

– On en avait une à la ferme. J'ai eu le droit de la manier à partir de treize ans.

Kadi rigole. Youss semble un peu vexé sur le coup. Je taille quelques morceaux de bois puis je lui rends la tronçonneuse pour qu'il s'amuse à son tour.

Coincer les madriers s'avère assez compliqué. Nous tâtonnons au moins une demi-heure avant de trouver la bonne technique. Vers 18 heures, nous interrompons le chantier. Les patrouilles vont commencer à quadriller la ville et il faut aller se mettre à l'abri.

Je rentre avec Anna à l'entrepôt. Nous nous préparons à manger. À la différence de la veille, elle ne parle que quand c'est absolument nécessaire.

– Quelque chose ne va pas ? C'est à cause de Marek ?

– Non, c'est pas ça. Ne t'inquiète pas, c'est rien.

Nous dormons côte à côte, chacune dans un épais duvet. Elle s'agite beaucoup pendant son sommeil. Je repense à la phrase que Kadi m'a chuchotée à l'oreille, en me disant à demain :

– Tu devrais la jeter, cette Anna. Je ne la sens pas.

9 DÉCEMBRE

Ce matin, je suis debout dès 6 heures. Anna a disparu. Je ne suis presque pas étonnée. Est-ce définitif ? En allant me chercher à manger, je trouve son sac abandonné dans un coin de l'entrepôt. C'est la preuve qu'elle reviendra.

Je pense à Max. Si je m'écoutais, j'irais le chercher tout de suite. Ce qui me retient, c'est la peur qu'il me brise le cœur en refusant encore de venir avec moi. Je me sentirais comme une mère qui rêve durant sa journée de boulot du moment où elle récupérera son enfant. Et lorsqu'elle arrive à la crèche, l'enfant se serre contre la puéricultrice et pleure parce qu'il ne veut pas repartir. À la douleur générée par la déception s'ajoute un sentiment de honte vis-à-vis de ceux qui assistent à la scène. Je dois reconnaître que je suis jalouse de l'affection qu'il porte à Alicia. Je n'irai pas aujourd'hui, mais je me reposerai la question demain. À mesure que le temps va passer, il se lassera et finira par être content de me revoir. Et tous les autres constateront que c'est à moi qu'il est vraiment attaché.

Anna rentre juste avant 7 heures. J'ai préparé du thé. Elle s'installe près de moi. Je la sens mal à l'aise. Elle déclare en essayant de sourire :

– Tu es bien matinale ce matin.

– Comme tu vois. Tu étais où ?

– Je suis sortie faire un tour en attendant que tu te lèves.

Pourquoi me ment-elle ? Je la fixe dans les yeux. Elle comprend que je ne suis pas dupe. Je répète ma question sur le même ton calme et sec :

– Tu étais où ?

Elle baisse la tête et reste mutique encore plusieurs minutes. Elle cède enfin.

– J'étais dans Paris. J'ai rencontré des gens de l'armée qui voulaient prendre de mes nouvelles. Hier après-midi, tu te rappelles, pendant qu'on creusait le tunnel, je me suis absentée pendant presque une heure. Je ne supportais plus l'odeur des égouts et j'avais envie de vomir. J'ai marché droit devant moi en expirant à fond pour chasser l'air vicié de mes poumons mais la nausée ne passait pas. Je me suis encore un peu éloignée. Au détour d'une rue, j'ai aperçu un groupe de gars qui contrôlaient un type. J'ai vu qu'ils observaient de près son avant-bras. Comme j'allais rebrousser chemin, je me suis retrouvée face à une autre patrouille qui avançait vers moi. Je me suis débarrassée de mon bracelet d'alu et je suis allée à leur rencontre. L'un des types portait un appareil en bandoulière, qui lui sert, j'imagine, à repérer et identifier les gens tracés. Ils m'ont demandé de me présenter au barrage sous le périphérique dans les vingt-quatre heures, en précisant que je ne devais pas informer mon entourage de cette convocation. Comme je ne répondais rien, l'un d'eux a ajouté sur un ton menaçant : « Tu n'as pas le choix… Anna. » Ensuite, j'ai attendu qu'ils s'éloignent, puis j'ai fait un détour pour retourner au souterrain.

– Tu aurais dû m'en parler. Continue.

– Vers 5 heures, je me suis présentée au barrage et là un gars m'a prise en charge et conduite dans un local un kilomètre plus loin en direction du centre de Paris. J'ai rencontré un homme en combinaison intégrale. Sa voix était déformée par un micro. J'ai dû lui raconter jour par jour et presque heure par heure tout ce que j'ai fait depuis mon départ du camp. Il me laissait parler et ne m'interrompait que pour demander des précisions.

– Tu as donné mon prénom et mon adresse ?

– Non. J'ai été très prudente. J'ai surtout détaillé ma vie à Versailles. J'ai insisté sur le fait que je venais à peine de débarquer dans ce nouvel environnement, que je ne connaissais presque personne. J'ai modifié ton prénom et je n'ai parlé ni du tunnel, ni de tes amis, ni de leurs trafics. Je pense que je me suis bien débrouillée.

– Ensuite ?

– Il m'a sorti des photos de gars et m'a demandé si je les avais croisés dans les parages. J'ai pris soin de ne pas désigner tes amis, dont la plupart figuraient dans leur dossier. Mais j'ai le sentiment qu'ils savaient déjà tout sur la situation dans le secteur.

– Qu'est-ce que tu as dit sur moi exactement ?

– Que tu t'appelles Marie, que tu viens de Bretagne, qu'on s'était croisées sur la route de Paris, que tu habites dans un entrepôt à Gentilly dont je ne connais pas l'adresse précise. C'est tout. Il n'avait pas l'air méchant, tu sais. Au début, j'étais impressionnée mais ensuite je me suis détendue. Le ton était gentil, presque amical.

Je ne tire pas les mêmes conclusions qu'elle au sujet de cette rencontre. Elle a très bien pu se faire manipuler sans trop s'en rendre compte. Je décide de ne pas informer Youss et Ibra de ce dernier événement. Le mal est fait et c'est trop tard pour arranger les choses.

Je vais aujourd'hui encore renoncer à me rendre à la Conciergerie. Je ne veux pas abandonner mes amis en les laissant finir le tunnel tout seuls. Ils demanderaient sans doute des explications que je n'ai pas l'intention de leur donner. C'est un pan de ma vie que je ne souhaite pas partager avec eux.

L'après-midi, sur le chemin du chantier, je fais part à Anna de ma décision :

– Anna, je veux que tu quittes la maison au plus vite. Tu nous mets en danger, mes amis et moi.

Elle encaisse le coup et laisse passer plusieurs secondes avant de lâcher d'une voix faible :

– D'accord, Kori. Je peux juste rester cette nuit, s'il te plaît ? Je ne sais pas où aller. Je te promets de partir demain matin.

Après quatre heures de travail, nous voyons jaillir une faible lumière venant de l'extérieur. La jonction est faite avec ceux de la surface. Il ne reste maintenant qu'à consolider le tunnel, à terminer de déblayer la terre et à installer une échelle. Demain soir, le tunnel sera praticable. Nous rentrons épuisées. Kadi voudrait que je vienne passer la nuit chez elle. J'accepte avec plaisir.

– Mais sans ta nouvelle copine, précise-t-elle tout haut.

Anna, qui a entendu, se tourne vers moi avant même que j'aie le temps de réagir. Elle se force à sourire.

– Vas-y, Kori. Ne t'embête pas pour moi. Ce soir, je ne rêve que de dormir.

Je n'ajoute rien et détourne le regard.

En préparant le repas, Kadi et moi essayons d'éviter les sujets qui fâchent. La conversation s'oriente donc vers nos amours passées. Je n'ai pas beaucoup d'aventures à lui raconter, elle non plus. Nous rigolons plutôt en évoquant les garçons qui nous ont fait fantasmer et qui ne nous ont jamais regardées.

– Depuis l'épidémie, explique-t-elle, j'ai l'impression que les gens osent plus, qu'ils sont plus directs. Peut-être qu'ils ont peur de ne jamais te recroiser et qu'ils…

– … ne veulent rien regretter.

– Exactement, Kori. On nous voit enfin comme les beautés que nous sommes.

– C'est tout à fait ça !

On entend frapper à la porte. Ce sont les garçons qui vont ouvrir. Le messager parle très bas mais, à son ton, je perçois qu'il n'annonce pas une bonne nouvelle. Youss et Ibra échangent quelques mots avec lui avant de le laisser repartir. Kadi me fait signe de la suivre dans l'entrée.

– Alors, qu'est-ce qui se passe ?

– Marek est retenu par la bande d'Attila dans une de leurs caves. Ils l'accusent de les avoir arnaqués lors de leur dernière transaction.

– Et vous en pensez quoi ? je demande.

– C'est faux, bien sûr. En affaires, si tu perds la confiance, t'as plus de clients.

– Pourquoi Attila dit-il ça, alors ?

– Il veut affaiblir son principal concurrent en faisant douter nos partenaires, suggère Kadi.

– Il doit y avoir autre chose. On sait où il garde Marek, alors on va y aller discrètement cette nuit et tenter d'entrer en contact avec lui.

– C'est prudent, ça ? interroge la petite sœur.

– C'est comme ça de toute façon, lâche Youss.

Ils engloutissent leurs pâtes à la sauce tomate et leur Vache-qui-rit entre deux tranches de pain de mie périmé, et disparaissent dans la nuit. Nous restons silencieuses un bon moment.

– On devrait essayer de dormir tôt, propose Kadi. Je sens la fatigue arriver. Il faut en profiter. Pendant mon sommeil, je ne m'angoisse pas pour les autres. Peut-être que je fais les pires cauchemars, mais je ne m'en souviens jamais.

Kadi a de la chance. À peine les yeux clos, elle s'endort. Quant à moi, je fais le tour des vivants qui comptent pour moi et dont je suis éloignée : Max qui me rejette, Cindy coincée à Dourdu avec des gens louches, Marek prisonnier d'un fou, et mes copines cloîtrées à la Salpêtrière.

Pendant ce temps-là, Anna est seule chez moi. Va-t-elle, comme je l'en ai soupçonnée lors de notre première rencontre, fouiller dans mes affaires ?

10 DÉCEMBRE

Les garçons me réveillent vers 6 heures. Ibra annonce d'une voix fatiguée :

– On va avoir besoin de tes potions de sorcière.

– De quoi exactement ?

– On aimerait que tu nous fabriques un poison : du violent, du foudroyant, de l'instantané. Tu crois que c'est possible ?

– Je n'en ai jamais fait mais je peux essayer. Il vous faut ça pour quand ?

– Cet après-midi. On passera chez toi vers 17 heures.

– Et vous avez compris la vraie raison de la détention de Marek ?

– On t'expliquera tout à l'heure. Là, tout de suite, je te dépose en moto et je vais me coucher. Je suis complètement crevé, Koridwen.

De retour à la maison, je profite qu'Anna dort encore pour m'immerger dans le livre de recettes de Mamm-gozh. C'est incroyable le nombre de plantes mortelles qu'on peut trouver aujourd'hui tout près de chez soi. Il y a certaines espèces dont je connais le nom. Les fioles et sachets de ma grand-mère contiennent de quoi éliminer plusieurs centaines de personnes. Sur la première page de la partie *Recettes de mort*, elle a écrit un avertissement à mon intention.

Koridwen,

Tu t'apprêtes à donner la mort. Tu ne peux le faire que dans trois circonstances très précises et SURTOUT si tu as essayé toutes les autres solutions, même les plus dangereuses et les plus compliquées.

– Quand tu dois sauver ta propre vie.

– Quand tu dois sauver la vie d'un membre de ta famille.

– Quand tu dois sauver une personne à laquelle tu es liée pour la vie.

Si ce n'est pas le cas, referme ce livre et va prier les forces de l'au-delà de t'aider d'une autre manière.

Mamm-gozh

Post-scriptum : Si tu dois quand même le faire, mets des gants et jette-les après usage.

Marek n'entre dans aucun des trois critères et je ne suis même pas certaine que sa vie soit réellement en jeu. En même temps, connaissant Attila, c'est sans doute le cas. Je tourne lentement les pages et détaille les dégâts occasionnés par ces jolies plantes : convulsions, tachycardie, coma, arrêt cardiaque… C'est vrai que ça fait peur.

Je manipule avec beaucoup de précaution les flacons et les sachets, qui sont doublés de plastique à l'intérieur.

Je me garde bien de les sentir. Je jette mon dévolu sur la racine d'aconit dont je pile quelques grammes. J'écrase ensuite six baies de belladone. Je mélange le tout et y incorpore quelques gouttes d'eau de source. Cette dernière précision de Mamm-gozh me fait presque sourire. Quand on empoisonne quelqu'un, pourquoi ne pas utiliser de l'eau du robinet ?

Je cache ma préparation dans le tiroir d'un établi. Je prépare du thé. Anna apparaît dès que la bouilloire siffle.

– C'était bien ? interroge-t-elle d'un ton léger. Il y avait ton amoureux ?

– Tu parles de Marek, je suppose. Non, il a été arrêté dans l'après-midi suite à une dénonciation.

– Ah bon ? demande-t-elle en fronçant les sourcils. Tu penses que ça pourrait avoir un rapport avec mon entretien du matin ?

– D'après ce que tu m'as raconté, non. Maintenant, j'ignore si tu m'as vraiment tout dit.

– Bien sûr que si, Koridwen. Tu en doutes ?

– Avoue que la coïncidence est troublante. Et puis je sais que tu en veux à Marek pour ce qui s'est passé avec ton petit copain quand vous étiez internés près de Rennes.

Elle souffle bruyamment et va s'enfermer dans la chambre. Quelques minutes plus tard, elle réapparaît avec son sac sur les épaules.

– J'y vais, lance-t-elle. Peut-être qu'on se reverra un jour.

– Je ne sais pas, dis-je simplement.

– Tu as parlé aux autres de ma convocation chez les militaires ?

– Non.

– Merci.

Mes copains débarquent vers 16 h 30 et s'attablent avec moi. Aucun ne veut prendre la parole. Je pressens le pire.

– C'est à cause de moi que Marek est retenu là-bas, c'est ça ?

– Pas vraiment, en fait.

– Un peu quand même. Explique, s'il te plaît.

– Attila, commence Ibra, s'était laissé convaincre que vous étiez morts quand ses gars ont découvert les cadavres calcinés dans les décombres du garage. Depuis peu, il aurait obtenu des informations sur la présence d'une fille aux longs cheveux roux…

– C'est impossible ! Je ne sors jamais sans cacher mes cheveux sous mon bonnet. Je le garde même souvent quand je suis à l'intérieur. Excuse-moi, Ibra, je t'ai coupé. Continue.

– Donc, il aurait obtenu des infos sur une fille rousse fréquentant la bande de Marek à Gentilly. C'est pour ça qu'il a fait enlever notre chef en pleine rue et qu'il le retient prisonnier au fond d'une cave dans un immeuble près de la porte de Vanves.

– Et il les tiendrait de qui, ces infos ?

– Directement des autorités qui elles-mêmes les auraient recueillies d'un informateur assermenté.

L'évidence m'apparaît clairement. Anna. Ils l'ont su par Anna. J'ai honte d'avoir manqué de prudence. J'essaie de cacher mon trouble en poursuivant :

– Et il veut quoi, Attila, au juste ?

– Un échange : toi contre Marek.

– Je vais y aller. Ne vous inquiétez pas, une bonne étoile veille sur moi et il ne peut rien m'arriver de dramatique. Emmenez-moi là-bas tout de suite.

Mes deux amis me contemplent, effarés. Visiblement, ils ne font pas confiance aux puissances de l'au-delà. Youss reprend d'une voix calme :

– Doucement, ma belle. Marek a un plan. Il pense avoir trouvé le moyen d'empoisonner Attila. Nous, cette nuit, on va lui livrer le produit. Il est prêt ?

– Je peux venir avec vous ?

– Tu réfléchis un peu, des fois ? s'emporte Ibra. Si quelqu'un te reconnaît, ce sera la preuve que Marek a menti, et ils le massacreront sur-le-champ.

Leur argument est implacable et je dois me résigner à attendre que les autres agissent sans moi, alors qu'une nouvelle fois je suis la cause de leur malheur. Je me lève et vais chercher la préparation. Je les préviens :

– C'est du très violent. Quelques gouttes suffisent. On ne peut en réchapper. Par contre, ce n'est pas indolore. On souffre beaucoup avant d'y passer.

– Merci Kori, c'est exactement ce qu'il nous fallait. On veut qu'il souffre, ce gros porc !

11 DÉCEMBRE

J'ai tourné en rond une bonne partie de la nuit en regrettant de ne pas avoir tout de suite pris la décision de dormir chez Kadi. Je n'ai pas osé débarquer en pleine nuit, alors qu'elle avait peut-être déjà trouvé le sommeil. Nous aurions pu alléger ensemble nos angoisses et nos tourments. Surtout, j'aurais eu des nouvelles de la mission de Youss et Ibra plus tôt.

Maintenant, le jour se lève et je n'ai pas dormi plus de trois heures. J'ai été réveillée vers 4 heures par plusieurs explosions consécutives. Je suis même sortie dans la rue pour me rendre compte si les impacts étaient proches. En réalité, cela venait de beaucoup plus loin, sans doute quelques centaines de mètres. J'imagine que ceux qui habitent la zone en question ont dû croire à une explosion atomique ou un bombardement. Je n'en peux plus et décide de sortir. À mi-chemin du domicile de Kadi, je sens l'odeur âcre de brûlé qui s'insinue dans mes poumons. J'approche d'un des lieux d'incendie. Ce sont deux barres d'immeubles entièrement noircies par la suie. Une drôle d'odeur qui ressemble à celle de l'essence traîne aussi dans l'air. Quand j'arrive devant chez Kadi, je n'ai pas besoin de frapper pour qu'elle m'ouvre. J'en déduis qu'elle guettait le retour de ses frères. Nous nous serrons dans les bras l'une de l'autre. Je dois arborer le même regard fatigué.

– Je ne comprends pas, commence-t-elle. Ils n'avaient parlé que d'une livraison rapide. Je me demande s'ils n'ont pas été victimes des bombes incendiaires que des hélicos ont larguées durant la nuit sur la cité des Ginkgos. Le vent a attisé les flammes et les a poussées vers les maisons voisines. Mes frères m'avaient annoncé que le grand nettoyage de la banlieue allait bientôt commencer. Je crois qu'ils avaient raison. Des fenêtres de là-haut, devine combien j'ai vu d'incendies différents durant la nuit?

– Je dirais huit.

– Comment tu le sais? Toi aussi, tu as grimpé sur le toit de ta maison pour assister à ce spectacle infernal?

– Non, j'ai dit ça au hasard. Je te jure.

Dans ma tête s'imposent d'elles-mêmes les paroles du chant que récitait Mamm-gozh. Cela faisait longtemps, je me demandais si elle m'avait oubliée. Il ne reste plus que quatre nombres pour arriver au bout, que se passera-t-il après?

« *Chante-moi la série du huit jusqu'à ce que je l'apprenne aujourd'hui* », demande l'enfant.

Et le druide lui répond:

« *Huit vents qui soufflent; huit feux allumés au mois de mai sur la montagne de la guerre.* »

Comme la fois précédente, nous nous installons devant un bol de céréales. Kadi l'avait annoncé quelques jours plus tôt, il ne reste plus que des « nature ». Nous hésitons toutes les deux avant de commencer à manger. « Ça les fera arriver », disait mon oncle quand des membres de la famille étaient très en retard à un repas. Je porte à ma bouche la première cuillère en faisant le vœu que, pour une fois, la formule fonctionne. Allez, Mamm-gozh, montre-moi que tu es aussi là pour annoncer de bonnes nouvelles ! S'il te plaît.

Le visage de Kadi s'éclaire. Elle se retourne et se précipite dans l'entrée. Ses frères sont déjà à l'intérieur. Ils sont couverts de poussière et ont les yeux cernés. Kadi n'hésite pas à leur sauter au cou.

– Vous vous êtes retrouvés sous un bombardement ? Il ne faut plus sortir après le couvre-feu. C'est trop risqué. Les militaires sont bien plus dangereux que les gamins de votre âge.

– Petite sœur, calme-toi, déclare Youss. Tu t'inquiètes pour rien. Cette nuit, nous avons juste fait ce que nous avions à faire.

– Et on aura des nouvelles de Marek quand ? je demande.

– Pas avant deux jours. On te tiendra au courant. Au fait, t'as viré ta copine Anna, j'espère ?

– Elle est partie hier matin.

– Tant mieux. Tu sais que Marek voulait la faire buter ?

– Pourquoi ?

– Il devait avoir ses raisons. Il s'est retenu pour ne pas te chagriner.

Un frisson me parcourt le dos. Les gars vont se laver et se coucher. Nous nous installons dans le canapé pour discuter. Kadi a retrouvé son enthousiasme, alors que je suis toute secouée par les dernières phrases de son frère. Elle tient à ce que je lui raconte ma vie à la ferme et surtout les soins aux animaux. Elle me confie que la traite des vaches l'a toujours fascinée. Elle aimerait essayer et en même temps elle aurait peur de faire mal aux bêtes.

– Je ne l'ai pas fait souvent à la main. Seulement en cas de panne des trayeuses ou dernièrement, quand l'électricité a été coupée. Je t'apprendrai, si tu veux. Bientôt, je vais repartir là-bas. Tu pourrais me rejoindre. C'est beau chez moi. Et surtout, c'est beaucoup plus calme.

Cela fait trois fois que je confie ce projet à quelqu'un en l'espace de quelques jours. C'est vrai que j'y pense de plus en plus. La Bretagne me manque et la ferme aussi. Progressivement, la discussion devient moins soutenue. Il y a de plus en plus de moments de silence. C'est la fatigue qui nous rattrape. Kadi pose sa tête sur mes genoux et ferme déjà les yeux. J'attends quelques minutes avant de me lever et de caler un coussin sous sa joue. Je rapproche deux fauteuils pour moi. À peine suis-je allongée que mes paupières se ferment.

Au réveil, nous découvrons que les garçons ont préparé le repas. En fait, ils ont réchauffé deux boîtes de lentilles et en ont ouvert deux autres contenant des sardines. Les lentilles, je n'en ai pas dans mes réserves. Je suis donc ravie d'en manger. J'annonce à tous que je vais me changer et aller chercher Max.

– Et cette fois-ci, je le ramène de gré ou de force. Il va voir qui c'est qui commande.

– C'est dans quel quartier ? demande Youss.

– Vers la station Port-Royal.

– Kori, évite d'y aller aujourd'hui. D'après nos contacts, l'armée et ses nouvelles recrues vont s'y déployer pour évacuer des squats de gangs surarmés. Ça risque de tirer dans tous les sens. Désolé. Ton cousin peut bien attendre un jour de plus.

– Tu as raison, dis-je, la mort dans l'âme.

De retour chez moi, je me dis que l'idéal serait de dormir. Ainsi, demain viendra plus vite et cela m'évitera de trop cogiter. Je me couche et essaie *Ar Rannoù*. Je le termine sans éprouver la moindre fatigue. Je me lève pour compulser le livre de recettes de ma grand-mère. Même si je n'y trouve pas mon bonheur, j'aurai au moins occupé un instant mon esprit. Comme à chaque fois, elle propose une solution à mon problème :

Remède pour dormir

Verser dans un demi-litre d'eau frémissante (mais pas bouillante) les ingrédients suivants à raison de deux cuillerées rases pour chaque : feuilles de houblon, feuilles de valériane, feuilles de passiflore, fleurs de lavande et feuilles de mélisse. Ajouter quatre cuillerées d'alcool de millepertuis. Laisser infuser deux heures à l'abri de la lumière.

Posologie : une cuillerée par heure de sommeil souhaitée.

Je filtre mon infusion, la renifle puis la sucre un peu. Je calcule rapidement la dose qui m'est nécessaire. Le goût

est bizarre et donne envie de vomir. Je vais immédiatement m'allonger sur mon lit et me glisser dans mon
duvet. Mes paupières s'alourdissent quasi instantané-
ment. Merci Mamm-gozh.

12 DÉCEMBRE

É tait-ce une potion pour dormir ou bien pour rêver ? Un sédatif ou un produit hallucinogène ? Je me réveille la tête encombrée de scènes et d'images. Il est déjà plus de midi. Je suis impatiente de retrouver Max. Je vais asperger mon visage d'eau glacée. J'avale ensuite un demi-paquet de gâteaux sablés pur beurre. Une idée s'impose soudain. Il faut que je garde la trace de ces rêves, que je prenne des notes avant de tout oublier. Mamm-gozh s'est remise à me parler et en a peut-être profité pour m'envoyer un message. J'attrape un stylo et mon cahier.

Rêvé entre le 11 et le 12 décembre
Je descends des marches et m'enfonce dans le noir. Je m'engage dans un couloir étroit. Mes mains tâtent les parois à la recherche d'une porte. Je finis par en trouver une qui s'ouvre sur une petite pièce aux murs blancs, vide et sans fenêtre. J'allume une bougie. Je suis à genoux. Je vois une inscription au crayon juste devant mes yeux. C'est une suite de chiffres. Elle se termine par 1 (ou bien 7).

Un autre escalier, de pierre cette fois-ci. Une fenêtre. Un sentiment de vertige. Je vais plonger dans le vide.

Quelqu'un me retient. Une tour carrée au milieu d'immeubles anciens.

Menesguen enfin. Le vieil arbre au fond du champ. Moi, collée contre son tronc, qui parle une langue inconnue. Moi, allongée les bras en croix au milieu des fleurs que le vent tourmente.

Je pédale à toute allure. Je suis pressée d'arriver. Mais, à mesure que je me rapproche du but, je sens monter une boule d'angoisse. Je n'ai plus peur que Max me rejette. J'ai chassé cette idée de mon cerveau depuis quelques jours déjà. Non, j'ai peur qu'il soit… mort, que je ne retrouve que son cadavre abandonné au milieu de ruines, le corps couvert de rats voraces. Est-ce encore un rêve que j'aurais fait la nuit dernière et qui remonte à la surface ? Mes yeux se brouillent de larmes. Pendant quelques secondes, c'est le noir complet et je n'ai plus conscience de ce qui m'entoure.

À l'arrivée, c'est le choc. Les portes ont été défoncées et les pièces systématiquement mises à sac. Je parcours chaque recoin, la gorge nouée, appréhendant d'y découvrir le corps inanimé de Max ou des autres, ou bien des traces de sang. Rien. Le squat est désert. Peut-être ont-ils été arrêtés pour détention d'armes. Je repense à Youss qui évoquait la guerre que la police s'apprêtait à livrer aux gangs armés. Eux ne formaient rien d'autre qu'une communauté indépendante qui voulait survivre dans la paix. Je m'écroule dans un fauteuil, complètement abattue. Je dois me ressaisir et réfléchir. Si on avait voulu les arrêter, ils se seraient défendus et il y aurait des traces de lutte, des impacts de balles. Ils ont fui. Ils sont ailleurs, à l'abri. Et Max est avec eux. Je traîne un long moment dans les couloirs et les chambres sans but précis. Qu'est-ce que j'espère encore ? Qu'ils m'aient laissé un message ? Comment en auraient-ils eu le temps ? Je fais un dernier détour par l'infirmerie avant de repartir. Les armoires sont renversées et un mélange collant de sirop et de désinfectant imprègne les sols et les murs. Je m'assois sur le lit qu'occupait Max. Je saisis son oreiller pour respirer son odeur et me sentir près de lui. Et là, je vois tomber un minuscule morceau de papier. Je le déplie et le lis : *Spider Snake change de Période. Champ de mines envahi par les Ennemis. Prochain contact à ton niveau de jeu.* C'est ce que j'avais deviné : ils ont déménagé et Jules passera bientôt chez moi.

Je retourne à l'entrepôt avec le moral au plus bas. Je m'en veux. Je n'ai que ce que je mérite. Mon orgueil m'a aveuglée. J'aurais dû y aller bien plus tôt. Il est trop tard pour refaire le film, mais je suis en colère contre moi.

En rentrant, j'hésite à prendre de ma potion soporifique parce que j'ai peur de ne pas entendre Jules quand il viendra me chercher. Je vais maintenant vivre dans l'angoisse de le rater.

À la tombée de la nuit, j'entends du bruit dans la rue. Je me lève et jette un œil dehors. C'est Youss.

– Où est Max ? demande-t-il en entrant.

– Je ne sais pas. Le squat était désert. Ils ont déménagé. Mais ils ont mon adresse, il faut que j'attende. Et Marek ?

– Nous aussi, on attend. Tu viens passer la nuit chez nous ? Kadi te réclame.

– Et si mon pote me ramenait Max ce soir?

– Avec le couvre-feu et les patrouilles qui quadrillent Paris, c'est devenu impossible de circuler la nuit. À moins d'être des pros comme nous. Allez, viens. Ne reste pas seule.

Je ne résiste pas. Il a raison. Je serai mieux chez eux et reviendrai dès le lever du jour. Je fourre quelques affaires et un peu de bouffe dans mon sac à dos, et je grimpe sur la moto.

– Super, s'exclame ma copine, t'as pensé aux Paille d'Or!

Vers 23 heures, un messager vient frapper à la porte. Il s'entretient avec Ibra pendant plusieurs minutes sur le perron. Quand notre ami referme la porte et se tourne vers nous, nous comprenons avant qu'il ait prononcé le moindre mot que Marek est mort. La nouvelle nous anéantit tous. Ibra fait les cent pas, son frère se tient la tête dans les mains. Moi, des douleurs me tordent le ventre. Je me sens tellement coupable. Kadi me serre dans ses bras pendant plusieurs minutes. Nous nous retrouvons tous les quatre autour d'une tasse de Ricoré dans la cuisine. D'habitude, je n'aime pas le goût de cette boisson mais sa chaleur et son amertume me font du bien. Youss est le premier à rompre le silence:

– Il n'a pas cédé. Il est mort en chef.

– Je jure de le venger, ajoute son frère.

– Ne faites pas n'importe quoi, tempère Kadi. Marek vous aimait et n'aurait jamais voulu que vous mouriez, même pour lui.

Les frères ne répondent rien. Puis Ibra sort de sa poche une petite boule de papier froissé qu'il pousse devant moi.

– Il a écrit ça pour toi.

Je déplie la minuscule feuille et lis pour moi seule :

Kori, ne te reproche rien. J'ai choisi cette vie et j'en connaissais les risques. Je regrette juste de mourir aussi tôt. J'aurais aimé fêter mes dix-sept ans la semaine prochaine avec toi et mes amis. Je te souhaite plein de bonheur. Tu le mérites. J'aimerais que tu penses à moi parfois. Marek.

Les larmes emplissent mes yeux. Kadi me caresse doucement la tête. À quoi mon existence sert-elle, hormis à attirer le malheur sur ceux qui m'entourent ?

13 DÉCEMBRE

Les garçons nous secouent bien avant le lever du jour. Ils ont profité de la nuit pour faire le point et envisager la suite. Moi je n'ai pas été capable d'autre chose que de pleurer sur mon sort.

Kadi doit faire ses valises car des cousins vont venir la chercher pour la mettre à l'abri en province. Youss et Ibra ne veulent pas donner l'impression qu'ils rendent les armes et s'enfuient. Ils comptent défendre coûte que coûte leur affaire et leur réputation. Maintenant que le tunnel est opérationnel, ils envisagent de quitter leur pavillon et partir s'installer dans Paris. Ils sont persuadés que leur repaire sera attaqué dans les jours qui vont suivre.

– Un chef qui disparaît, déclare Ibra, ça affaiblit toujours une bande, même si la relève est prête. C'est du moins ce que les autres penseront.

Je ramasse mes affaires et vais enlacer Kadi. Nous restons plusieurs minutes dans cette position, les larmes aux yeux. Je lui glisse dans la main un papier plié sur lequel j'ai écrit mon adresse en Bretagne. Elle l'accepte en essayant de me sourire. À cet instant, ni elle ni moi ne croyons à la possibilité de nous retrouver et d'être un jour heureuses. Je salue les garçons qui me serrent un bref instant contre eux. Je n'ose pas prononcer les mots « au revoir » et je ferme la porte derrière moi.

À la maison, je me lave à l'eau glacée. Le froid engourdit ma peau. Je sens monter en moi une colère immense que je ne peux plus contenir. J'en veux à la terre entière, à moi d'abord qui suis si nulle, aux forces qui semblent guider ma vie vers le chaos. Mamm-gozh, dis-moi que c'est bientôt fini ! S'il te plaît, Mamm-gozh !

Je m'habille en tremblant. Mon corps réagit peu à peu et se réchauffe. Je me glisse dans mon lit. Je dois dormir.

Au réveil, une heure plus tard, je me sens différente, bien que je n'aie pas le souvenir d'avoir rêvé.

Il y a un sens aux événements qui ont ébranlé mon existence durant ces derniers jours : tous ces gens qui, morts ou vivants, disparaissent de ma vie, c'est comme un grand nettoyage autour de moi pour que je me retrouve seule, que je me recentre sur ma quête, sur ma raison d'être ici.

Je suis venue pour Khronos, pour le rendez-vous du 24, parce que je voulais y croire, parce que je veux y croire, parce qu'un retour dans le passé est possible.

Il ne reste qu'une dizaine de jours et j'ai perdu beaucoup de temps. Je dois réagir dès maintenant. Ce matin même, je vais pénétrer à l'intérieur de la Conciergerie pour effectuer les premiers repérages. Je me dois d'être prête pour ce grand moment.

Je me couvre bien contre le froid et pour me dissimuler au maximum. J'ai rempli mon sac à dos d'outils ; tenailles, marteau, tournevis, coupe-boulon, scie à métaux, tiges de fer plus ou moins fines. J'enfourche mon vélo et fonce dans la ville déserte. J'évite les grands axes car les carrefours sont souvent occupés par des blindés. Je reste à l'affût du moindre bruit suspect. Arrivée à la Seine, je me sens exposée quand je traverse le pont. Je sens que des gens m'observent, même si je n'aperçois personne. Je longe le Palais de justice et découvre une entrée côté quai. Je constate que la lourde grille est entrouverte. Je descends de vélo pour la pousser. Je récupère mon engin et me glisse sous le porche. J'accède à une courette dont les murs sont percés de portes blindées et de petites fenêtres grillagées. Des caméras de surveillance ont été accrochées dans tous les angles. C'est un vrai bunker. Je suppose que je suis dans une des cours du Palais de justice, ce qui expliquerait de telles mesures de sécurité. L'endroit qui m'intéresse, c'est la tour de l'Horloge à l'angle de la Conciergerie. Mais l'accès direct à cette ancienne prison, aujourd'hui transformée en musée, donne sur un boulevard très exposé où je serais vite repérée. Je découpe le grillage d'une des fenêtres avec mon coupe-boulon et brise la vitre avec un marteau. Je pénètre dans un premier bureau dont je déverrouille la porte facilement. J'accède ainsi à une seconde pièce identique à la précédente, puis à une troisième. Je bloque la fermeture des trois lourdes portes métalliques. Mon trajet inverse sera ainsi facilité. Je débouche enfin sur une salle immense qui ressemble à une église avec des croisées d'ogives. Je m'entends murmurer :

– C'est du style gothique.

Sans doute une réminiscence de mes leçons d'histoire en primaire. On trouve des endroits semblables dans WOT. C'est le lieu parfait pour une rencontre de chevaliers ou d'Experts en combat. Je promène ma torche dans tous les coins. Des escaliers anciens montent vers les étages. Je découvre assez vite un accès vers le sommet de la tour de l'Horloge. De là-haut, la vue est dégagée. Je reconnais au loin la tour carrée de mon rêve. C'est un monument connu que j'ai déjà aperçu dans des livres sur Paris. Son nom me revient : la tour Saint-Jacques. Je redescends les marches pour visiter le reste. Je veux sonder en détail cette aile du bâtiment et particulièrement les niveaux de la tour de l'Horloge situés sous le cadran. Je visite d'abord le premier étage et découvre une petite pièce presque carrée, haute de plafond, avec deux longues fenêtres donnant sur la Seine. Elle sert de bureau et est meublée d'armoires métalliques, de deux tables de travail couvertes de dossiers. Je descends au niveau inférieur où ont été aménagés des locaux servant à stocker du matériel disparate, comme d'anciennes photocopieuses, de vieux ordinateurs et des cartons renfermant des ramettes de papier. Au sous-sol, je trouve de minuscules salles vides sans lumière naturelle. Cela correspond davantage à la pénombre dans laquelle j'étais plongée dans mon rêve. Je rentre dans l'une d'elles et passe le faisceau de ma lampe sur les parois. Mon regard est attiré par une inscription écrite à la mine de plomb sur une plaque de placoplâtre, à un mètre du sol. En essayant de la lire, j'ai soudain une bouffée de chaleur, et mon corps s'affaisse doucement. J'ai lâché la torche. Le front contre le mur, à genoux au milieu de papiers qui jonchent le sol, je mets quelques secondes à recouvrer mes esprits. Qu'est-ce qui m'arrive ? Je peine à respirer. Je ramasse la lampe et me relève difficilement. Il faut que je sorte au plus vite de cet endroit qui m'oppresse.

Je fais le chemin inverse et sors discrètement du bâtiment. L'air du dehors me fait du bien. Le retour est beaucoup plus long. Je suis vite fatiguée et ne tiens plus sur mon vélo dès que je rencontre le moindre dénivelé. Des cris résonnent soudain au niveau d'un immeuble en partie calciné. Je sursaute mais suis incapable d'accélérer. Je me sens très vulnérable tout à coup. Heureusement, personne ne s'attaque à moi. Je suis juste frôlée par deux ou trois meutes de chiens qui n'insistent jamais bien longtemps. Je me couche dès que je rentre.

Je suis réveillée par des coups contre la porte. Je jette un œil dans la rue. C'est Anna qui semble très agitée. Dehors, il pleut à seaux et elle est trempée.

– Ne t'inquiète pas, commence-t-elle, je ne reste pas. C'est juste pour te prévenir.

– De quoi ?

– On m'a de nouveau convoquée pour m'interroger. Cette fois-ci, c'est à toi qu'ils s'intéressaient. Comme j'ai le sentiment de m'être fait avoir la première fois, sans même m'en rendre compte, je n'ai rien dit. En revanche, j'ai appris qu'ils connaissent ton nom de famille : Le Guennec, le hameau de tes parents : Menesguen. Ils voulaient savoir si tu avais évoqué Dourdu devant moi, c'est un patelin breton, et si j'avais croisé dans ton entourage une fille très grande aux cheveux très clairs et un Maghrébin aux cheveux lisses. Ils m'ont demandé si tu m'avais expliqué pourquoi tu étais venue à Paris et si tu envisageais de repartir en Bretagne.

Je l'observe sans réagir. Il est possible que ceux qui l'utilisent l'aient envoyée pour tester mes réactions en entendant ces mots. Qui sont ces gens auxquels ils m'associent et que je ne connais pas?

– Merci, dis-je simplement.

Elle semble totalement épuisée. Je m'entends proposer:

– Tu ne veux pas rester ici ce soir? Tu as l'air crevée et tu vas attraper froid avec toute cette pluie.

– Non, Koridwen, je veux être certaine de ne plus te créer d'ennuis. Mais tu as raison, j'en ai marre. Je vais demander à retourner en prison. Ce sera plus simple. Adieu, mon amie.

Elle n'attend pas ma réponse et se glisse par l'ouverture.

QUATRE

14 DÉCEMBRE

Hier soir, je me suis fait un grand bol de bouillon instantané avec du vermicelle. J'ai éprouvé un très grand plaisir à le manger. Pourtant, je me souviens que je n'aimais pas trop ça avant. Comme lorsque j'étais enfant, j'ai d'abord mangé toute la soupe avant d'attaquer les nouilles à la fourchette. Ensuite, comme je ne trouvais pas le sommeil, je me suis autorisé quelques cuillerées de la potion de Mamm-gozh. Cela m'a permis de dormir sept heures d'affilée. Vers 5 heures, j'ai entendu des coups de feu dans la rue sur laquelle donne l'entrée de derrière. Je n'ai pas été voir. Je me suis réfugiée dans la « caverne » de Max, sous la table avec les dessins d'étoiles. L'échauffourée n'a duré que quelques minutes. Les cris se mêlaient au vrombissement de motos ou de voitures. J'ai même cru entendre qu'on tapait sur la porte. J'avais pris mon arme en main et étais prête à m'en servir.

Je n'ai pas réussi à dormir correctement ensuite.

Ce matin, je me sens en meilleure forme qu'hier. Pour le reste, je n'arrive pas à faire le tri. Il se passe trop d'événements dans ma vie et j'ai le sentiment de ne rien maîtriser. Lorsque je suis habillée, je vais jeter discrètement un coup d'œil dans la rue de derrière pour voir s'il reste des traces des combats de la nuit. J'entrouvre la porte et aperçois à une vingtaine de mètres sur la gauche un cadavre maculé de boue. C'est Anna.

Je repense aux coups donnés contre la porte. Elle était venue chercher refuge chez moi et je n'ai pas réagi. Pourquoi est-elle morte ? Se trouvait-elle malgré elle au milieu d'un affrontement ou était-elle la cible ? Je tire son corps à l'intérieur et j'entreprends de lui nettoyer le visage avec un gant de toilette. Je la contemple en pleurant. Que vais-je faire d'elle ? Je dois lui donner une sépulture au plus vite, avant que les circonstances de la vie ne m'en empêchent.

Dans la propriété voisine, il y a un endroit qui servait de potager. La terre y est meuble. Je traîne le cadavre jusquelà. Je délimite une surface rectangulaire avec le tranchant de la bêche et commence à creuser. Après les premiers trente centimètres, le sol est plus dur. Je sue malgré le froid. J'ai mal partout. Mais je n'ai pas à me plaindre car j'ai mérité cette douleur. Cette activité mobilise une grande partie de mon énergie, cela m'évite de trop penser. Je termine épuisée en début d'après-midi. Je plante une croix, plus pour signaler la présence d'un cadavre que parce que je lui attribue une quelconque croyance.

Le jour va tomber. Je me suis lavée et changée. Je suis plantée devant un bol de thé trop chaud. Des frissons me parcourent le corps comme si j'avais de la fièvre. J'enfile ma veste et mon bonnet mais ça ne semble pas avoir d'effet. Je ne réussis pas à faire le vide dans ma tête. Combien de personnes sont mortes parce qu'elles m'avaient rencontrée? Nicolas et Camille, Marek et Anna. Leurs regards bienveillants me hantent. Je suis seule. Max n'est toujours pas là et je n'ai aucun moyen de le retrouver. J'ai une boule dans le ventre qui ne cesse de grossir et je me sens au bord de la crise de larmes. Cela me rappelle les pires moments à Menesguen, quand je regardais avec envie le flacon de poison que j'avais fabriqué avec les médicaments de mes parents. Je dois endiguer la vague de déprime qui m'assaille. Mamm-gozh, Mamm-gozh, aide-moi!

« Tout beau, bel enfant, dit le druide, que veux-tu que je te chante? »

« Chante-moi la série du nombre un jusqu'à ce que je l'apprenne aujourd'hui. »

« Pas de série pour le nombre un, répond le prêtre, la Nécessité unique, le Trépas, père de la Douleur, rien avant, rien de plus. »

« Chante-moi la série du deux, reprend l'enfant, jusqu'à ce que je l'apprenne aujourd'hui ».

J'entame le onze presque en criant. Je sens qu'aujourd'hui ce remède de grand-mère ne me sera d'aucun secours.

« Chante-moi la série du nombre onze jusqu'à ce que je l'apprenne aujourd'hui », demande l'enfant.

« Onze prêtres armés; venant de Vannes, avec leurs épées brisées; et leurs robes ensanglantées, et des béquilles... »

Je sursaute car on frappe violemment à la porte. Je ne reconnais pas le code convenu avec Ibra et Youss. Ce sont peut-être les hommes d'Attila qui viennent pour ma mise à mort. Je suis clouée sur place.

– C'est Jules, ouvre-moi !

Enfin. Avant de le laisser entrer, je prends une grande inspiration. Je perçois des piétinements de l'autre côté du portail de tôle. Je pressens une urgence. L'image du corps d'Anna me revient brusquement en mémoire. J'ouvre largement la paroi coulissante. Jules n'est pas seul. Un type brun l'accompagne et un autre lui tord le bras dans le dos et lui applique le canon d'un flingue sur la tempe.

– Désolé, souffle Jules, ils m'ont pris par surprise.

Je m'efface pour les laisser entrer. Je vois à cet instant que c'est une grande fille mince qui tient mon camarade sous la menace. Un chien estropié jappe à leurs pieds.

– Ferme derrière nous, Yannis. Toi, recule encore ! ordonne-t-elle.

Le dénommé Yannis tient dans ses mains un fusil d'assaut. Si Jules n'était pas en danger, je tenterais tout de suite de le désarmer. Le visage de la fille me paraît familier. Peut-être l'ai-je croisée dans un R-Point ou alors au lycée à Morlaix. Ce serait un incroyable hasard. Elle ne semble pas apprécier que je la fixe et me jette un regard haineux. À l'évidence, elle est totalement stressée. Ils n'ont pas le look des voyous qu'Attila emploie pour la sale besogne. Et surtout, ceux-là ne s'encombreraient pas d'un chien sur trois pattes pour accomplir une mission. J'échappe donc provisoirement à mon véritable ennemi. Eux cherchent avant tout à se mettre à l'abri. Malgré la menace qui pèse sur moi, je ne peux m'empêcher de me sentir soulagée. Je m'avance vers Jules pour lui demander des nouvelles de Max. La fille nous intime sèchement l'ordre de la fermer. J'en ai marre de ces conneries et je ne vais pas me laisser dicter ma conduite plus longtemps. Je me redresse pour lui faire face. Mon attitude décuple sa colère. Si je vais trop loin, elle ne pourra plus se maîtriser. Je dois prendre sur moi et penser à ce qui compte vraiment : Max, qui a besoin de moi. Et puis le rendez-vous de Khronos. Pour ces deux objectifs, il est essentiel que je ne m'expose pas trop. Je dois rester entière, rester en vie et retrouver au plus vite ma liberté de mouvement.

Je cède provisoirement et me laisse entraîner jusqu'au fond de la pièce. Le gars nous ligote les mains derrière le dos et nous fait asseoir contre un mur. La fille annonce qu'elle et son pote sont recherchés pour meurtre et acte de terrorisme, et que, pour garantir leur sécurité, ils ne feront pas de sentiments. Nous avions compris. Le garçon qui s'appelle Yannis semble craindre davantage les réactions de sa copine que les nôtres. Il essaie de l'apaiser en lui parlant doucement.

Ça y est, je sais comment je la connais. Elle s'appelle Stéphane. Ce n'est pas courant pour une fille. Il n'y a plus de doutes possibles, c'est la fille des Nantais qui habitaient dans le hameau de ma copine Cindy. Avec mon bonnet sur la tête et si loin de mes terres, elle ne m'a sans doute pas reconnue. Je me présente en espérant que cela fera baisser un peu la tension. Elle s'approche de moi et plaque le canon de son fusil sur mon front. Elle libère mes cheveux d'un geste sec et se recule pour m'observer. Je sens qu'elle est tentée de me parler mais qu'elle se retient. Je devine ce qu'elle veut savoir : son frère, sa mère auraient-ils pu échapper à la catastrophe ? Comment peut-elle l'imaginer ? Je refuse de faire durer l'attente plus longtemps et je lâche d'une voix que j'essaie de rendre sûre :

– Ils sont morts. Ton frère et ta mère, avec ton beau-père. Tous les trois.

Comme elle refuse de l'admettre, j'enfonce le clou :

– L'une de mes amies a vu leurs corps. Je... je suis désolée.

Elle est dévastée par la douleur. Comment une fille comme elle pouvait-elle croire à un tel miracle ?

Quels sales cons ! Je suis séquestrée avec Jules dans un débarras sans fenêtre. J'ai même cru qu'ils allaient nous bâillonner parce qu'on osait se plaindre. Et tout ça pourquoi ? Parce qu'ils craignent qu'on les balance aux autorités. Mais qu'est-ce qu'ils croient ? Que le monde tourne autour de leur nombril ? Qu'on n'a pas à régler d'affaires personnelles bien plus importantes ? Si on a refusé de rejoindre un R-Point avec le reste du troupeau, c'est peut-être qu'on se méfie nous aussi des forces de l'ordre, non ?

Je ne sais pas trop quoi penser du copain de Stéphane, le beau brun qui s'appelle Yannis. Quelque chose me dit que c'est un tendre qui veut jouer les durs. Il s'excusait presque d'avoir à me ligoter.

Qui t'oblige, imbécile ? avais-je envie de lui demander. Tu n'es pas assez grand pour décider tout seul ?

Ça y est, j'ai fait le lien entre le dernier interrogatoire d'Anna et l'arrivée de nos deux visiteurs. Une «très grande fille aux cheveux très clairs», moi, j'aurais plutôt dit «gris», et un «Maghrébin aux cheveux lisses». L'armée devait explorer toutes les pistes. Les enquêteurs ont établi que mes parents et ceux de Stéphane résidaient au même endroit en Bretagne. Pour eux, il existait une chance qu'elle vienne chercher refuge chez moi. Cette information pourrait intéresser nos deux matons. Je la leur donnerai quand ils seront plus polis avec nous. Si les militaires débarquent, j'ai quand même des chances de m'en tirer. Pas eux.

Nous sommes dans le noir complet. Au début, nos hôtes se relayaient pour tenter d'écouter nos conversations. On entendait leur respiration. Sans même nous être concertés, Jules et moi avons gardé le silence. Nous en avons profité pour faire un peu de ménage à l'aveugle dans ce réduit encombré de cartons. Il s'agissait surtout de les entasser et les pousser vers le fond pour avoir la place de s'asseoir ou de s'allonger.

Ils se sont éloignés depuis quelques minutes mais Jules s'est endormi. Je le perçois à sa respiration régulière. J'ai froid. Je me frotte les bras et frappe mes cuisses mais l'effet est de courte durée. Je ne vais pas pouvoir dormir. Heureusement, Jules se réveille au bout d'une vingtaine de minutes.

– Alors, la fille aux cheveux gris, tu la connais? commence-t-il.

– Très peu en fait. Je l'ai croisée aux dernières vacances. Sa mère a acheté une maison dans un hameau près de chez moi. Ses parents sont séparés. Elle vivait à Lyon avec son père. Je n'ai jamais discuté vraiment avec elle. Elle avait déjà ce look un peu gothique, mais n'avait rien d'effrayant. Là, elle est complètement flippée.

– Il y a des avis de recherche avec leurs têtes près de tous les R-Points, m'apprend Jules.

Stéphane la rebelle avec ses cheveux courts et son regard grave, la petite bourgeoise lyonnaise, a donc viré terroriste. Elle est devenue une célébrité.

– Tu as prévenu tes copains que tu venais chez moi? Ils vont sans doute essayer de te retrouver, non? On a peut-être une chance qu'ils nous libèrent.

– Non, ils ne savent pas précisément où je suis.

– Alors, on ne doit compter que sur nous-mêmes.

– Tu as une idée?

– Je trouverai. Je suis sur mon territoire. J'ai un avantage. Parle-moi de Max.

La communauté de Jules a été obligée de fuir. Max a visiblement très mal vécu ce changement de lieu. Depuis qu'il est là-bas, il ne communique plus et a cessé de s'alimenter. Même si son état n'est pas brillant, je dois reconnaître que je suis rassurée. Ce n'est qu'une crise. J'avais craint qu'il ne soit blessé ou qu'il leur ait attiré de graves ennuis. Jules me raconte qu'il a été repéré par Youss et Ibra à l'entrée du cimetière alors qu'il cherchait un moyen de contourner les barrages pour entrer dans Gentilly. Après un interrogatoire un peu musclé, ils l'ont laissé passer. Après un court silence, il reprend:

– Tout à l'heure, juste avant que les deux autres ne me tombent dessus, je t'ai entendue à travers la porte. Tu récitais des sortes de prières…

– Ce ne sont pas des prières. C'est juste un texte de chez moi que je me récite pour me calmer.

– Et ça parle de quoi ?

– Tu veux vraiment savoir ?

– Oui, je crois. De toute façon, on a le temps.

Il a raison. J'ai toujours été fière de mes racines bretonnes et ça me fait plaisir de partager un peu de ma culture avec lui. Je lui explique l'origine mystérieuse du texte et les sujets qu'il aborde. J'évoque aussi Mamm-gozh qui me l'a appris.

– Et les onze prêtres à la robe ensanglantée, c'est qui ?

– Sans doute des prêtres qui organisaient le culte du dieu Dagda, il y a des milliers d'années. En fait, personne ne sait vraiment. Et aujourd'hui, chacun peut y voir un peu ce qu'il veut. Nous, par exemple, joueurs de WOT, on pourrait assimiler ces prêtres à ceux qui possèdent la connaissance, c'est-à-dire à nous, les Experts du jeu.

– Et toi, tu penses que ce texte pourrait prédire l'avenir, par exemple annoncer ce qui nous arrivera le 24 à minuit quand on rencontrera Khronos ?

– Non… enfin… je ne sais pas.

Je ne m'imagine pas lui confier que je crois de plus en plus que mon destin pourrait être lié à ce vieux texte breton. Si je lui décris les signes que j'ai interprétés depuis mon départ de Menesguen, il me prendra pour une folle. Je propose :

– Dis, Jules, si on essayait de dormir un peu ? Demain, si on veut prendre le dessus sur les deux paranos, il faut qu'on soit en forme.

– Tu as raison.

Au moment où je m'allonge, mon coude touche son bras. Je l'entends étouffer un cri de douleur.

– Excuse-moi. Je ne pensais pas…

– Ce n'est pas ta faute. J'ai une plaie qui cicatrise mal sur l'avant-bras.

– Tu me montreras demain. Tu sais que je suis aussi un peu guérisseuse.

– Je veux bien. Merci.

Jules rompt le silence au bout de quelques minutes :

– Koridwen ?

– Oui.

– Finalement, tu y es allée à la tour de l'Horloge faire les repérages avant le rendez-vous de Khronos ?

– Oui, Jules. Je t'en parlerai plus tard. Là, je veux vraiment dormir.

– D'accord.

Je ne trouve pas tout de suite le sommeil. Les dernières paroles de Jules m'ont remis en mémoire les images de mon expédition à la tour de l'Horloge, en particulier celles qui ont précédé le moment où j'ai presque perdu connaissance. C'est comme si le lieu avait voulu me dire : « C'est là, Koridwen. C'est comme dans ton rêve. Tu as trouvé l'endroit. C'est là que ça se passera. Tu seras seule à ce moment-là. Sans personne pour te guider. Toi seule, Koridwen, toi seule. » Mon corps est parcouru de frissons et mon cœur s'emballe. Je contemple Jules qui s'est endormi. Je l'envie.

Moi je dois trouver un moyen de nous sortir de là au plus vite. Contre deux adversaires armés, nous ne faisons pas le poids. Le point faible du couple semble être le garçon. J'ai senti sa gêne quand il me fouillait, sa maladresse lorsqu'il manipulait mon corps pour me ficeler. Je l'ai vu rougir aussi quand je le regardais en face. Demain, il faudra donc compter sur une absence même brève de Stéphane pour passer à l'attaque.

15 DÉCEMBRE

On nous ouvre la porte alors que le jour se lève à peine. Nos cerbères nous conduisent aux lavabos et nous surveillent pendant que nous nous lavons succinctement. Stéphane a les traits tirés mais me semble moins flippée que la veille. Une grimace de Jules quand il relève sa manche me rappelle qu'il est blessé. J'aperçois sa cicatrice en forme de V juste au milieu de l'avant-bras. Je me rapproche de lui et lui chuchote :

– Tu t'es fait tracer, Jules.

Il regarde son bras avec effroi.

– Il faut que quelqu'un m'enlève ça. Tout de suite.

– On ne peut pas en parler aux deux autres, Jules, c'est bien trop dangereux. Tu ne sais pas comment ils pourraient réagir.

– Vos gueules ! Vous vous croyez en colonie de vacances ou quoi ?

Contrairement à ce qu'il m'avait semblé, la grande ne s'est pas calmée. Nous traversons l'entrepôt en direction du bureau. Les autres ont sorti de la bouffe de mes réserves. Je grimace en pensant qu'ils ont eu le loisir de fouiller dans mes affaires toute la nuit. Stéphane a posé son flingue devant son bol. Tandis que nous buvons de l'eau chaude à peine colorée de café soluble, elle nous explique qu'ils doivent trouver au plus vite un ordi portable avec une batterie chargée pour accéder au contenu d'une clé USB. Ensuite, ils disparaîtront de nos vies. Je pense immédiatement à la cave de Kadi et ses frères qui regorge de matos en tous genres. En plus, avec un peu de chance, mes amis comprendront vite la situation et m'aideront à m'en sortir. J'expose mon plan. Mais mes geôliers ne me laissent pas finir car ils flairent tout de suite l'arnaque. Je leur propose alors d'aller visiter l'école du quartier où j'avais récupéré des fournitures pour Max. J'y avais aperçu quelques ordinateurs portables dans les salles de classe. Ce serait un manque de chance si je n'en dénichais pas au moins un en état de fonctionner. Cette idée d'aller piller une école les rassure.

C'est Yannis qui va m'accompagner. C'est donc ce matin que je dois saisir la chance qui m'est offerte de renverser la situation à notre avantage. Nos deux nouveaux amis se mettent d'accord sur un code qui permettra à Stéphane de nous identifier à notre retour. Puis la fille aux cheveux gris me lance encore quelques menaces. Visiblement, elle se méfie de moi. Elle a raison.

Nous sortons enfin à l'air libre. Yannis me suit avec son chien et un pistolet dans la main droite. J'essaie au maximum de rester à couvert pour éviter les drones qui chassent l'ado dans les rues. L'école n'est pas très loin. Nous traversons la cour de récréation, ce qui nous rend repérables durant quelques secondes, puis nous pénétrons dans l'école par la cuisine. Je l'emmène du côté des primaires. Nous visitons chaque classe, en allumons les ordis pour vérifier l'état des batteries. La troisième tentative est la bonne. Yannis semble ravi et range rapidement le matériel dans son sac. Je dois tenter quelque chose avant de repartir. Je jette un coup d'œil autour de moi, à la recherche d'une idée. Je fixe les deux poissons rouges crevés qui flottent lamentablement à la surface d'un aquarium. Je prends un air songeur. Celui que ma copine Cindy appelait mon « regard romantique ».

– Quand j'étais petite, on avait aussi des poissons rouges dans la classe, dis-je d'une voix douce.

Ce n'est pas vrai. La seule fois où nous avons eu un élevage en primaire, c'était des ténébrions meuniers, des insectes marron que le maître conservait au fond de son placard parce qu'ils n'appréciaient pas la lumière. Entre nous, on appelait ça « les cafards ». Je sens que Yannis a les yeux braqués sur moi. Je lui fais face et le fixe. Il rougit. Il est évident que je lui fais de l'effet. Je n'aurais jamais cru jusqu'à cet instant que c'était possible. Il faut que j'ose. Là, tout de suite. Qu'est-ce que je risque à part le ridicule si je me suis fait des idées ? Je lui souris en faisant un pas dans sa direction. Je tends mon cou vers lui et relève la tête comme si je voulais lui offrir ma bouche à embrasser. Il incline son visage vers moi et surtout il baisse son arme vers le sol. Je le sens vulnérable et vais en profiter. À peine a-t-il posé ses lèvres sur les miennes que je saisis son flingue. Pour lui, c'est comme une décharge électrique. Il se recule. Je lis sur son visage de la déception plus que de la colère. Pour un peu, j'aurais presque honte. Je braque l'arme sur lui et il obéit. Son chien, qui a senti le danger, grogne et montre les crocs, mais son maître l'apaise. Il fait bien parce que, même si j'aime les animaux, je sais qu'on a le droit de les tuer quand c'est nécessaire à sa propre survie. Nous repartons à l'entrepôt. Dès qu'il me tourne le dos, je ne peux m'empêcher de sourire. Je l'ai charmé, le beau brun, comme dans un film. Si j'avais su que c'était si simple, j'aurais essayé avant avec d'autres. Je suis une ensorceleuse.

Sur le chemin du retour, Yannis essaie de parlementer mais sans insister. Je m'étonne qu'il ne tente à aucun moment de reprendre le dessus. C'est presque trop facile. C'est à se demander si cette nouvelle situation ne lui plaît pas davantage. Nous approchons de mon domicile et je vais devoir jouer serré. Yannis fait le code sans chercher à me tromper. Stéphane est une vraie pro. Elle a bloqué la porte pour retarder l'entrée d'éventuels agresseurs. Yannis doit fournir un gros effort pour faire bouger le battant.

Stéphane comprend tout de suite la situation, avant même que je ne déclare sur un ton faussement léger :

– Surprise !

Mais au lieu de lever les mains en l'air comme prévu dans mon scénario, elle saisit son arme et la braque sur moi à son tour.

– Surprise aussi, lance-t-elle.

J'aspire une grande quantité d'air pour tenter de me calmer mais ça ne sert à rien. J'ai même la jambe droite qui se met à trembler. Tout en visant la tête de son pote, je cherche Jules du regard. Il est avachi dans un coin. Je comprends que Stéphane lui a retiré son traceur. Bonne idée, ça va nous éviter la visite des soldats. Elle a mis du sang partout. Elle n'est pas très soigneuse, la demoiselle. Elle aurait dû faire un stage chez ma mère. Yannis met quelques secondes à comprendre que sa copine n'a pas torturé mon ami. L'opéré est provisoirement hors jeu. C'est dommage, j'aurais bien apprécié un coup de main. On se jauge. Je n'ai aucune envie de tuer le beau brun, mais pas plus de céder à Stéphane. Je suis chez moi et elle doit me respecter. La situation semble bloquée. Il faut que je reprenne la main. J'essaie de me montrer cool mais je ne dois pas être très crédible :

– Bien, bien, bien. Si on se calmait un peu, chère Stéphane ? Au fond, on le sait toutes les deux. Personne n'a envie de flinguer personne. Alors, même si on est un peu énervées et qu'on a mal dormi, il faut essayer de se calmer. Hein, Yannis, t'es d'accord ? Ce serait dommage. Si on était dans un jeu vidéo, je n'hésiterais pas une seconde à tirer parce que ça me détendrait et que ça n'aurait pas de grandes conséquences. Mais là, si on crève, on n'a pas le droit à une nouvelle partie. Tu jouais à des jeux, toi, mon beau Yannis, avant la catastrophe ? Avec Jules, nous étions des fans de WOT, des Experts même ! Ah, ça te fait réagir, Yannis ?

– Chevalier Adrial, déclare Yannis.

– Spider Snake, annonce Jules d'une voix pâteuse à l'autre bout de la salle.

– Koridwen, dis-je en essayant de ne rien laisser paraître.

– OK. Dans le jeu, j'étais Lady Rottweiler, lâche Stéphane comme à regret.

En voilà une qui a bien choisi son pseudo. Je comprends mieux où elle a appris ses ruses de guerre. Nos avatars étaient souvent alliés dans le jeu et jamais on ne s'est trahies. Je décide que la partie est finie et je prends le risque de poser mon arme par terre. Une Experte ne peut en exécuter une autre si elle est désarmée. Ça, c'est dans le jeu... On va voir ce qu'il en est dans la vie.

Stéphane, visiblement soulagée, abandonne son flingue sur le sol et renonce au combat. Elle lance à l'assistance :

– Bien, on arrête les conneries.

Je prends des nouvelles de Jules. Apparemment, la grande sait y faire car il ne semble pas trop souffrir. Les autres installent le portable sur une caisse récupérée dans l'entrepôt. J'aide Jules à s'approcher de l'écran. Cela faisait longtemps que je n'avais pas vu un ordi fonctionner. Stéphane branche la clé USB qu'ils ont récupérée sur un militaire pendant leur cavale. Ils espèrent y découvrir ce que contient leur dossier. Sur le bureau s'affichent plusieurs fichiers qui portent effectivement des noms de personnes, dont les leurs. Stéphane clique sur celui de Yannis, une fiche apparaît avec des photos de famille et celle d'un immeuble. Dans son propre dossier, Stéphane constate, malheureusement pour elle, que je ne lui ai pas menti à propos de la mort de Nathan et de sa mère. Après un court silence où je la sens sur le point de craquer, elle ouvre un fichier intitulé PARIS/KHRONOS. Les enquêteurs s'intéressaient donc de près au jeu.

Trois des quatre éléments soupçonnés dans l'enquête criminelle en cours de reclassement ont consacré leurs dernières connexions au forum d'un jeu en ligne multijoueurs, appelé WOT [...] Ces connexions indiquent

un rendez-vous possible sur Paris, le 24 décembre, avec
d'autres éléments criminels, même si le message du moteur
de jeu KHRONOS est un leurre.

Le message est un leurre. Il y a seulement quelques jours, cette simple phrase m'aurait fait tomber à la renverse. Depuis, je sais que la réalité n'est pas aussi simple que ce que j'avais imaginé. C'est comme si, en trouvant enfin leur place, les pièces du puzzle modifiaient en même temps l'image prévue au départ. Le voyage aura lieu, mais sans Khronos et le folklore du jeu. À la réflexion, c'est tout à fait normal. Khronos n'était pas dans mon rêve.

Je sens les garçons complètement bouleversés. Ce n'est pas le cas de Stéphane qui poursuit à haute voix la lecture comme le ferait un professeur à des élèves ignorants et idiots :

– Khronos est l'avatar du « maître de jeu » sur WOT. Il s'agit d'un moteur de jeu de type Eugene Goostman (Intelligence Artificielle)… Il est chargé de gérer les interactions entre les joueurs, au cours de leurs retours dans le temps.

« Rendez-vous du 24 décembre : L'invitation faite sur le forum par le moteur de jeu Khronos à remonter dans le temps résulte des multiples alertes reçues par le moteur au cours de la dernière semaine de fonctionnement (coupures de courant, messages des « Experts » sur le virus U4 interprétés par le moteur comme un virus informatique). Le moteur de jeu est programmé dans ce cas pour envoyer un message. Ce message incite les joueurs à rebooter leur jeu dans une deuxième version, en recommençant la partie en temps réel là où elle a commencé : le 24 décembre (année inconnue, « guerre des Menteurs ») au pied de la tour de l'Horloge.

Etc. En clair, Khronos a buggé, c'est ça.

Stéphane continue :

– Certains des utilisateurs du forum WOT, soupçonnés de visées subversives et/ou criminelles, ayant utilisé ce forum pour se retrouver lors des jours qui ont suivi le déclenchement de l'épidémie, on ne peut exclure que ce rendez-vous, formulé par une IA et sans signification, suscite cependant d'autres rassemblements subversifs...

L'armée sera donc au rendez-vous du 24 décembre et ceux qui s'y rendront vont courir de gros risques.

– On ne remonte pas dans le temps, les mecs ! Fin du rêve ! annonce Stéphane d'un ton supérieur.

Elle n'a pas de raison de se réjouir ni les autres d'être déçus. Il y a tant de choses que nous ne savons pas. Je lâche, agacée :

– Tu n'en sais rien, Stéphane.

J'aurais envie d'ajouter : « Et ne fais pas pleurer les garçons, ils ne l'ont pas mérité. » Si je n'avais pas peur qu'ils se sentent humiliés davantage, je les prendrais dans mes bras pour les consoler.

Le chien de Yannis s'énerve et pas uniquement parce que son maître est en larmes. Il y a des gens dans la rue, des soldats sans doute à la recherche de nos deux terroristes. J'aurais quand même dû les informer des recoupements des flics à leur sujet. Il faut fuir mais, avant ça, être pragmatiques en prenant le nécessaire pour survivre quelques jours. J'opte pour mon gros sac et j'y fourre de la bouffe, de l'eau, mes potions de grand-mère. La menace se précise. Mes camarades s'attendent à ce que je les guide. Nous sortons par la porte qui donne sur la rue à l'arrière et entrons dans la cour de l'entreprise voisine dont la clôture de bois est effondrée. Je vais les conduire dans la fosse du garage où j'ai survécu à l'incendie avec Max. Le secteur est en partie brûlé et peu de murs tiennent encore debout. Plus personne ne s'aventure par là. Les odeurs de roussi, de gasoil et de putréfaction animale agiront comme une barrière invisible entre nous et les chiens des soldats. Il faut ressortir dans la rue sur une cinquantaine de mètres avant de traverser l'avenue. Deux jeunes en uniforme surgissent devant nous. Leur fébrilité fait peur. Ils sont capables de tirer dans le tas au moindre de nos gestes. Stéphane l'a compris et calme le jeu. Je l'imite. Si des renforts ne débarquent pas dans les prochaines minutes, on reprendra vite le dessus. Yannis, qui soutient Jules encore un peu dans le gaz, arrive juste après avec son chien sur trois pattes. Durant un court silence, on entend la respiration rapide de chacun. Jules se jette comme un fou sur un des gars et le plaque par terre. Il cachait bien son jeu, celui-là. Yannis lâche son chien sur l'autre qui n'a pas le temps de riposter. Nous pouvons ramasser nos flingues. Je brandis mon arme en direction du second gars qui peine à rester debout, mais sans oser appuyer sur la détente. Pourtant, il le faut. Nous devons les neutraliser pour pouvoir nous barrer avant d'être encerclés par les autres patrouilles. Le coup est parti. Un des mecs est sur le carreau. L'autre est assommé. Nous courons dans la ruelle et nous faufilons sous des grillages. Nous y sommes. Nous slalomons au milieu des gravats et des poutrelles tordues par la chaleur. Je soulève une des plaques de la fosse et les invite à me suivre. Stéphane qui est passée la dernière referme notre planque. Je réclame le silence complet. Ceux qui nous traquent ne vont pas tarder.

Je viens m'asseoir près de Yannis. Stéphane joue les infirmières auprès de Jules. Le chien qui n'apprécie pas mon parfum s'écarte de nous. On entend des gens circuler en surface mais pas tout près. Personne ne bouge, on pourrait croire qu'on dort. Nous nous autorisons bientôt à chuchoter. Je comprends que la plaie de Jules s'est rouverte et qu'il souffre. Il n'a plus le droit aux antalgiques avant quelques heures. Je propose :

– J'ai un calmant bio très efficace mais qui peut provoquer quelques hallucinations. Je l'ai testé sur moi.

– Je ne préfère pas, décline Jules.

– C'est sous forme liquide. Je pense que ça marche aussi pour les chiens.

Je crois entendre quelques rires. Ils doivent me prendre pour une foldingue. Tant mieux si ça peut détendre l'atmosphère.

Nous replongeons tous dans le silence. Chacun doit avoir du tri à faire après les révélations auxquelles nous venons d'avoir droit sur Khronos. Pour moi, tout a fonctionné comme il est expliqué dans le rapport. Le message a été un leurre, un appât pour me faire venir à Paris, avec l'idée que s'il n'y avait rien, je retrouverais au moins mes amis du jeu. Et puis, une fois que je me suis mise en chemin, c'est la voix de Mamm-gozh qui a pris le relais, suivant le déroulement inéluctable du poème d'*Ar Rannoù*. Il a fallu que je voie les signes de mes propres yeux pour commencer à percevoir qu'un chemin était tracé pour moi, que je n'avais qu'à l'accepter. Maintenant, je me tiens prête.

On va rester dans ce trou au moins sept heures. Nous profiterons de la pénombre pour sortir et quitter Gentilly. Ensuite, dès que Jules m'aura expliqué où elle se trouve, je les emmènerai dans la nouvelle planque de la communauté par les égouts et le cimetière. J'ai hâte de revoir mon cousin.

Après la phase de réflexion personnelle, on passe à celle des regrets. Chacun s'excuse du tort qu'il a fait à l'autre. On nage en pleine fraternité. C'est mieux qu'il y a quelques heures où on se menaçait avec un flingue chargé.

Yannis entame enfin la discussion avec moi. Il veut me connaître. Ça tombe bien, moi aussi. Il vient de Marseille et la route a été longue et compliquée. Il ne me cache pas qu'il a laissé plusieurs morts derrière lui. Je n'ajoute rien. Je ne me vois pas lui parler à mon tour de tous les gens qui ont disparu à cause de moi.

Puis Yannis part s'occuper de Jules et c'est Stéphane qui prend sa place. Elle me dit qu'elle est désolée pour moi parce que j'ai tout perdu à cause d'eux. Je ne veux pas y penser. Je suis en vie et je vais revoir mon cousin. Le reste, ce n'est que du matériel. Et puis, je ne désespère pas d'aller récupérer des trucs à l'entrepôt d'ici quelques jours. D'ailleurs, qui sait ce qui se serait passé s'ils n'étaient pas venus ? Avec Jules, nous aurions peut-être été attaqués sur le chemin par les hommes d'Attila et nous serions morts à l'heure qu'il est. Je la rassure car je ne veux surtout pas qu'elle me plaigne.

Tout ce qui devait arriver est arrivé. Comment peut-elle penser que c'est une simple coïncidence s'ils sont justement tombés sur moi qui la connaissais dans une agglomération aussi gigantesque que celle de la région parisienne ? Elle croit au hasard, la demoiselle ? Pas moi. Je parle de plus en plus comme ma grand-mère. Elle me demande :

– Alors, tu crois encore qu'on peut remonter dans le temps ?

– Pourquoi pas ? Et on n'est pas forcément obligés de prendre pour argent comptant les informations contenues sur une clé USB, juste parce qu'elles émanent des autorités. Elles aussi peuvent mentir ou vouloir nous tromper.

Elle ne répond pas mais j'imagine que mes propos la font sourire. Je décide tout de même de la confronter à ce que j'ai vécu récemment :

– Comment naissent les rêves, Stéphane ?

– Ce sont des fabrications de notre cerveau. Les images ou les scènes de nos rêves sont issues de notre mémoire, souvent celle des derniers jours, parfois de souvenirs plus anciens. Où veux-tu en venir ?

– J'ai vécu dernièrement une expérience qui m'a fait comprendre que les rêves pouvaient aussi évoquer le futur.

– Dans les contes oui, pas dans la réalité.

– Laisse-moi te raconter et tu jugeras ensuite. Un matin, je me suis réveillée avec la tête pleine d'images. Cela ne m'arrive pas souvent et j'ai décidé de noter ce dont je me souvenais. J'y décrivais en particulier une pièce sans fenêtre dont les murs étaient blancs. Il y avait une série de chiffres écrits au crayon à un mètre du sol. Deux jours plus tard, je suis allée à la tour de l'Horloge. J'ai réussi à pénétrer à l'intérieur et j'en ai exploré en détail tous les étages. Dans un des sous-sols, j'ai pénétré dans une petite pièce qui était le décor exact de mon rêve, avec les chiffres au même endroit. Et tu te doutes bien que c'était la première fois que j'y mettais les pieds.

– Soit tu ne t'en souviens pas mais tu es déjà venue. Soit tu y as vu ce que tu voulais y voir.

– C'est-à-dire ?

– Tu n'as pas raconté tout à l'heure que tu avais testé des produits psychotropes ? Ta conscience altérée a mélangé les images du rêve avec celles de la réalité. Si tu y retournes, je te parie que tu ne ressentiras pas la même impression.

J'évoque ensuite Elwen et Erell, les deux vieilles copines de Mamm-gozh toujours en vie, mais j'ai le sentiment qu'elle m'écoute à peine. C'est difficile de parler avec elle. Je ne suis pas sûre d'en avoir encore envie. Je fais une dernière tentative en abordant les points communs que nous avions avant, la Bretagne, son frère, les dernières vacances. Elle reste muette. Je remue en elle des souvenirs douloureux qu'elle n'est sans doute pas disposée à évoquer devant moi. Je la comprends et je me tais à mon tour.

– Tu sais où sont les corps de Nathan et de ma mère ? demande-t-elle brusquement.

– Ma copine m'a dit qu'ils étaient dans le bois derrière chez eux, avec celui de ton beau-père. J'espère qu'elle aura pu faire quelque chose pour les mettre à l'abri des charognards.

La nuit est tombée. Je vais tenter une sortie. Je glisse doucement la plaque et me faufile à l'extérieur. La température n'est pas très différente de celle d'en dessous. Je n'allume pas de torche et marche courbée. Des blindés occupent le carrefour. Des patrouilles continuent de quadriller le quartier. On les entend s'interpeller. Il nous sera impossible de rejoindre l'entrée des égouts qui mènent au tunnel ce soir. Nous allons passer la nuit dans la fosse. Mes camarades m'écoutent sagement faire mon rapport. Je n'avais pas prévu ça et je n'ai pas pris mon duvet. Je vais me geler toute la nuit.

Yannis a pitié de moi et entreprend de me réchauffer. Il me frotte énergiquement. L'effet n'est que temporaire mais j'apprécie qu'il s'occupe de moi. Stéphane m'envoie un duvet. Je m'enroule dedans. Je me sens tout de suite mieux. Je me serre contre Yannis et pose ma tête sur son épaule. Je vais peut-être enfin dormir.

16 DÉCEMBRE

C'est l'heure de sortir de la fosse. Une nouvelle fois, elle m'aura protégée. Le chien a un regard un peu halluciné et des jappements étranges. Cette nuit, pour éviter qu'il ne nous fasse repérer, j'ai enduit un morceau de bois avec le somnifère de Mamm-gozh et j'ai persuadé son maître de le lui donner à lécher. Ensuite, on ne l'a plus entendu. Je marche devant. Les rues sont redevenues complètement vides et calmes. Nous rejoignons le square en quelques minutes. Je les fais descendre dans les égouts. Aucun d'eux ne semble surpris ni n'exprime de réserves. L'ont-ils déjà fait? Nous progressons dans une quasi-obscurité sous le regard indifférent de quelques rats placides. Mon répulsif ouvre le chemin. J'utilise pour la première fois notre tunnel qui débouche dans le cimetière. C'est le seul moment où nous sommes à découvert. Je presse l'allure. À la première plaque d'égout que nous croisons une fois sortis du cimetière, nous replongeons dans les entrailles de la terre. Jules m'a expliqué l'itinéraire. Au départ, c'est le même chemin que pour se rendre à la Salpêtrière. Ce matin, personne ne plaisante ni ne parle. Chacun semble retourné dans sa bulle. Nous débouchons dans des parkings souterrains où je passe le relais à Jules. Un ado qui appartient à la communauté monte la garde au rez-de-chaussée de la tour du 13ᵉ arrondissement où ils ont élu domicile. Comme il me connaît de vue, il me laisse monter avec Jules qui va négocier l'autorisation pour Stéphane et Yannis d'accéder aux étages.

Je découvre leur nouvelle installation. Ils ont réquisitionné un étage complet et disposent de plusieurs appartements. Je reste collée à Jules qui m'indique la chambre de Max. Je salue Maïa dans le couloir. Mon cousin est assis par terre, le dos appuyé contre un mur, ses bras enserrant ses genoux. Je m'approche doucement et lui caresse la tête. Il ouvre les yeux. Je me débarrasse de mon manteau et le prends dans mes bras. Petit à petit, je sens son corps qui se détend. Il allonge ses jambes devant lui et pose ses mains sur mon dos. Il pleure doucement. Je ne suis pas loin de l'imiter. Je lui chuchote à l'oreille :

– Je suis là, mon grand, je suis là.

Je n'ai pas entendu Maïa entrer. Elle s'est accroupie près de nous et me parle doucement. Son ton est neutre, sans l'ombre d'un reproche :

– Il s'est mis en état végétatif. Il refusait de s'alimenter et même de boire. Au début, il appelait ses parents et toi aussi. Ensuite, il s'est muré dans le silence. J'ai réussi à le faire boire, mais seulement en très petites quantités.

– Merci beaucoup Maïa. Je m'en veux de l'avoir laissé.

– Tout va bien maintenant, tu es là, dit-elle en me touchant l'épaule avec affection.

Elle referme la porte derrière nous. Nous restons ainsi enlacés très longtemps. J'essaie de me dégager en chuchotant à l'oreille de mon cousin :

– Je vais te donner à boire, j'ai posé mon sac près de la porte.

Mais Max ne me lâche pas et je sens sa respiration qui s'accélère. Je lui explique :

– Je ne sors pas. Je reste avec toi.

Max siffle la demi-bouteille d'eau minérale que je conservais de la nuit. Il grignote mon dernier paquet de Paille d'Or. Ensuite je le prends par la main et nous nous mettons en quête d'une salle de bains avec une réserve d'eau. Je mouille un gant et j'entreprends de le laver. Il se laisse faire. Je l'habille avec des fringues posées pour lui sur son lit. J'imagine que les habitants de la communauté ont dû écumer les placards des appartements alentour. Quand je l'embrasse sur le front et lui glisse qu'il sent bon maintenant, il déclare :

– Kori, tu pues.

Je souris. Je suis bien d'accord. Il consent à retourner seul dans sa chambre pendant que je me lave rapidement et me change. Je jette un regard à l'extérieur. Nous sommes dans une haute tour implantée parmi d'autres sur une dalle, avec des commerces aujourd'hui abandonnés.

Nous rejoignons ensuite les autres dans la pièce principale. Je salue tout le monde. Certains garçons me jettent des regards peu amènes. Je suis la méchante qui a abandonné son cousin. Heureusement, il y a Katia qui m'embrasse chaleureusement. Elle a retiré le gros pansement qu'elle portait la dernière fois. Je vois mieux l'ampleur des dégâts.

– D'ici quelques mois, dis-je en la fixant dans les yeux, tu pourras te faire opérer par un spécialiste. Il doit bien en rester quelque part, ne serait-ce que dans l'armée. Ils font des merveilles, tu sais.

– Tu es bien optimiste, Koridwen, déclare-t-elle en se retenant de pleurer. Merci de l'être pour deux. Dis-moi, tu viens t'installer avec nous ?

– Je ne sais pas si Jules vous a expliqué la situation. Nous avons fui mon refuge qui allait être investi par les soldats. Ce quartier de Gentilly a été entièrement nettoyé. Je ne vais pas pouvoir y retourner dans l'immédiat. Dès demain, je chercherai une nouvelle planque mais sans doute près de chez vous, peut-être dans les étages de votre immeuble.

– Oui, ce serait bien.

Max s'est installé dans la cuisine. Je pense qu'il a encore faim. Katia propose de lui faire des pâtes.

– Merci, dis-je, je vais m'en occuper. Où est Alicia ?

– La grande avec les cheveux gris...

– Stéphane.

– Stéphane l'examine. Elle veut comprendre comment une enfant de son âge a pu survivre à l'épidémie.

– Pourquoi, elle s'y connaît ?

– Visiblement. Elle a un père virologue et a participé à des recherches à Lyon.

Nous sommes rejoints par la petite, qui s'installe d'autorité sur les genoux de Max. Ils se sourient. Yannis s'installe près de moi sans rien dire. Il m'observe à la dérobée. On dirait qu'il m'admire. Cela paraît très présomptueux de ma part mais c'est vraiment ce que je perçois. C'est très nouveau pour moi et c'est plaisant. Dès que je pose un regard sur lui, il baisse les yeux. Je le préférais dans la fosse et le froid, nous étions moins gênés.

Pour le dîner, nous sommes tous autour de la table. Je repère une fille blonde que je n'ai jamais croisée. Stéphane a disparu. D'après Jules, elle a prétexté qu'elle devait aller «sauver un ami en grand danger». Je ne sais pas si c'est vrai et si Yannis l'a cru, mais ce soir il paraît préoccupé. Je peux comprendre qu'il soit perturbé d'avoir été quitté si brutalement par son amie. Cette nuit, s'il n'arrive pas à dormir, après m'être occupée de Max, je me rapprocherai de lui pour le consoler. Je souris toute seule à cette idée. Ce garçon m'attire, je dois le reconnaître. Mais je ne suis pas amoureuse. Je crois que ce qui me touche le plus en lui, c'est qu'il s'intéresse à moi.

J'écoute les autres parler et je remarque que ce sont surtout les gars qui s'expriment, particulièrement celui qui se prénomme Jérôme et qui se présente comme le chef. Lui et un certain Vincent étaient joueurs de WOT avant la catastrophe, mais sans avoir atteint le rang d'Experts. Jules leur apprend ce que le nom de Khronos cache en réalité. Il leur dit que l'armée risque d'être présente au rendez-vous du 24, dont il semble leur avoir déjà parlé. Jérôme et Vincent ont apparemment envie de s'y rendre malgré tout, mais je ne saisis pas dans quel but. Je suis contente qu'ils ne me demandent pas ce que je pense du sujet. Cela me ferait encore passer pour une fille bizarre.

Je dors dans la même chambre que Max. Je lui chante des chansons tristes qu'on appelle des *gwerz* chez nous, et il trouve assez vite le sommeil. Je pense à Stéphane qui doit errer toute seule dans les rues. Je ne l'envie pas. Ce soir, je suis contente de dormir au chaud. Cette fille me ressemble et, dans d'autres circonstances, je suis certaine que nous aurions pu devenir comme des sœurs. Il aurait fallu plus de temps, que chacune ose vraiment se montrer telle qu'elle est. Si je ne la revois jamais, cela restera un regret.

17 DÉCEMBRE

Au bout de trois heures à me tortiller sur mon matelas en soufflant, je craque. Si j'étais chez moi, j'aurais pu prendre mon calmant. Là, j'ai peur de rêver trop fort et d'inquiéter les autres. Pour ne rien arranger, Max s'est lancé dans un concert de ronflements spectaculaires. Je me lève et m'enroule dans mon duvet. Je quitte le petit appartement qui sert d'infirmerie pour rejoindre le plus grand où la plupart des membres de la communauté sont logés. Je marche tout doucement pour ne pas réveiller les habitants des lieux qui dorment un peu partout. Je me faufile jusqu'à la pièce principale. Je me plante devant la baie vitrée et admire la vue. C'est une immensité grisâtre qui pourrait faire penser à l'océan. La pluie qui ruisselle sur la vitre me rappelle ma Bretagne. Paris est éteinte. Ce n'est plus la « Ville-Lumière ». Je m'enveloppe dans le duvet et m'allonge sur le canapé. Une des *gwerz* de tout à l'heure ne veut pas sortir de mon cerveau. Je la fredonne malgré moi. Elle raconte l'histoire d'une pauvre fille qui espère en vain le retour de son amoureux parti affronter la mer et ses monstres. Elle a peur qu'une méchante sirène ne l'ait ensorcelé et entraîné dans le fond de l'océan pour le noyer. Les yeux fermés, je me concentre sur les paroles. Je retrouve quelques bribes du refrain en breton. Je suis sûre que je déforme certains mots mais je m'en moque. Là, à cet instant, je me sens sereine. J'oublie le froid, je suis presque revenue chez moi.

Une des portes de l'appartement s'ouvre et Yannis apparaît. Ce serait lui mon héros surgi de l'abîme. Il vient s'asseoir près de moi, le sourire aux lèvres. Il semble avoir digéré le départ de son amie.

– C'est… c'est juste moi, commence-t-il.

– C'est juste moi aussi, je réponds.

Comme c'est romantique ! Je lui ouvre mon duvet pour partager ma chaleur. Il n'attendait que ça. Sa présence me fait du bien. Je ne lui demande rien pour ne pas gâcher cet instant. Aucun de nous ne prend l'initiative d'embrasser l'autre. Ce soir, ce simple contact nous suffit. La fatigue finit par nous rattraper et nous retournons chacun dans sa chambre pour terminer la nuit.

Mon cousin se réveille vers 7 heures. Nous gagnons la cuisine. Jérôme et Vincent sont déjà là. Je les salue mais aucun des deux ne me répond. Cela me conforte dans l'idée que je dois chercher au plus vite un endroit pour moi en dehors de la communauté. Jules arrive et me sourit. Heureusement qu'il est là, lui. Yannis débarque le dernier et déclare que nous devons nous rendre dès aujourd'hui à la Conciergerie. Les autres sont perplexes et craignent les patrouilles et les drones auxquels ils seront confrontés à l'extérieur. Je leur propose d'aller repérer un itinéraire par les souterrains du métro et les égouts.

Jérôme décrète finalement qu'ils se rendront demain à la tour de l'Horloge si j'ai trouvé d'ici là une voie praticable. Yannis voudrait m'accompagner. Je fais mine de ne pas entendre car je préfère y aller seule.

Je suis dehors quelques minutes plus tard. J'avance presque à quatre pattes jusqu'au bord de la dalle. Je passe la tête au-dessus du muret. Je prends le temps de bien observer les alentours avant de me risquer dans les escaliers pour atteindre la rue en contrebas. Je pénètre dans la station de métro Olympiades. Je comprends qu'elle a été récemment le décor de violents combats. Chaque bande a récupéré ses morts mais personne n'a songé à nettoyer les traces de sang. Alors le sol est un peu collant. Je consulte le plan du métro. Le trajet est facile à mémoriser. Je vais suivre la ligne quatorze jusqu'à Châtelet puis prendre la quatre jusqu'à la station Cité. Je m'engouffre dans le tunnel en direction du centre de Paris. Je marche sur les traverses, juste accompagnée par le bruit de mes semelles sur le bois. J'économise ma torche et ne la rallume qu'aux intersections. Je fais des pauses pour m'assurer que le silence n'est pas perturbé par d'autres sons que ceux que produisent les colonies de rats qui prolifèrent un peu partout. Je croise une bande de quatre types juste après les quais de Cour Saint-Émilion. Je les ai entendus venir de loin et j'ai eu le temps de trouver une cachette. Eux ne cherchent pas à être discrets, chantent du rap ou s'amusent à se faire peur en poussant des cris de bêtes. Le vrai danger surgit un peu plus tard à la station Gare de Lyon. Je repère un groupe important d'ados munis de torches et accompagnés de chiens. Ils sont rangés par deux et portent des brassards fluos. J'entends un adulte s'adresser à eux, sans doute un militaire. Il leur désigne des zones à inspecter. Ils doivent utiliser leur sifflet s'ils entendent le moindre bruit suspect. Je me suis calée dans un renfoncement et je prie pour que le répulsif de Mamm-gozh fonctionne. Les deux gars qui patrouillent dans mon tunnel discutent tranquillement. Ils se racontent des anecdotes sur les chasses à l'homme auxquelles ils se livrent quotidiennement. Ils prennent plaisir à en exposer les épisodes les plus sordides. Un coup de sifflet lointain les coupe dans leur conversation répugnante. Ils détalent, soudain très excités, pour se lancer à la poursuite de leur future proie. J'attends encore quelques minutes pour repartir. La station Châtelet est immense. De longs couloirs relient les différentes lignes. Je me sens moins à l'abri que dans les tunnels car les murs n'offrent aucun recoin où se dissimuler. J'arrive enfin à destination. Je me repère sur le plan du quartier affiché dans la station. Je suis tout près du Palais de justice, mais dans une rue parallèle. Je risque une tête à l'extérieur. C'est calme. J'avise la première plaque d'égout, la retire et descends par l'échelle métallique. J'ai la direction en tête et m'enfonce dans les rues souterraines. Je longe la Conciergerie, j'oblique à gauche après l'angle où se trouve la tour de l'Horloge. Je soulève une plaque et constate qu'elle est située à quelques dizaines de mètres de la cour intérieure par laquelle je suis entrée quelques jours plus tôt. Mission accomplie. Je peux rebrousser chemin.

Durant le trajet du retour, entre deux stations, là où la pénombre est la plus dense, je sens une présence humaine. Le gars a les mêmes réflexes que moi : au moindre bruit, se cacher, rester immobile en attendant que l'autre s'avance. Là, si aucun de nous deux ne se décide à bouger, on va y passer la nuit. J'engage la discussion :

– Je ne cherche pas l'affrontement, je veux juste continuer mon chemin.

– Moi aussi, répond l'autre. Montre-toi la première et…

– Non, bougeons ensemble et croisons-nous en conservant nos distances.

– OK, on fait ça tranquillement. Attention, je suis armé et j'ai déjà flingué des gens.

– Moi aussi.

Je me lève et progresse de quelques pas. Je l'entends qui fait de même. Nous sommes à deux mètres l'un de l'autre. Je devine sa silhouette et oriente mon pistolet vers lui. Il a braqué le sien sur moi. Je ne distingue pas son visage. Nous nous doublons et accélérons chacun le pas. C'est fini. Je suis vivante. Je cours jusqu'à l'entrée de l'immeuble de Jules.

Je rejoins les autres et leur fais un rapport détaillé. Ils me confirment que je les accompagnerai sur place demain à l'aube. Je croise Max qui m'accorde à peine un regard. Il joue avec Alicia. Il doit apprécier que je sois de nouveau là mais n'a aucune envie de passer du temps avec moi. Cela me déçoit. Je ne suis revenue que pour lui.

Je m'engage dans les escaliers à la recherche d'un appartement qui ne sera que pour moi, où je pourrai recevoir Max ou Yannis. J'avoue avoir pensé à ce dernier plusieurs fois au cours de la journée. Nous avons passé nos deux dernières nuits ensemble, côte à côte sous le même duvet ; ce soir, irons-nous plus loin ? J'en ai très envie. Son contact m'apaise et me rend joyeuse. Et j'ai l'impression que si je passe la nuit seule, je vais encore broyer du noir ou me faire de mauvais films. J'ai déjà vécu une expérience sexuelle avec Marek, mais si je ne tente rien avec Yannis, ça restera peut-être la seule. Ce serait dommage. Je rougis de mon audace. Est-ce que c'est normal d'avoir des envies comme ça ?

Je suis sur le palier du deuxième étage. Deux portes sont restées ouvertes après le passage des pillards. Je préfère forcer la troisième, celle qui a été claquée, car l'appartement a plus de chance d'avoir échappé à l'invasion des rats. J'utilise la radiographie de Mammgozh pour l'ouvrir. En imitant les gestes de Youss, j'y parviens après plusieurs tentatives infructueuses. Je ne détecte pas d'odeur désagréable. L'appartement appartenait peut-être à une famille qui, avant de s'enfuir, avait évacué les matières périssables des divers rangements. Malgré le froid, j'aère en grand. Je visite la chambre de l'enfant, une petite fille nommée Nine. C'est marqué sur sa porte. Elle me rappelle la mienne quand j'avais quatre ou cinq ans, surtout le lit envahi de peluches. Moi, avant de dormir, j'en installais tout autour de mon oreiller et ensuite je ne pouvais plus bouger. Il y a aussi le petit bureau pour jouer à l'école comme les grands qui ont du travail. Il est rose fuchsia et décoré de petites empreintes de mains, sans doute réalisées en utilisant la paume des menottes de la fillette comme un tampon de peinture blanche. L'image est trop précise pour pouvoir m'échapper. Mamm-gozh est de retour pour la série du neuf de la comptine *Ar Rannoù*. Cela faisait une semaine qu'elle ne m'avait plus donné de signes. Je ne vais pas vérifier s'il y en a le bon nombre, le message est déjà assez clair, rien qu'avec le prénom de celle qui dormait là. Nine prononcé à l'anglaise, c'est le chiffre neuf. Je ne vais pas chercher non plus dans sa petite bibliothèque un conte breton avec des korrigans ou un imagier avec des bébés animaux. Tout s'y trouverait certainement.

« *Chante-moi la série du neuf jusqu'à ce que je l'apprenne aujourd'hui* », demande l'enfant.
Et le druide lui répond :
« *Neuf petites mains blanches sur la table de l'aire, près de la tour de Lezarmeur, et neuf mères qui gémissent beaucoup. Neuf korrigans qui dansent avec des fleurs dans les cheveux et des robes de laine blanche, autour de la fontaine, à la clarté de la pleine lune. La laie et ses neuf marcassins, à la porte de leur bauge, grognant et fouissant, fouissant et grognant ; petit ! petit ! petit ! accourez au pommier ! le vieux sanglier va vous faire la leçon.* »

Je sors de la chambre et me dirige vers la cuisine. À chaque fois que je me fais surprendre par cette comptine, cela me provoque un petit pincement au ventre. Je devrais pourtant être habituée. Il ne reste plus que trois séries. Et après, que se passera-t-il exactement ? Vais-je vraiment voyager dans le temps ? Est-ce que je ne suis pas en train de me monter la tête toute seule ? Est-ce que Stéphane n'a pas raison quand elle dit que je ne vois que ce que je veux voir ?

Je déniche un sachet de thé à l'odeur un peu sucrée et une bouteille d'eau minérale. Quand la boisson est prête, j'en remplis un thermos. Je m'assieds à même le sol du couloir pour me remettre de mes émotions.

J'ouvre les armoires pour en sortir des draps, des couvertures, des coussins et des couettes. Je vide le centre du salon en poussant les meubles contre les murs et je vais récupérer un grand matelas dans la chambre des parents, que je pose par terre. Je dispose harmonieusement toutes mes trouvailles pour construire une sorte de nid douillet. Je déniche une lanterne avec une bougie à peine entamée dans la cuisine. Je la place près de mon oreiller avec une boîte d'allumettes. Cette nuit, je dormirai allongée et au chaud.

Je trouve un trousseau de clés abandonné sous le bureau d'une chambre d'ado. Avec l'une d'elles, je parviens à fermer mon nouvel appartement. Je descends sur la dalle pour négocier avec la communauté d'une tour voisine deux jerrycans d'eau trouble, sans doute venue de la Seine, contre des paquets de gâteaux pur beurre. Je mets un peu d'eau de Javel dans les deux bidons. Cela me permettra de ne pas dépendre sans cesse des autres.

Je fouille les petites poches de mon sac à dos à la recherche de préservatifs. La boîte neuve que ma mère y avait fourrée en douce quand j'étais partie en internat est toujours là. Je me rappelle que ça avait bien fait rire Cindy qui n'imaginait pas une seconde que la sienne puisse faire la même chose. Moi j'en avais été très gênée à l'époque. Je comprenais les motivations de ma mère mais je prenais ça surtout pour une intrusion dans ma vie intime. Qu'attendait-elle de moi ? Comment me voyait-elle ? Parler aurait été si simple. Mais elle en était incapable. La boîte n'a pas bougé depuis ce temps-là. La première fois, Marek avait sorti le sien.

J'ai observé Yannis pendant le dîner. Il a passé son temps à discuter avec Jules. Ne s'intéresse-t-il plus à moi ou se montre-t-il timide en public ? Si c'est la seconde hypothèse qui est vraie, je lui donne raison. Moi non plus, je n'aime pas m'afficher devant les autres. Je vais filer un coup de main à la vaisselle puis j'irai coucher Max qui s'est métamorphosé en l'espace d'une journée. Et ce n'est pas seulement grâce à moi. Je suis contente qu'il soit heureux mais j'aimerais qu'il fasse preuve de plus d'affection à mon égard.

Je retrouve Yannis et son chien dans le couloir. Il m'attendait. Je crois que nos corps sont irrésistiblement attirés l'un par l'autre car sans prendre le temps de nous adresser le moindre mot, nous nous embrassons. À cet instant, aucun de nous deux ne semble se soucier que quelqu'un puisse nous surprendre. Je l'entraîne chez moi. J'attire discrètement son animal dans la cuisine où je lui verse quelques gouttes de mon calmant magique dans un bol.

– Ça te plaît, mon aménagement ? Je voulais faire un nid douillet et bien chaud.

– C'est très beau, déclare-t-il en souriant.

J'allume la lanterne et éteins ma torche.

Je me déshabille entièrement et m'allonge sur le dos. Je ferme les yeux. Je sens la chaleur de la bougie se promener sur mon corps. Je suis parcourue par des frissons de plaisir. Après quelques secondes, il s'étend près de moi mais sans quitter ses vêtements. Il hésite. Je lui prends la main.

– Je ne l'ai jamais fait, lâche-t-il timidement.

– Je n'ai pas beaucoup d'avance sur toi, tu sais. Moi, ma première et seule fois, c'était il y a à peine un mois.

– C'était qui ?

– Il s'appelait Marek.

– Tu l'aimais ?

– Je ne crois pas. Je l'ai fait pour m'assurer que j'en étais capable. Mais ça reste un beau souvenir.

Je sens qu'il a du mal à franchir le pas et je commence à avoir froid. Je le rassure comme je peux. Il se décide enfin. Enfouis sous les couvertures, nous prenons le temps de nous guider l'un et l'autre vers ce qui nous fait du bien. Ce soir, j'ai eu raison d'oser.

18 DÉCEMBRE

Je suis dans la salle gothique. Le combat fait rage. Des soldats casqués tirent sur tout ce qui bouge. Mes camarades sont cachés derrière les piliers, pétrifiés par la peur. Je flotte au-dessus d'eux. Les lasers rouges des snipers illuminent mon corps. Le bruit des balles est assourdissant. Aucune ne me touche car un champ de forces me protège. Je suis entraînée inexorablement vers les escaliers. Je m'enfonce dans la pénombre des souterrains. Une porte brille d'une douce lumière bleue. Je l'ouvre.

– Kori ? Kori ! Qu'est-ce qui t'arrive ?

Ma respiration est saccadée. Yannis me caresse la tête. Je reprends progressivement conscience de l'endroit où je me trouve. Mamm-gozh m'a encore parlé. Cette fois-ci, j'ai vu ce qui se passera le 24 à minuit. Je garde les yeux fermés un long moment pour me remettre de mon rêve.

Yannis me regarde, les yeux pleins de gentillesse. Je ne sais pas s'il éprouve des sentiments pour moi ou s'il aimerait en éprouver. Peut-on vraiment s'attacher à quelqu'un en si peu de temps ? Cette nuit, nous ne nous sommes rien promis mais nous étions heureux dans les bras l'un de l'autre. Je préfère être claire avec lui au cas où il se ferait des idées sur mes sentiments :

– Yannis… Merci, c'était bien. Mais il ne faut pas qu'on s'engage plus loin. Je n'aime pas mentir. J'ai un destin qui m'appelle et je dois l'affronter seule.

Je me détourne pour ne pas rencontrer son regard. Je couvre ma tête avec le drap et essaie de retrouver le sommeil.

Il est 6 heures et nous sommes déjà debout. C'est moi qui fais le guide dans les souterrains et la troupe me suit, concentrée et silencieuse. Au début, j'essaie d'éviter Yannis. Mais je suis en partie rassurée quand je le vois me sourire. Soit il ne m'en veut pas, soit il prend sur lui pour faire bonne figure. Il ne m'a pas vue faire mais j'ai vaporisé ses vêtements avec mon répulsif. Je lui dois bien ça. Je veux qu'il vive longtemps et qu'il reste beau. Le parcours me paraît plus court que la veille car j'y ai mes repères. Nous arrivons sans dommages jusqu'à Châtelet. Nous croisons tout de même en chemin une marée de rats qui impressionnent fortement mes camarades. J'agite ma veste couverte de répulsif au-dessus de leurs têtes pour écarter les rongeurs. Les bêtes s'éloignent et les esprits s'apaisent. Comme la veille, des patrouilles ont été déployées vers le centre de Paris. Les autorités ont bien compris que les souterrains sont la voie de passage idéale pour les clandestins soucieux d'éviter les drones à l'extérieur. Nous ne sommes plus très loin du but quand nous sommes repérés et pris en chasse. Les autres me suivent jusqu'à la station Cité puis dans les égouts. Nos poursuivants perdent vite notre trace. Nous pouvons alors pénétrer tranquillement dans la Conciergerie. Je les laisse découvrir les étages et les recoins de l'immense salle sans moi. Sans leur expliquer où je vais précisément, je pénètre dans les sous-sols de la tour de l'Horloge. Je me dirige vers la petite pièce où je me suis presque évanouie la fois précédente. Lorsque j'ouvre la porte, ce n'est pas du tout le même choc. Je ne vois aujourd'hui que la banalité de l'endroit. Je promène mes mains sur les plaques d'isolation, à la recherche d'un signe ou d'une quelconque sensation nouvelle. Rien. Je note tout de même, pour ne pas le regretter ensuite, la série de chiffres que j'avais découverte à ma première visite :

25.12 (0.05) – 275 / 25.03 – 1

Je crois qu'ils n'ont qu'une signification technique, peut-être en vue de travaux électriques. Sur le sol, je ramasse un ticket d'*Astrochance*, un jeu de grattage ayant pour thème les signes du zodiaque. C'est le symbole du sagittaire qui est représenté, un centaure qui vise avec son arc quelque chose ou quelqu'un derrière lui. Je lâche la carte qui retombe en planant pratiquement à l'endroit où elle était tout à l'heure. Je dois me rendre à l'évidence, je n'ai rien trouvé tout simplement parce qu'il n'y a rien.

Je remonte vers la salle d'armes. À quoi pouvais-je m'attendre ? À un graffiti avec une grosse flèche indiquant *C'est là, Kori* ? Comment reconnaître une chose qu'on n'a jamais vue ? À quoi ressemble un vortex ou une machine à remonter le temps ? Dans la réalité, personne n'en sait rien. Pour moi, contrairement à ce que pense Stéphane, cela ne signifie pas pour autant que ça n'existe pas. Peu de gens dans le monde peuvent connaître l'ensemble des avancées de la science. Il est possible qu'on développe quelque part des projets ultrasecrets mais que ceux qui nous gouvernent ne les dévoilent pas à la population parce qu'ils ont peur des conséquences. Est-ce que, si le passé était touché, le monde ne s'écroulerait pas comme un château de cartes?

Yannis craque. Il annonce qu'il ne viendra pas le 24. Je ne sais pas à quoi est dû ce revirement. Il veut à tout prix nous dissuader d'y aller nous aussi. Il a peur pour nous. Les autres essaient de le convaincre. Ils ont tort. Chacun a le droit de choisir son destin, surtout cette nuit-là. Je lâche :
– Fais ce que tu crois juste, mais…
– Tu ne peux pas abandonner ! me coupe Vincent. On a besoin de toutes les forces pour…
Jules le fait taire amicalement et se rapproche de Yannis. Ils se parlent et s'échangent des objets comme deux frères qui se séparent pour toujours. Je fais quelques pas de côté. Je me sens exclue. Je l'ai bien cherché. Yannis passe près de moi et me sourit. Je fais de même par réflexe. Ce gars restera pour moi un mystère, comme j'en serai sans doute un pour lui. Nos vies n'ont fait que se croiser et nos chemins sont différents.

Nous rentrons sans encombre aux Olympiades. Sur le chemin, personne ne parle. Nous sommes tous concentrés sur le moindre signe qui pourrait annoncer un péril. Je n'ai toujours pas compris la raison du départ de Yannis.

Je n'arrive pas à me retirer de l'esprit que ma décision de ne pas aller plus loin avec lui en est une des causes. Mais peut-être que je me trompe et que je me fais des illusions sur ses sentiments. Il est plus certainement allé rejoindre Stéphane qui doit lui manquer. Les épreuves qu'ils ont traversées ensemble les ont liés pour toujours. Ils se sont mutuellement sauvé la vie sur le chemin de Paris. J'en viens même à espérer qu'ils se découvrent amoureux. Les savoir ensemble me rassurerait. On survit mieux à deux.

Nous sommes de retour en milieu de matinée. Je décide de me laver soigneusement pour me débarrasser de mon odeur d'égout. Puis je m'allonge dans mon nid pour me reposer de mon expédition du matin et prendre un peu d'avance pour la nuit prochaine. Je me suis proposée pour assurer la garde en bas des escaliers. Je l'ai fait pour ne pas être considérée comme un parasite vivant aux crochets de la communauté. J'ai des affinités avec Jules et Katia. Je sais que je dois beaucoup à Maïa mais je la trouve froide avec moi et je n'ose pas l'aborder. Jérôme, leur chef, m'exaspère carrément avec sa manie de vouloir tout contrôler.

Je reste deux heures à rêvasser mais sans trouver le sommeil. Je pense aux récits des écrivains qui ont tenté d'imaginer à quoi pouvait ressembler un endroit ou un objet permettant de voyager dans le temps. Certains parmi eux sont peut-être des visionnaires, et je pourrais me référer à leurs descriptions. Des couloirs saturés de brume électrique aux couleurs scintillantes, des trous noirs sans fond, des portes lumineuses… Je n'ai rien vu de tout cela dans les sous-sols. Mais il existe aussi des récits où l'on explique que le phénomène ne se matérialise qu'à un moment précis parce que les passages ne sont pas ouverts en permanence. Je n'ai plus que cet espoir auquel me raccrocher. Le passage existe mais il ne se matérialisera que le 24 après minuit pour moi.

Je participe à la préparation du repas et j'aide à faire la vaisselle, puis je regagne mon repaire en début d'après-midi. J'ai croisé Max à plusieurs reprises. Il me semblait heureux. Tant mieux.

Je mange le soir avec les autres mais sans écouter leurs discussions. Je faisais souvent ça à la maison. Pour mes parents qui parlaient rarement pour ne rien dire, cette habitude était considérée comme un manque de respect. Le ton montait soudainement, et moi je redescendais brusquement de mon nuage pour affronter la tempête de reproches, les « Tu t'en fous de ce qu'on dit ! » « Tu ne penses qu'à toi ! ». Avant, quand Mamm-gozh était encore là, elle prenait ma défense en disant que c'était dans ma nature et que ce n'était pas contre eux. Je salue tout le monde et gagne le couloir pour aller prendre mon tour de garde. J'ai prévu ce qu'il faut pour m'isoler du froid, de quoi boire et grignoter. Vincent me prête un talkie-walkie, pour communiquer avec lui en cas de besoin, et une arme de mafieux qu'on voit dans les films, un pistolet-mitrailleur Uzi. Il me montre comment le charger et défaire les sécurités. Il me donne aussi quelques conseils :

– Tu ne t'en sers qu'en cas d'attaque surprise d'une bande. Tu vides un chargeur pour les freiner et tu viens nous prévenir. Je t'en donne quand même un autre. Il y a trente balles à chaque fois. Si tu maintiens ton doigt sur la gâchette, tu n'en as que pour quelques secondes. Mais rassure-toi, tu n'auras sans doute pas à t'en servir. T'as déjà tué quelqu'un, toi, le fou qui voulait brûler Alicia. T'en as tué d'autres depuis ?

Décidément, je n'arrive pas à me faire à cette question. Je sais que, venant de sa part, il n'y a pas d'arrière-pensées morbides. Mais je ne parviens pas à répondre.

Je suis seule depuis trois heures et je n'ai pas sommeil. J'ai examiné de près l'engin de mort qu'on m'a confié. Il pèse au moins quatre kilos mais n'est pas trop encombrant. Je le manipule avec douceur, même si je sais que les sécurités sont toutes en place.

19 DÉCEMBRE

Je descends toutes les heures sur la dalle pour tendre l'oreille et humer les odeurs. Des immeubles brûlent, des tirs sont échangés, des hélicos patrouillent, mais c'est très loin de nous, vers l'est de Paris. Je fredonne des chansons et je gamberge sur l'avenir. J'élabore des scénarios avec des centaines de « si ». Je me fais des films où « Super-Koridwen » sauve l'humanité du chaos. Je suis ridicule mais ça m'occupe.

Vers 5 heures, je sens se former une boule d'angoisse dans mon ventre, accompagnée d'un goût amer dans ma bouche. J'essaie de me raisonner : Kori, tu n'as plus le droit d'avoir de sales pensées.

Je récite à haute voix des phrases qui sont censées me rassurer :

– Mamm-gozh est avec toi. Elle t'accompagnera.

Cela ne marche pas. Mes joues se couvrent de larmes. Je m'entends prononcer avec une voix de petite fille :

– Maman, pourquoi tu m'as laissée ? Et toi, papa, où étais-tu encore ?

Pleurer me fait du bien. Je me laisse aller de longues minutes. Ensuite, je me lève et vais marcher sur la dalle.

Je respire l'air froid à pleins poumons. La crise semble se passer.

Vers 6 heures, j'entends une porte d'un des appartements s'ouvrir. Quelqu'un descend. C'est Jules. Il m'annonce qu'il remplacera Séverine qui devait prendre la relève mais qui est malade. Il a une heure d'avance. Il s'assoit près de moi. Après quelques secondes d'hésitation, il se lance :

– Tu crois encore à Khronos malgré les révélations des autorités ?

Que veut-il que je lui dise ? Lui semble avoir fait le deuil de ses espoirs. Il n'ira au rendez-vous que pour voir ou éventuellement rallier quelques Experts aux projets futurs de sa communauté.

– Khronos n'existe pas. J'en avais eu l'intuition avant même que Stéphane et Yannis n'ouvrent le fichier de la police militaire.

– Tu t'en doutais, c'est cela ?

– Ce n'était pas très net. Je reconnais que le voir écrit et démontré sous mes yeux, ça m'a quand même filé un sacré choc.

– Et tu crois qu'on peut quand même remonter dans le temps ?

– Pour tout t'avouer, je ne suis sûre de rien. Mais je reste ouverte à toutes les possibilités. Je passe par des phases de doute profond. À d'autres moments, ma conviction est sans faille.

Il insiste. Il veut savoir sur quoi repose ma croyance. J'évoque mes rêves qui sont de plus en plus précis,

Mamm-gozh qui veille sur moi et m'encourage depuis là-haut. Il me regarde sans sourire. Il ne me juge pas.

– J'aimerais que tu aies raison, Kori, déclare-t-il gravement. Je ne sais pas si je peux y croire, mais j'aimerais que les choses puissent redevenir comme avant.

J'abandonne Jules un peu avant 7 heures. J'ai tenu bon sans m'assoupir un seul instant et je suis heureuse de retrouver mon lit. Je m'écroule dans mon nid.

J'ai dormi comme une masse jusqu'à 14 heures. Au réveil, j'ai très faim. Je monte dans l'appartement commun où je croise mon cousin. Il vient se blottir contre moi. Ce contact me fait un bien incroyable. Un câlin spontané, de sa part, c'est devenu rare. Je lui caresse les cheveux. Il se laisse faire. Bientôt, je devrai l'abandonner et, cette fois-ci, je ne pourrai rien lui promettre. Il se relève, me sourit et va jouer avec son amie Alicia. Je reste avec Katia. Mais pendant un long moment nous ne savons pas trop quoi nous dire. Nous n'avons jamais rien partagé ensemble, ni une activité intéressante ni une passion, alors c'est difficile. C'est elle qui rompt le silence:

– Qu'est-ce que tu aimes lire, Koridwen?

– Pas grand-chose, dis-je en me sentant un peu coupable. Au début du collège, j'aimais les romans d'aventure, les romances aussi. Ensuite, je me suis mise à Warriors of Time. J'ai vite été accro au jeu. Surtout que nous habitions près d'une antenne relais, alors la connexion était très bonne. Tu vois, je ne suis pas une fille très intéressante.

– Tout le monde est intéressant, dit-elle de sa voix douce.

– Tu es déjà montée sur le toit de l'immeuble ?

– Non, jamais. Mais je sais qu'il y a plus de trente étages à grimper à pied.

– Tu viens avec moi ? Ça nous fera bouger un peu.

– Après tout, pourquoi pas ? Je vais prévenir Séverine.

– Séverine, c'est la fille blonde dont je n'ai pas encore entendu le son de la voix ?

– Oui, c'est une timide, mais elle gagne à être connue.

Nous attaquons les marches un peu vite et nous sommes obligées de faire notre première pause avant même d'avoir atteint le dixième. Mais l'effort commun nous rapproche. Katia se laisse aller à quelques confidences sur sa famille. Elle appartenait à un milieu aisé mais ne semblait pas plus heureuse que moi avec ses parents. Au moins avait-elle des frères et sœurs pour se consoler. Moi je lui parle de Max que je considère comme mon petit frère alors qu'il est un peu plus vieux que moi. Nous faisons des arrêts tous les cinq étages. Il y a des secteurs où la puanteur est insoutenable. Il y a donc derrière certaines de ces portes des cadavres qui continuent à se décomposer. Aucune de nous n'y fait allusion. C'est inutile et nous ne connaissons cela que trop bien. Nous arrivons enfin au sommet. Je mets en place l'échelle métallique et je grimpe la première. La trappe s'ouvre facilement et nous accédons au toit-terrasse. J'imagine que l'endroit pouvait servir à évacuer des sinistrés avec des hélicos en cas d'incendie. Là-haut, nous sommes saisies par le vent et la beauté de la vue. C'est la première fois depuis que je suis à Paris que je reconnais les images que j'avais de cette ville. Ici, je connais mieux les égouts et les tunnels que ce qui fait la renommée de la capitale. J'aperçois la tour Eiffel, le Sacré-Cœur et l'Arc de triomphe. Katia sourit de me voir m'extasier sur ces monuments pour touristes. Nous restons à l'abri, et seules nos têtes dépassent par instants du parapet. Soudain, plusieurs avions gros-porteurs arrivant par l'ouest nous survolent dans un bruit assourdissant. Ces engins transportent sans doute des hommes prêts à en découdre avec ceux qui ne veulent pas rentrer dans le rang. Je relève, amusée :

– Il y en a dix, c'est ça ?

– Oui, confirme Katia. Dix. Ils se dirigent vers le nord-est de la banlieue. On pourrait rentrer ? Je ne me sens pas très bien et j'ai froid. Vincent m'a dit de me méfier des drones.

En redescendant, je chantonne en sourdine :

« Chante-moi la série du dix jusqu'à ce que je l'apprenne aujourd'hui », demande l'enfant.

Et le druide lui répond :

« Dix vaisseaux ennemis qu'on a vus venant de Nantes : malheur à vous ! malheur à vous ! hommes de Vannes ! »

– C'est quoi cette chanson ? demande Katia.

– C'est rien.

Je retourne chez moi et ne revient les aider que pour le repas. Au dîner, Jérôme explique à ses amis qu'ils vont devoir quitter leur appartement. Il craint que dans les prochains jours l'armée attaque les Olympiades qu'elle considère comme un repaire de hors-la-loi. Il a même fait part de ses intentions aux autres chefs de gangs de l'endroit. Il leur annonce aussi qu'il a trouvé un lieu à quelques centaines de mètres où ils vont pouvoir se replier. La décision est mise au vote pour la forme, car personne ne conteste jamais l'autorité du chef. Ils organisent les aspects pratiques du déménagement. Puis leurs regards se tournent vers moi qui suis restée en dehors de leur discussion.

– Je vous aiderai à transporter vos affaires et à vous installer, mais après je retournerai dans mon ancien logement à Gentilly. J'espère que les soldats n'y ont pas mis le feu et que je pourrai récupérer quelques affaires. Je reviendrai dès que possible.

– Tu vas courir des risques pour rien. Ici, nous avons tout ce qu'il nous faut, intervient Katia.

– Je suis une fille prudente.

– Et pour le grand soir ? interroge Vincent.

– Je n'ai pas changé d'avis, je serai là.

20 DÉCEMBRE

Dès 5 heures, tout le monde est sur le pont pour remplir des sacs et les entasser dans l'entrée. Je participe au premier voyage. Maïa reste sur place pour surveiller Alicia et Max et continuer le tri. Je les guide dans les égouts. Pour Séverine et Katia, ce doit être une première fois car je les sens particulièrement fébriles. Nous débouchons juste devant leur nouvel immeuble. Vincent sort en premier et se plaque contre le porche. Il passe un long moment à scruter le ciel avant de nous autoriser à sortir de notre trou. Nous investissons le nouveau lieu qui est moins spacieux que le précédent. Les deux filles vont rester sur place pour commencer l'emménagement. Je repars avec les gars pour les voyages suivants. Jérôme annonce qu'il leur sera désormais impossible d'ouvrir les volets car des drones patrouillent en permanence à la recherche du moindre mouvement suspect. Avant d'effectuer le dernier voyage, je prends mon cousin à part pour lui expliquer qu'il va encore changer de lieu. Il m'écoute sans se braquer et prépare lui-même une partie de ses affaires. L'idée de sortir enfin de l'appartement le réjouit, même si c'est pour entrer presque immédiatement dans les souterrains. Jules a pris Alicia dans ses bras. Elle est très impressionnée et garde les yeux fermés pendant tout le déplacement. L'après-midi est consacré au rangement et à une expédition de ravitaillement. Nous écumons les réserves des restaurants du coin. Il est de plus en plus difficile de trouver de la nourriture qui n'ait pas été entamée par les rats ou les insectes. Nous nous rabattons le plus souvent sur des boîtes de conserve. À long terme, un tel régime alimentaire créera des carences. Je pense surtout à Alicia qui est en pleine croissance. J'en parle à Jérôme qui m'informe qu'ils ont un projet de départ pour la campagne. Je n'ose pas m'engager tout de suite mais si mon matériel n'a pas été trop endommagé, je pourrai leur en faire cadeau. Je me rends compte qu'à l'approche de l'échéance je ne retiens plus l'hypothèse d'un échec du voyage dans le temps.

Je passe la soirée avec eux et leur confirme que j'ai prévu de partir le lendemain matin. Je mettrai Max au courant en le couchant ce soir pour qu'il ne s'inquiète pas de mon absence au réveil. J'annonce à Jules que je serai de retour le surlendemain.

Dehors les haut-parleurs hurlent des ordres d'évacuation, et des sirènes retentissent à intervalles réguliers comme des coups de semonce. Un peu avant minuit, les murs se mettent à trembler. Ce sont les hélicos qui s'attaquent aux tours. Jérôme a eu raison de réagir si vite. Une odeur entêtante de kérosène s'infiltre dans l'appartement, et des flammes gigantesques montent à l'assaut des gratte-ciel. C'est le nettoyage au napalm auquel avaient assisté Stéphane et Yannis lorsqu'ils étaient à Lyon. Tout le monde est debout, sauf Alicia et Max qui roupillent comme des bienheureux. Les membres de la communauté se tiennent deux par deux devant les fenêtres, essayant d'apercevoir le spectacle entre les lames des volets. Je me rends compte qu'ils se tiennent la main. Je n'avais pas remarqué qu'ils formaient tous des couples : Maïa et Jules, Katia et Vincent, Séverine et Jérôme. Je suis donc la seule célibataire du groupe. Il est vraiment temps que je parte. Je vais leur faire cadeau de ma boîte de préservatifs.

21 DÉCEMBRE

Je me réveille vers 6 heures. Le feu aux Olympiades n'est pas complètement éteint. Il n'y a plus de flammes, mais une fumée épaisse continue de s'échapper du sommet d'une des tours. Je salue Vincent et Jérôme qui prennent déjà leur petit déjeuner. Nous parlons de ceux qui dorment encore avec bienveillance. Ils forment comme une vraie famille. Je leur serre la main avant de sortir. Le chef me sourit pour la première fois.

– Bonne chance, Kori. Si la voie n'est pas libre, reviens tout de suite. Tu es toujours la bienvenue.

Venant de lui, cette invitation me surprend et me réjouit.

– Merci. Bonne chance à vous aussi. Je repasse demain.

Je prends le chemin des égouts. Mes pas résonnent sur le ciment. Après un bon kilomètre, je sens que je n'y suis pas seule. J'ai l'impression qu'ils sont au moins deux, pourtant ils ne se parlent pas. Ils sont devant moi mais je n'arrive pas à déterminer à quelle distance. Je continue d'avancer tout en ralentissant l'allure pour ne pas risquer de les rattraper. Pourquoi seraient-ils obligatoirement agressifs ? Je sors tout de même mon arme. Je garde la frontale allumée parce que je ne connais pas assez les lieux et j'ai peur de glisser dans l'eau puante. Soudain, je ne les entends plus. Peut-être m'attendent-ils pour me tendre un piège. Je me blottis dans un renfoncement, éteins ma lampe et retiens ma respiration.

Le faisceau de leurs torches éclaire les parois à une centaine de mètres. Ils ont rebroussé chemin et me cherchent. J'arrive à distinguer leurs silhouettes. Deux garçons. Ce ne sont pas des jeunes enrôlés par l'armée parce qu'ils ne portent pas de brassard. Ils sont deux. Ils se parlent à voix basse :

– Imagine que ce soit une fille…

– Ne rêve pas. Elles ont rejoint les R-Points depuis bien longtemps. Celles qui restent ne sortent pas sans escorte. Ou alors c'est une vraie folle.

Je suis coincée. Je m'en veux. J'aurais dû repartir en arrière ou sortir par n'importe quelle bouche d'égout aux premiers signes de danger. Ils sont méticuleux et fouillent les moindres recoins. J'arme mon flingue. Ils m'ont entendue et se figent. Ils éteignent leurs torches en même temps. Ils ne veulent pas me servir de cibles.

– On veut juste causer, lance un des deux. Montre-toi et présente-toi.

S'ils entendent ma voix, ils vont s'enhardir et ne me lâcheront pas. Je ne bouge pas.

– Si tu tires, prévient l'autre, tu vas attirer des patrouilles et je ne crois pas que tu en aies envie, n'est-ce pas ? Si tu étais de leur côté, tu ne traînerais pas dans les égouts.

J'ai les doigts crispés sur la détente et je commence à sentir mon bras ployer sous le poids de l'arme. Le gars s'énerve :

– Tu n'as aucune chance. Nous aussi, on est armés.

La voix s'est rapprochée. Ils n'ont pas renoncé mais doivent progresser sur la pointe des pieds. Ils se chuchotent un truc à l'oreille que je n'arrive pas à comprendre. J'imagine qu'un des deux va allumer les torches pendant que l'autre me visera. J'entends un décompte. Ils vont se synchroniser.

– 4, 3, 2…

Je tire avant d'être aveuglée par leur lumière. La détonation me vrille les tympans. Un cri étouffé m'indique que j'en ai touché un. Un objet en métal cogne bruyamment le sol. J'ai touché le tireur. J'allume ma frontale et mets l'autre en joue. D'une main, il essaie de retenir son copain dont le corps sans vie penche dangereusement vers le ruisseau où flottent des objets indistincts. Je shoote dans l'arme et lui arrache sa lampe. Je repars en arrière et escalade la première échelle venue. Je sors à l'air libre et replace la plaque. Je suis sur le boulevard Kellermann. En contrebas, je repère l'entrée du cimetière de Gentilly. J'ai au moins cinq cents mètres à parcourir. Je me lance en courant. Mon sac me pèse et je ne vais pas aussi vite que je le voudrais. Un bruit lointain me signale que j'ai été repérée. Je distingue bientôt l'engin qui ressemble à un jouet. J'éclate la vitre d'une voiture en stationnement et je plonge à l'intérieur. Je me souviens d'une discussion un soir au cours de laquelle Vincent expliquait qu'il y avait plusieurs sortes de drones. Certains sont équipés de caméra pour prendre des images réelles, d'autres de détecteurs thermiques. Dans les deux cas, il faut s'attendre à voir débarquer une patrouille dans le quart d'heure qui suit. Le drone s'est mis en mode stationnaire à une dizaine de mètres au-dessus du véhicule. Je le vise avec soin et le touche au second coup. Je ressors de la voiture et reprends ma course. J'entre dans le cimetière et coupe à travers les tombes. Je me jette littéralement dans le trou percé au milieu du caveau. Ça y est, je suis à l'abri au moins pour quelques minutes. Je reprends mon souffle et recharge mon arme. J'arrive assez vite par les égouts jusqu'à l'entrepôt. Le quartier a été nettoyé au lance-flammes. La façade du bâtiment est noircie et les vitres ont explosé sous la chaleur. Je découvre avec soulagement que l'intérieur a été partiellement préservé. Ils ont fouillé et éparpillé les affaires, saisi les armes et les cartouches. Je commence par boucher les fenêtres avec deux épaisseurs de carton. Cela me protégera du froid et empêchera la lumière de filtrer vers l'extérieur. Je me lance dans le ménage comme si je me préparais à un événement important. J'entreprends aussi un grand rangement de la bétaillère. Ces activités m'occupent physiquement mais me laissent le temps de réfléchir. J'ai peur de l'avenir. Si je retourne dans le passé, serai-je à la hauteur ? Est-ce que je saurai convaincre des gens importants de la menace qui pèse sur leurs concitoyens ? Pourquoi n'a-t-on pas confié la tâche à une fille comme Stéphane qui a un père expert en virus ?

Et si le voyage dans le temps n'a pas lieu, je serai sans doute arrêtée par les autorités, accusée d'association terroriste et emprisonnée. J'ai entendu Stéphane et les autres dirent qu'un vaccin avait été trouvé. Un semblant de vie normale sera bientôt possible et j'en serai exclue.

Je mange un peu, prends quelques cuillerées de mon « calmant maison », puis je m'enfouis tout habillée dans mon duvet. Il faut que je dorme. Demain j'y verrai plus clair.

22 DÉCEMBRE

Ce matin, je me réveille en proie au doute. C'est dans ces moments de réflexion à froid que je me dis que je me fais des films. Je vois bien que je mélange tout, ma vie d'aujourd'hui, les légendes bretonnes de Mamm-gozh et mes souvenirs du jeu. J'ai tendance à l'oublier parfois mais mon avatar qui se nomme Koridwen, ce n'est pas vraiment moi.

Alors comme ça, moi, je vais franchir seule le couloir du temps ? Sans même savoir comment ? Je m'en remets complètement à la magie, à la confiance que j'ai placée en Mamm-gozh. Si je n'étais pas si triste ce matin, je pourrais en rire.

Je vais me laver et faire un peu de lessive pour me remettre les idées en place. Lorsque j'ai terminé, je me mets à fouiller dans mon sac, mue par une inspiration que je ne comprends pas tout de suite. En fait, je cherche mon carnet sur lequel j'ai recopié les chiffres tracés sur une des parois du sous-sol de la tour de l'Horloge.

$$25.12 \ (0.05) - 275 \ / \ 25.03 - 1$$

Pourquoi cette envie soudaine de relire ces chiffres, de les observer ? Et là, c'est comme un flash, une brusque révélation. La signification des deux premiers nombres s'impose sans détour. Le 25/12, c'est le 25 décembre, la nuit du rendez-vous de Khronos. Le 0.05 pourrait indiquer l'heure. Après le 275, je trouve une autre date, le 25/3, pour le 25 mars. L'année n'est pas indiquée mais je remarque le – 1 juste après. Cela pourrait être une façon de désigner l'année précédente. Il s'agirait donc bien de repartir dans le passé. Mais que font les 275 intercalés à cet endroit ? Ils sont précédés comme le 1 du signe moins. Deux cent soixante-quinze jours ? Je fais un rapide calcul dans ma tête. Deux cent soixante-quinze jours, c'est juste neuf mois.

Je suis parcourue par des tremblements qui me feraient presque perdre l'équilibre. Je cherche de l'air en ouvrant grand la bouche. Cette série de chiffres peut ainsi s'interpréter de la manière suivante : le 25 décembre, juste après minuit, je reculerai de deux cent soixante-quinze jours pour me retrouver le 25 mars de l'année précédente. C'est donc la date à laquelle je vais débarquer dans le passé si le passage s'ouvre après-demain. Tout semble en place pour le grand voyage.

J'ai donc eu raison de suivre mon instinct en venant à Paris au rendez-vous de Khronos. Cela me fait drôle de repenser au maître de WOT qui, je le sais aujourd'hui, n'est qu'une Intelligence Artificielle. Les forces magiques qui me guident et qui ont conçu le projet de m'envoyer dans le passé ne pouvaient pas prévoir que j'accéderais à cette information. Elles voulaient simplement se servir du jeu et de son personnage principal pour me transmettre leur message et m'indiquer le bon endroit et le bon moment. Elles savaient qu'en tant qu'Experte, je ne pouvais pas passer à côté de leurs signes. C'était juste un moyen. Heureusement, moi, je l'ai compris et je n'ai pas renoncé comme les autres quand j'ai appris que Khronos n'avait pas de réalité physique.

Je me concentre maintenant sur le souvenir que j'ai gardé de la carte à gratter. Le personnage représenté était le Sagittaire. Le Sagittaire qui est mentionné dans la dernière série d'*Ar Rannoù*, celle qui annonce la fin. Comment n'y ai-je pas pensé avant ?

« Chante-moi la série du douze jusqu'à ce que je l'apprenne aujourd'hui », demande l'enfant.

Et le druide lui répond :

« Douze mois et douze signes ; l'avant-dernier, le Sagittaire, décoche sa flèche armée d'un dard. Les douze signes sont en guerre. La belle vache, la vache noire qui porte une étoile au front, sort de la forêt des dépouilles. Dans sa poitrine est le dard de la flèche ; son sang coule à flots ; elle beugle la tête levée : la trompe sonne ; feu et tonnerre ; pluie et vent ; tonnerre et feu ; rien ; plus rien ni aucune série ! »

Je me plonge dans la malle aux livres de Mamm-gozh. J'en sors un, intitulé *Les signes et les symboles dans la mythologie*. J'y trouve plusieurs pages sur le zodiaque. Je lis :

Le signe astrologique du Sagittaire est le plus souvent figuré par un centaure tirant une flèche. L'orientation du tireur est symbolique. On repère trois positions correspondant à chaque décan. Pour le premier, le centaure a le corps tourné en arrière et sa flèche retourne vers le passé. Pour le deuxième décan, il tire en l'air, ce qui figure l'instant présent. Pour le troisième, c'est l'avenir qu'il vise.

Le centaure de ma carte montrait le passé. Je sens mes joues s'embraser. Je ne peux partager mon trouble avec personne.

Je décide de retourner à la communauté, comme je l'ai promis. Je veux leur donner les clés de mon tracteur et ainsi leur léguer tout ce que je possède d'important. Je sais qu'ils en feront bon usage. Je me sentirai allégée de cet héritage et libre de suivre ma voie. De plus, pour réussir ma mission, je dois récolter des informations sur le vaccin auprès de Maïa qui est leur scientifique. Et puis j'ai envie d'embrasser Max. Je suis émue aux larmes rien qu'en pensant au moment où je l'étreindrai peut-être pour la dernière fois. Je ne ferai qu'un passage rapide chez mes amis parce que j'ai besoin d'être seule à présent et que rien ni personne ne vienne s'opposer à mon destin. J'ai le sentiment d'être différente des autres et d'être déjà un peu ailleurs.

Je suis dans les égouts quelques minutes plus tard. À la différence d'hier où je me suis fait piéger, je fais preuve d'une extrême prudence et m'arrête à chaque intersection pour tendre l'oreille. J'ai de la chance car je ne repère aucun bruit suspect tout au long du chemin. Les rats, en revanche, sont partout et en masse. Leur présence est presque rassurante. Si quelqu'un arrivait, leur comportement me donnerait l'alerte. Je fais un détour pour éviter l'endroit où j'ai tué quelqu'un la veille. J'ai trop peur que le corps soit encore là, à moitié dévoré par les rongeurs. Je débarque à la communauté en fin de matinée.

Heureusement Jules et Maïa sont là. Les autres sont de sortie. Je confie les clés du tracteur à Jules et lui demande solennellement d'adopter mon cousin. Il me regarde en souriant. J'ai l'impression qu'il s'y attendait.

– Bien sûr, dit-il. Alicia ne peut pas se passer de lui. C'est le grand frère qu'elle s'est choisi. Tu as eu du nouveau pour ton retour dans le passé, c'est ça ?

– Oui, je ne peux rien emporter ni emmener quelqu'un avec moi.

– Et tu as eu d'autres informations ?

– Je connais maintenant le lieu, la date et l'heure du départ. Ce sera dans un sous-sol de la tour de l'Horloge, un peu après minuit le 25 décembre.

– Comme dans le message de Khronos ?

– Pas tout à fait. Mais je ne peux pas trop t'expliquer. Je te remercie pour Max.

– Ce n'est rien, nous sommes amis.

– Tu as raison. Nous sommes amis.

Je vais voir Maïa pour qu'elle me dise tout ce qu'elle sait du vaccin. Je me rappelle qu'après notre retour de la fosse, les autres en parlaient tout le temps. Moi, à ce moment-là, j'étais surtout avec mon cousin. J'apprends enfin la raison pour laquelle nous seuls, les adolescents âgés de quinze à dix-huit ans, avons réussi à survivre à la maladie. C'est à cause de la vaccination massive dont nous avons bénéficié il y a quelques années, contre une forme violente de méningite. Je m'en souviens, j'étais en sixième. Je voulais que mes parents refusent l'injection, comme l'avaient fait ceux d'Ida, une copine de classe. Eux, c'était des écolos qui vouaient une haine farouche à l'industrie pharmaceutique. Aujourd'hui je me dis que ma mère a eu mille fois raison de tenir bon. Les autorités en charge de la santé ont arrêté la vaccination au bout de trois ans parce qu'il y avait des effets secondaires très graves sur certains sujets. Eh bien, ce vaccin, appelé le MeninB-Par, contenait une molécule capable de bloquer le développement de la maladie et de tuer le virus. Je comprends aussi pourquoi la survie d'Alicia n'a rien de miraculeux. Son grand-père qui était pédiatre avait eu une bonne intuition au moment du déclenchement de l'épidémie, et il avait vacciné la petite avec le bon produit.

J'appelle Max et, pour une fois, il vient me rejoindre tout de suite. Il a sans doute pressenti que j'avais des choses importantes à lui dire.

– Max, je vais partir en voyage quelque temps, et toi tu vas rester avec Jules, Maïa et Alicia. Moi je penserai toujours à toi parce que je t'aime et que tu es là dans mon cœur.

– Toi aussi, répond-il en me montrant sa poitrine. Comme papa et maman.

Je l'enlace quelques secondes. Il se dégage en me souriant et disparaît dans une chambre où joue sans doute son amie.

Je me lève pour partir et Jules me lance :

– Nous, on se voit dans deux jours.

Le retour par les égouts et le cimetière me prend beaucoup plus de temps qu'à l'aller. Il y a du monde sous le boulevard. J'entends même de très loin les échos d'un affrontement. Je reste plus d'une heure cachée dans un recoin en attendant que le silence total revienne.

Que vais-je faire de tout ce temps qui me sépare du rendez-vous? Je ne dois pas mettre ma vie en danger en sortant ni rester à ne rien faire, car j'aurais trop peur d'être assaillie par le doute ou la peur. Il n'est plus temps de renoncer.

Je me fais à manger et je termine mon repas par quelques gorgées de ma potion magique. Dormir, prendre des forces, c'est la meilleure option.

23 DÉCEMBRE

Ce matin, je me réveille avec une angoisse terrible. Et si, en arrivant dans le passé, j'avais tout oublié ? Et si ce voyage périlleux que je vais entreprendre ne servait à rien ? Et si je refaisais, tel un robot programmé, les mêmes actions inutiles qu'avant ? Je dois me préparer sans attendre. Mais que faire ?

Je commence par écrire sur mon poignet le nom du vaccin. MeninB-Par.

– MeninB-Par, MeninB-Par, MeninB-Par, MeninB-Par !

Je le répète à haute voix, encore et encore, pour l'incruster dans ma mémoire.

Je ne sais pas précisément comment je m'y prendrai pour alerter le monde. Personne ne m'écoutera avant que les premiers signes n'apparaissent. Je ne pourrai pas non plus me présenter comme une fille venant du futur car on me prendrait pour une folle. Je devrai miser sur Stéphane à qui j'irai rendre visite chez sa mère en Bretagne, pendant les vacances. Grâce à son père, elle pourra sans doute être plus efficace que moi pour convaincre les autorités et les spécialistes des épidémies. Mais la connaissant, je doute *a priori* qu'elle m'écoute et ne me prenne pas de haut. Je trouverai une solution, il le faudra.

Une autre terreur s'insinue en moi. Est-ce que je vais y croire moi-même ? Croire que j'ai voyagé dans le temps, que je suis revenue pour sauver le monde ? Je risque de me débarrasser des traces de ce que je considérerai sans doute comme un délire. J'émettrai plus certainement l'hypothèse qu'on m'a fait ingurgiter des psychotropes à mon insu au cours d'une fête.

Je vais m'écrire une lettre.

Koridwen,

Si tu lis cette lettre, c'est que j'ai réussi. <u>Ce message n'est pas une farce. Ne le jette pas.</u> Je le rédige aujourd'hui en pleine possession de mon esprit. Je suis toi, Koridwen, avec quelques mois de plus.

<u>Je te le répète, ce n'est pas une farce et ne jette surtout pas cette lettre.</u>

Une terrible catastrophe se prépare, un virus va anéantir la quasi-totalité de la population. Les premiers signes apparaîtront en octobre. Je le sais parce que je l'ai vécu une première fois. Des forces que je ne suis pas arrivée à identifier ont décidé de donner à l'humanité un moyen d'éviter la catastrophe en me faisant revenir dans le temps quelques mois avant. Je connais le moyen d'empêcher ce drame. Il y a un vaccin, le MeninB-Par, qui peut stopper la progression du mal. Je sais que ce que j'écris est impossible à concevoir. <u>Ne jette pas ce papier. Garde-le précieusement.</u> Tu constateras bientôt que je n'ai rien inventé.

Koridwen

Je plie la lettre en quatre et la glisse dans une enveloppe vierge que je trouve dans le bureau de l'entreprise. Avant de la ranger dans la poche intérieure de la veste que je mettrai pour voyager dans le temps, je la contemple un long moment. Il faut que j'ajoute une indication. Peut-être... *À ouvrir fin octobre.* Parce qu'à ce moment-là, on parlera des premières victimes du virus U4 dans les médias. Si je l'ouvre au mois de mars, je serai incapable de prendre au sérieux un tel scénario. Lorsque je pose la pointe de mon stylo sur le papier, j'ai une bouffée de chaleur et je peine à tenir sur mes jambes. Ces mêmes mots, je les ai déjà écrits sur une enveloppe. Celle qui renfermait la lettre que j'ai failli lire avant mon départ de Menesguen, celle que j'ai replacée machinalement au fond de mon tiroir à chaussettes dans ma chambre en Bretagne tandis que Max hurlait, le nez en sang. Je me laisse glisser sur le sol. J'aurais... J'aurais déjà vécu ça une fois et je n'aurais pas su... pas pu... Des larmes envahissent mes yeux et inondent mes joues. Je reste ainsi de longues minutes, figée dans ma détresse, avant de me relever. Je reprends le stylo et j'écris :

À ouvrir d'urgence !
(Kori, n'attends pas.)

Je range l'enveloppe à l'endroit prévu. Je sors car j'ai besoin de respirer l'air du dehors. J'essaie de faire le vide, de chasser les remords et les regrets qui pourraient me détruire. Je dois me concentrer sur l'instant présent pour ne plus commettre les mêmes erreurs. Je grimpe sur le toit pour observer l'horizon avec mes jumelles. Tout semble parfaitement calme. J'aperçois, mais très loin vers le nord, des points dans le ciel qui pourraient être des drones. Manifestement, ils sont tous concentrés au-dessus de Paris. L'armée semble avoir abandonné la banlieue qu'elle pense avoir entièrement vidée et rendue inhabitable. Il y a donc des chances que je sois toute seule de ce côté-là du périphérique. Cette idée me donne envie d'aller rendre visite à ces lieux qui ont marqué mon séjour et que je vais quitter pour toujours. Tout le long du chemin, je reste tout de même prudente, attentive aux moindres signes suspects. J'arrive au garage, le dépasse pour accéder au terrain vague où sont enterrés Nicolas et Camille. Je m'approche du rectangle de terre retournée et me baisse pour les saluer. Je suis incapable de faire un discours ou une prière car l'émotion me gagne. Le seul mot qui parvient à sortir de ma bouche est «Pardon». Je pénètre ensuite dans le kebab où j'ai rencontré pour la première fois Youss et Ibra. Puis je me dirige vers leur pavillon, l'estomac tordu par l'angoisse. Et si je les découvrais morts chez eux? Et s'ils n'avaient pas réussi à se mettre à l'abri à temps? Et Kadi, mon amie?

Rien, il ne reste rien de leur maison. À la place, un cratère s'est creusé, sans doute le résultat d'une énorme explosion. Peut-être ont-ils fait sauter leur stock de munitions avant de partir, ou bien c'est l'armée qui s'en est occupée. Je termine par l'endroit où repose Anna, tout près de l'entrepôt. Encore une qui a eu le malheur de me rencontrer. Encore une que je n'ai pas su protéger.

Je me couche tôt et m'endors sans attendre grâce à mon somnifère de sorcière.

24 DÉCEMBRE

Il est 4 heures du matin et je suis réveillée depuis déjà un long moment. Je suis trop sur les nerfs pour retrouver le sommeil. J'hésite à reprendre un peu de mon somnifère car, à la longue, il pourrait brouiller mes capacités à réfléchir ou réagir en cas de danger. Je me lève plusieurs fois pour parcourir l'entrepôt en tous sens. À 5 heures, j'ouvre la porte pour respirer l'air de l'extérieur. J'entends le bourdonnement de véhicules à quelques centaines de mètres. Le bruit provient du périphérique. Je ne résiste pas à l'envie d'aller voir de plus près. Je prends mon temps et avance prudemment en me plaquant contre les murs. La lune à moitié pleine éclaire faiblement le décor. J'arrive sur la place, non loin de l'ancien barrage de soldats. Le lieu est désert. La rue est maintenant barrée par d'épais grillages. Paris est comme une prison ou une forteresse. Une longue file de camions militaires circulent sur le large ruban de macadam. Je me faufile entre les voitures abandonnées le long des trottoirs jusqu'aux rambardes de sécurité. Les véhicules sont bâchés et je devine les silhouettes de jeunes qui se penchent à l'arrière. Ce sont des civils qui partent vers la province. Combien sont-ils ? Et où vont-ils ? L'ambiance est plutôt joyeuse et certains groupes chantent et s'amusent. Eux, l'avenir ne semble plus leur faire peur. Je scrute les engins jusqu'au dernier. J'espère y apercevoir les filles de la Salpêtrière en partance pour la Bretagne, pour chez moi. En vain. Je retourne me coucher et me rendors finalement.

Je me lève assez tard. Tant mieux, l'attente sera moins longue. Je voudrais pouvoir me mettre entre parenthèses ou accélérer la marche du temps. Je résiste quelques heures puis, n'y tenant plus, je me décide à sortir. Je prends mon itinéraire habituel pour entrer dans la capitale. Je l'emprunte sans doute pour la dernière fois. Dès l'entrée dans Paris, juste après la traversée du cimetière, je me rends compte que le parcours sera long et dangereux. Je ne suis pas seule dans les égouts. Des voix résonnent mais très loin de moi pour le moment. Je n'allume pas ma frontale et tâtonne dans le noir. Je vérifie les noms de rues lorsque je passe sous les plaques de fonte où la lumière du dehors peut s'infiltrer. Les bruits restent à distance, aussi je continue à progresser tranquillement. Soudain, je me fige et me cale dans un renfoncement. Mon instinct a détecté une personne à quelques mètres derrière moi. Je l'ai donc doublée sans m'en apercevoir. Le gars s'est tenu parfaitement immobile le temps que je le dépasse. Une lumière apparaît, suivie du bruit sec d'un pistolet qu'on arme. Pour l'instant, il ne peut pas me voir, même si je pense qu'il a deviné où je me cachais. Une balle siffle à moins d'un mètre de moi. Je tremble en levant mon arme. Le faisceau de sa lampe vient éclairer le bout de ma chaussure. Il me manque de quelques centimètres. Il veut me faire sortir de mon recoin pour me tirer dessus plus facilement. Je crie :

– Ne tire pas, je me rends.

– Jette ton arme dans le ruisseau !

Je me baisse en restant plaquée contre le mur pour ramasser une pierre qui traîne à mes pieds.

– Plus vite ou je t'achève, hurle-t-il.

Je balance le projectile dans sa direction en espérant l'éclabousser. Au moment de l'impact dans l'eau, je me dégage de ma cachette et fais feu à deux reprises vers lui. Je l'ai raté et je pars en courant droit devant moi. Les balles fusent autour de moi. Je tourne à la première intersection et cherche un endroit où m'abriter. Mon chargeur est vide. Il ne m'en reste plus qu'un contenant huit balles. Je le cherche au fond de mon sac à dos et parviens à l'enfoncer dans son logement du premier coup. Je suis de nouveau prête. Il arrive. Je devine qu'il a fixé sa torche au canon de son arme. Je m'accroupis au maximum car je remarque qu'il éclaire plutôt le haut des parois. Je l'ai dans ma visée. Je tire et le touche en pleine tête. C'est un gars au visage d'ange qui devait avoir aussi peur que moi. En contemplant son regard figé dans une expression de terreur, je me dis qu'il existait sans doute un moyen d'éviter ce crime.

Le vacarme de nos échanges a dû ameuter des patrouilles car les égouts se remplissent soudain de cris, d'ordres criés avec autorité. Il faut que je sorte, quitte à devoir affronter les drones. Je grimpe à la première échelle et me faufile à l'extérieur. Je rampe jusqu'à une porte cochère et me glisse à l'intérieur d'un immeuble ancien. J'évalue que je suis aux deux tiers du chemin. Je m'accorde une heure pour me remettre de mes émotions. Pour le rendez-vous, j'ai beaucoup de marge. Je grimpe dans les étages et entre dans un appartement ouvert. Je me colle contre une fenêtre pour observer la rue. Je vois passer plusieurs patrouilles avec des chiens.

Je redescends dans les égouts redevenus calmes. J'avance lentement et m'arrête à chaque intersection. Soudain, j'entends des grognements de chiens à une cinquantaine de mètres devant moi. Peut-être m'ont-ils déjà détectée ou bien guettaient-ils mon retour. Je dois ressortir au plus vite. À peine ai-je gravi les premiers barreaux que j'entends une cavalcade se rapprocher à grands pas. Je m'extrais du tunnel et repousse la plaque au moment où j'aperçois le casque d'un soldat qui émerge de la pénombre. Je me plante sur le disque de fonte pour l'empêcher de le soulever. Je sais que je ne tiendrai pas longtemps, surtout s'ils s'y mettent à plusieurs. Je place mon canon devant l'orifice central et tire à trois reprises. Le gars doit être touché car il a relâché sa pression. Je me précipite pour traverser le pont qui enjambe un bras de la Seine. J'entends au loin des camions qui patrouillent. Je me jette par terre et rampe sous une camionnette abandonnée. L'espace est très étroit et mes vêtements s'accrochent à des pièces métalliques qui dépassent du châssis. Je me sens prise au piège. Mon visage est posé contre le goudron froid et sale. J'essaie de repérer avec ma main droite les éléments qui m'empêchent de bouger.

Je réussis petit à petit à me dégager. Je suis fatiguée. Il est temps que ça s'arrête, que je quitte cette réalité. Je me sens devenir une machine à tuer.

Durant un moment dont je ne parviens pas à évaluer la durée, je reste bloquée là, tétanisée dans un demi-sommeil. Je reçois la visite de chiens errants qui viennent me flairer, aboyer, puis repartent.

La nuit est tombée depuis longtemps déjà. Les véhicules se font plus rares. Je décide de sortir. Il ne me reste qu'une centaine de mètres à parcourir. Je les franchis en frôlant les murs. Heureusement pour moi, aucun drone ne quadrille le quartier à cette heure-là. J'arrive à destination trente minutes avant l'heure prévue.

Je me rends directement dans les sous-sols de la Conciergerie car c'est là que tout va se passer pour moi. Je suis trop énervée pour rester sagement dans mon cagibi à attendre que l'incroyable événement se produise. Alors j'erre dans les couloirs et les escaliers. J'entends du bruit qui provient des niveaux supérieurs. Je me retiens pour l'instant de monter jusqu'à la salle gothique pour voir ceux qui sont déjà arrivés. Ce rendez-vous ne fait plus partie de mon histoire mais je ne peux m'empêcher de penser à eux. Je suis inquiète. J'ai vu, il y a quelques nuits déjà, que lorsque l'armée entre en action, c'est un bain de sang. Je n'ai pas le pouvoir d'éviter ça.

Si, dans les messages envoyés dans mes derniers rêves par Mamm-gozh, je m'étais vue comme une guide montrant le chemin vers le couloir du temps, je n'hésiterais pas une seconde à proclamer que je suis Khronos et je les emmènerais tous avec moi au rendez-vous quand s'ouvrira le passage. Mais j'ai acquis la conviction depuis plusieurs jours que ma mission sera solitaire. L'enjeu est trop grand pour ignorer les signes. Cela pourrait même faire échouer le voyage.

Pour eux, l'heure est venue. Je ne résiste pas à l'envie de monter vers la salle d'armes pour au moins partager quelques instants avec mes frères de jeu et peut-être apercevoir Jules une dernière fois. Je reste à l'écart pour observer les Experts qui se sont regroupés autour du brasero. Ils sont une trentaine. Ce sont tous des courageux qui ont refusé la protection des R-Points et qui ont bravé les lois au péril de leur vie. Ils sont silencieux et graves. Combien d'entre eux vont mourir dans quelques minutes ? Je ne dois pas trop y penser. Surtout que si je réussis, ils auront une autre chance et retrouveront leur famille. Jules est redescendu du sommet de la tour où, si je me souviens bien de leurs discussions, il était censé faire le guet jusqu'à l'heure du rendez-vous. Il ne m'a pas repérée. Je l'entends annoncer à Jérôme et Vincent que l'armée se rapproche et que le temps est compté. Minuit sonne quelque part dans la nuit. Jérôme appelle à se regrouper. Des coups se font entendre du côté des portes du boulevard.

– Écoutez-moi bien, tous, Khronos n'existe pas… annonce Jérôme d'une voix forte.

L'assemblée s'agite. Beaucoup sont incrédules ou se sentent trahis. L'ami de Jules reprend la parole pour les inviter à rejoindre leur communauté. Mais d'abord, ils doivent sortir vivants du piège. Il les oriente vers le fond de la salle pour les évacuer par une voie sûre. Les Experts ont compris et reculent. Jules m'a aperçue et me fait signe. Je le salue à mon tour. Les portes explosent et les soldats font irruption, armés de fusils à visée laser.

Jérôme renverse le brasero. La salle est plongée dans le noir. Je me planque derrière un pilier. Les balles commencent à fuser de toutes parts. C'est la panique. Plusieurs personnes sont touchées et s'écroulent sur le dallage. Certains s'affolent et se mettent à hurler. Ils sont fauchés à leur tour.

– Dix, les dix sont morts, crie un gars, des larmes dans la voix, juste à côté de moi. Tous mes copains y sont passés. Pourqu…?

La balle qui l'atteint au milieu du front l'empêche de finir sa phrase.

Onze, me dis-je à moi-même, onze Experts. « *Onze prêtres armés ; venant de Vannes, avec leurs épées brisées ; et leurs robes ensanglantées…* »

Pour moi, c'est le signal. Il ne reste plus que la série des douze, la toute dernière. Je n'ai plus qu'à rejoindre le Sagittaire qui me guidera vers le passé. Je pose mon arme par terre, je n'en aurai plus besoin. Le temps est venu pour moi d'aller accomplir mon destin. La mission ne fait que commencer. J'ai un peu mal au crâne et je n'entends plus rien. Je gagne les escaliers et m'enfonce dans les profondeurs. J'atteins le sous-sol et avance à l'aveugle. La porte est à deux pas. Je vais réussir. J'entre enfin. J'y suis…

ÉPILOGUE

Je ne sais pas quelle heure il est, mais la lumière du soleil s'infiltre déjà à travers mes paupières. J'ai raté le ramassage scolaire et je n'irai donc pas au collège ce matin. Je me sens un peu bizarre. Je ne parviens pas à garder les yeux ouverts. Je suis peut-être malade.

J'entends grincer les marches du vieil escalier en bois. C'est ma mère.

– Tu es réveillée, Koridwen ? T'as une drôle de tête ce matin. Tu as dû choper la crève pendant ton week-end à Rennes.

Je la laisse parler mais je ne comprends pas du tout à quoi elle fait allusion. Je me rends compte que je n'ai aucun souvenir des deux derniers jours que j'aurais passés loin de la ferme.

– Tu es rentrée à la nuit, reprend-elle, et on dormait déjà. Vers 4 heures, je suis allée boire un verre d'eau dans la cuisine et j'ai aperçu de la lumière dans ta chambre. Je suis venue voir ce que tu trafiquais. Tu dormais sur ton lit encore tout habillée, avec la veste de chasse de ton père et ton bonnet noir sur la tête. C'est moi qui t'ai déshabillée et couchée. Comme je t'ai trouvée un peu fiévreuse, ce matin, j'ai préféré te laisser dormir. Si ça ne s'arrange pas, dans la journée, j'appellerai le docteur. J'ai descendu tous tes habits pour les laver. Je ne sais pas où tu as traîné, ma fille, mais tu avais une odeur très désagréable sur toi. On aurait dit une odeur d'égout.

Une inquiétude se fait jour soudain et je demande d'une voix encore mal assurée :

– Maman, tu as pensé à vider mes poches avant de faire démarrer la machine ? Je crois me souvenir que… que… j'avais une lettre sur moi…

– Je l'ai trouvée. Je viens de la poser sur ton bureau. C'est important ce papier ?

– Il me semble que oui, mais je ne me souviens plus pourquoi.

Elle est partie. J'essaie de me relever mais je me sens très faible. Je découvre qu'un nom est écrit sur mon poignet. Je déchiffre avec difficulté : MeninB-Par. Cela ressemble à un nom de médicament.

Mais pourquoi je ne me rappelle rien ?

Il faut absolument que je dorme encore un peu. Quand je me réveillerai, mes souvenirs seront revenus. C'est sûr. Je vais me réciter la comptine, ça marche à tous les coups.

« *Tout beau, enfant blanc du druide, réponds-moi, tout beau : que veux-tu ? Que te chanterai-je ?* »

« *Chante-moi la série du nombre un jusqu'à ce que je l'apprenne aujourd'hui…* »

La comptine bretonne, *Ar Rannoù*
(Les Séries, ou le druide et l'enfant)

Ce chant est le premier texte du *Barzaz Breiz*, un ouvrage où sont réunis les chants traditionnels bretons. Ils ont été collectés par Théodore Hersart de La Villemarqué et publiés en 1848. L'auteur parle de ce texte comme étant « un des plus curieux et peut-être le plus ancien de la poésie bretonne ». C'est un dialogue entre un druide et son élève, où sont enseignées la cosmogonie, la théologie, la géographie, l'astronomie, la médecine…

Ce texte s'est transmis oralement dans un dialecte de Cornouaille.

Le chant est reproduit ci-dessous tel qu'il doit être chanté, c'est-à-dire en reprenant à chaque nouvelle série les séries antérieures.

Le druide

– Tout beau, enfant blanc du druide, réponds-moi, tout beau : que veux-tu ? Que te chanterai-je ?

L'enfant

– Chante-moi la série du nombre un jusqu'à ce que je l'apprenne aujourd'hui.

Le druide

– Pas de série pour le nombre un, la Nécessité unique, le Trépas, père de la Douleur, rien avant, rien de plus.

Tout beau, enfant blanc du druide, réponds-moi, tout beau : que veux-tu ? Que te chanterai-je ?

L'enfant

– Chante-moi la série du nombre deux jusqu'à ce que je l'apprenne aujourd'hui.

Le druide

– Deux bœufs attelés à une coque ; ils tirent, ils vont expirer ; voyez la merveille.

Pas de série pour le nombre un, la Nécessité unique, le Trépas, père de la Douleur, rien avant, rien de plus.

Tout beau, enfant blanc du druide, réponds-moi, tout beau : que veux-tu ? Que te chanterai-je ?

L'enfant

– Chante-moi la série du nombre trois jusqu'à ce que je l'apprenne aujourd'hui.

Le druide

– Il y a trois parties dans le monde : trois commencements et trois fins, pour l'homme comme pour le chêne. Trois royaumes de Merlin, pleins de fruits d'or, de fleurs brillantes, de petits enfants qui rient.

Deux bœufs attelés à une coque ; ils tirent, ils vont expirer ; voyez la merveille.

Pas de série pour le nombre un, la Nécessité unique, le Trépas, père de la Douleur, rien avant, rien de plus.

Tout beau, enfant blanc du druide, réponds-moi, tout beau :
que veux-tu ? Que te chanterai-je ?

L'enfant
– Chante-moi la série du nombre quatre jusqu'à ce que je
l'apprenne aujourd'hui.

Le druide
**– Quatre pierres à aiguiser, pierres à aiguiser de Merlin,
qui aiguisent les épées des braves.**

Il y a trois parties dans le monde : trois commencements et
trois fins, pour l'homme comme pour le chêne. Trois royaumes
de Merlin, pleins de fruits d'or, de fleurs brillantes, de petits
enfants qui rient.

Deux bœufs attelés à une coque ; ils tirent, ils vont expirer ;
voyez la merveille.

Pas de série pour le nombre un, la Nécessité unique, le
Trépas, père de la Douleur, rien avant, rien de plus.

Tout beau, enfant blanc du druide, réponds-moi, tout beau :
que veux-tu ? Que te chanterai-je ?

L'enfant
– Chante-moi la série du nombre cinq jusqu'à ce que je
l'apprenne aujourd'hui.

Le druide
**– Cinq zones terrestres, cinq âges dans la durée du temps,
cinq rochers sur notre sœur.**

Quatre pierres à aiguiser, pierres à aiguiser de Merlin, qui
aiguisent les épées des braves.

Il y a trois parties dans le monde : trois commencements et
trois fins, pour l'homme comme pour le chêne. Trois royaumes

de Merlin, pleins de fruits d'or, de fleurs brillantes, de petits enfants qui rient.

Deux bœufs attelés à une coque ; ils tirent, ils vont expirer ; voyez la merveille.

Pas de série pour le nombre un, la Nécessité unique, le Trépas, père de la Douleur, rien avant, rien de plus.

Tout beau, enfant blanc du druide, réponds-moi, tout beau : que veux-tu ? Que te chanterai-je ?

L'enfant

– Chante-moi la série du nombre six jusqu'à ce que je l'apprenne aujourd'hui.

Le druide

– Six petits enfants de cire, vivifiés par l'énergie de la lune, si tu l'ignores, je le sais. Six plantes médicinales dans le petit chaudron ; le petit nain mêle le breuvage, son doigt dans la bouche.

Cinq zones terrestres, cinq âges dans la durée du temps, cinq rochers sur notre sœur.

Quatre pierres à aiguiser, pierres à aiguiser de Merlin, qui aiguisent les épées des braves.

Il y a trois parties dans le monde : trois commencements et trois fins, pour l'homme comme pour le chêne. Trois royaumes de Merlin, pleins de fruits d'or, de fleurs brillantes, de petits enfants qui rient.

Deux bœufs attelés à une coque ; ils tirent, ils vont expirer ; voyez la merveille.

Pas de série pour le nombre un, la Nécessité unique, le Trépas, père de la Douleur, rien avant, rien de plus.

Tout beau, enfant blanc du druide, réponds-moi, tout beau : que veux-tu ? Que te chanterai-je ?

L'enfant

– Chante-moi la série du sept jusqu'à ce que je l'apprenne aujourd'hui.

Le druide

– Sept soleils et sept lunes, sept planètes, y compris la Poule. Sept éléments avec la farine de l'air.

Six petits enfants de cire, vivifiés par l'énergie de la lune, si tu l'ignores, je le sais. Six plantes médicinales dans le petit chaudron ; le petit nain mêle le breuvage, son doigt dans la bouche.

Cinq zones terrestres, cinq âges dans la durée du temps, cinq rochers sur notre sœur.

Quatre pierres à aiguiser, pierres à aiguiser de Merlin, qui aiguisent les épées des braves.

Il y a trois parties dans le monde : trois commencements et trois fins, pour l'homme comme pour le chêne. Trois royaumes de Merlin, pleins de fruits d'or, de fleurs brillantes, de petits enfants qui rient.

Deux bœufs attelés à une coque ; ils tirent, ils vont expirer ; voyez la merveille.

Pas de série pour le nombre un, la Nécessité unique, le Trépas, père de la Douleur, rien avant, rien de plus.

Tout beau, enfant blanc du druide, réponds-moi, tout beau : que veux-tu ? Que te chanterai-je ?

L'enfant

– Chante-moi la série du huit jusqu'à ce que je l'apprenne aujourd'hui.

369

Le druide

– Huit vents qui soufflent ; huit feux allumés au mois de mai sur la montagne de la guerre.

Sept soleils et sept lunes, sept planètes, y compris la Poule. Sept éléments avec la farine de l'air.

Six petits enfants de cire, vivifiés par l'énergie de la lune, si tu l'ignores, je le sais. Six plantes médicinales dans le petit chaudron ; le petit nain mêle le breuvage, son doigt dans la bouche.

Cinq zones terrestres, cinq âges dans la durée du temps, cinq rochers sur notre sœur.

Quatre pierres à aiguiser, pierres à aiguiser de Merlin, qui aiguisent les épées des braves.

Il y a trois parties dans le monde : trois commencements et trois fins, pour l'homme comme pour le chêne. Trois royaumes de Merlin, pleins de fruits d'or, de fleurs brillantes, de petits enfants qui rient.

Deux bœufs attelés à une coque ; ils tirent, ils vont expirer ; voyez la merveille.

Pas de série pour le nombre un, la Nécessité unique, le Trépas, père de la Douleur, rien avant, rien de plus.

Tout beau, enfant blanc du druide, réponds-moi, tout beau : que veux-tu ? Que te chanterai-je ?

L'enfant

– Chante-moi la série du neuf jusqu'à ce que je l'apprenne aujourd'hui.

Le druide

– Neuf petites mains blanches sur la table de l'aire, près de la tour de Lezarmeur, et neuf mères qui gémissent beaucoup. Neuf korrigans qui dansent avec des fleurs dans les cheveux et

des robes de laine blanche, autour de la fontaine, à la clarté de la pleine lune. La laie et ses neuf marcassins, à la porte de leur bauge, grognant et fouissant, fouissant et grognant ; petit ! petit ! petit ! accourez au pommier ! le vieux sanglier va vous faire la leçon.

Huit vents qui soufflent ; huit feux allumés au mois de mai sur la montagne de la guerre.

Sept soleils et sept lunes, sept planètes, y compris la Poule. Sept éléments avec la farine de l'air.

Six petits enfants de cire, vivifiés par l'énergie de la lune, si tu l'ignores, je le sais. Six plantes médicinales dans le petit chaudron ; le petit nain mêle le breuvage, son doigt dans la bouche.

Cinq zones terrestres, cinq âges dans la durée du temps, cinq rochers sur notre sœur.

Quatre pierres à aiguiser, pierres à aiguiser de Merlin, qui aiguisent les épées des braves.

Il y a trois parties dans le monde : trois commencements et trois fins, pour l'homme comme pour le chêne. Trois royaumes de Merlin, pleins de fruits d'or, de fleurs brillantes, de petits enfants qui rient.

Deux bœufs attelés à une coque ; ils tirent, ils vont expirer ; voyez la merveille.

Pas de série pour le nombre un, la Nécessité unique, le Trépas, père de la Douleur, rien avant, rien de plus.

Tout beau, enfant blanc du druide, réponds-moi, tout beau : que veux-tu ? Que te chanterai-je ?

L'enfant

– Chante-moi la série du dix jusqu'à ce que je l'apprenne aujourd'hui.

Le druide

– Dix vaisseaux ennemis qu'on a vus venant de Nantes : malheur à vous ! malheur à vous ! hommes de Vannes !

Neuf petites mains blanches sur la table de l'aire, près de la tour de Lezarmeur, et neuf mères qui gémissent beaucoup. Neuf korrigans qui dansent avec des fleurs dans les cheveux et des robes de laine blanche, autour de la fontaine, à la clarté de la pleine lune. La laie et ses neuf marcassins, à la porte de leur bauge, grognant et fouissant, fouissant et grognant ; petit ! petit ! petit ! accourez au pommier ! le vieux sanglier va vous faire la leçon.

Huit vents qui soufflent ; huit feux allumés au mois de mai sur la montagne de la guerre.

Sept soleils et sept lunes, sept planètes, y compris la Poule. Sept éléments avec la farine de l'air.

Six petits enfants de cire, vivifiés par l'énergie de la lune, si tu l'ignores, je le sais. Six plantes médicinales dans le petit chaudron ; le petit nain mêle le breuvage, son doigt dans la bouche.

Cinq zones terrestres, cinq âges dans la durée du temps, cinq rochers sur notre sœur.

Quatre pierres à aiguiser, pierres à aiguiser de Merlin, qui aiguisent les épées des braves.

Il y a trois parties dans le monde : trois commencements et trois fins, pour l'homme comme pour le chêne. Trois royaumes de Merlin, pleins de fruits d'or, de fleurs brillantes, de petits enfants qui rient.

Deux bœufs attelés à une coque ; ils tirent, ils vont expirer ; voyez la merveille.

Pas de série pour le nombre un, la Nécessité unique, le Trépas, père de la Douleur, rien avant, rien de plus.

Tout beau, enfant blanc du druide, réponds-moi, tout beau : que veux-tu ? Que te chanterai-je ?

L'enfant

– Chante-moi la série du onze jusqu'à ce que je l'apprenne aujourd'hui.

Le druide

– **Onze prêtres armés ; venant de Vannes, avec leurs épées brisées ; et leurs robes ensanglantées, et des béquilles de coudrier ; de trois cents plus qu'eux onze.**

Dix vaisseaux ennemis qu'on a vus venant de Nantes : malheur à vous ! malheur à vous ! hommes de Vannes !

Neuf petites mains blanches sur la table de l'aire, près de la tour de Lezarmeur, et neuf mères qui gémissent beaucoup. Neuf korrigans qui dansent avec des fleurs dans les cheveux et des robes de laine blanche, autour de la fontaine, à la clarté de la pleine lune. La laie et ses neuf marcassins, à la porte de leur bauge, grognant et fouissant, fouissant et grognant ; petit ! petit ! petit ! accourez au pommier ! le vieux sanglier va vous faire la leçon.

Huit vents qui soufflent ; huit feux allumés au mois de mai sur la montagne de la guerre.

Sept soleils et sept lunes, sept planètes, y compris la Poule. Sept éléments avec la farine de l'air.

Six petits enfants de cire, vivifiés par l'énergie de la Lune, si tu l'ignores, je le sais. Six plantes médicinales dans le petit chaudron ; le petit nain mêle le breuvage, son doigt dans la bouche.

Cinq zones terrestres, cinq âges dans la durée du temps, cinq rochers sur notre sœur.

Quatre pierres à aiguiser, pierres à aiguiser de Merlin, qui aiguisent les épées des braves.

Il y a trois parties dans le monde : trois commencements et trois fins, pour l'homme comme pour le chêne. Trois royaumes de Merlin, pleins de fruits d'or, de fleurs brillantes, de petits enfants qui rient.

Deux bœufs attelés à une coque; ils tirent, ils vont expirer; voyez la merveille.

Pas de série pour le nombre un, la Nécessité unique, le Trépas, père de la Douleur, rien avant, rien de plus.

Tout beau, enfant blanc du druide, réponds-moi, tout beau: que veux-tu? Que te chanterai-je?

L'enfant

– Chante-moi la série du douze jusqu'à ce que je l'apprenne aujourd'hui.

Le druide

– Douze mois et douze signes; l'avant dernier, le Sagittaire, décoche sa flèche armée d'un dard. Les douze signes sont en guerre. La belle vache, la vache noire qui porte une étoile au front, sort de la forêt des dépouilles. Dans sa poitrine est le dard de la flèche; son sang coule à flots; elle beugle la tête levée: la trompe sonne; feu et tonnerre; pluie et vent; tonnerre et feu; rien; plus rien ni aucune série!

Onze prêtres armés; venant de Vannes, avec leurs épées brisées; et leurs robes ensanglantées, et des béquilles de coudrier; de trois cents plus qu'eux onze.

Dix vaisseaux ennemis qu'on a vus venant de Nantes: malheur à vous! malheur à vous! hommes de Vannes!

Neuf petites mains blanches sur la table de l'aire, près de la tour de Lezarmeur, et neuf mères qui gémissent beaucoup. Neuf korrigans qui dansent avec des fleurs dans les cheveux et des robes de laine blanche, autour de la fontaine, à la clarté de la pleine lune. La laie et ses neuf marcassins, à la porte de leur bauge, grognant et fouissant, fouissant et grognant; petit!

petit ! petit ! accourez au pommier ! le vieux sanglier va vous faire la leçon.

Huit vents qui soufflent ; huit feux allumés au mois de mai sur la montagne de la guerre.

Sept soleils et sept lunes, sept planètes, y compris la Poule. Sept éléments avec la farine de l'air.

Six petits enfants de cire, vivifiés par l'énergie de la lune, si tu l'ignores, je le sais. Six plantes médicinales dans le petit chaudron ; le petit nain mêle le breuvage, son doigt dans la bouche.

Cinq zones terrestres, cinq âges dans la durée du temps, cinq rochers sur notre sœur.

Quatre pierres à aiguiser, pierres à aiguiser de Merlin, qui aiguisent les épées des braves.

Il y a trois parties dans le monde : trois commencements et trois fins, pour l'homme comme pour le chêne. Trois royaumes de Merlin, pleins de fruits d'or, de fleurs brillantes, de petits enfants qui rient.

Deux bœufs attelés à une coque ; ils tirent, ils vont expirer ; voyez la merveille.

Pas de série pour le nombre un, la Nécessité unique, le Trépas, père de la Douleur, rien avant, rien de plus.

REMERCIEMENTS

Je remercie mes trois coauteurs, Carole, Florence et Vincent, qui m'ont fait vivre une aventure très intense durant deux ans.

Je remercie aussi ma « famille éditoriale », les éditions Syros, qui ont tout de suite cru au projet et qui m'ont accompagné avec chaleur et professionnalisme.

Enfin, je remercie Camille Cousin, un passionné de culture bretonne, qui m'a fait découvrir *Ar Rannoù*.

L'AUTEUR
YVES GREVET

Yves Grevet est né en 1961 à Paris. Il est marié et père de trois enfants. Il habite dans la banlieue est de Paris, où il enseigne en classe de CM2. Les thèmes qui traversent ses ouvrages sont les liens familiaux, la solidarité, la résistance à l'oppression, l'apprentissage de la liberté et de l'autonomie. La trilogie *Méto*, qui l'a fait connaître, a été récompensée par 13 prix littéraires. Avec *Nox*, un grand roman d'aventure en deux volets, il a plongé ses lecteurs dans un bien sombre futur. Tout en restant fidèle à ses sujets de prédilection, Yves Grevet s'essaie à tous les genres : récits de vie (*C'était mon oncle !*, *Jacquot et le grand-père indigne*), roman d'enquête (*Seuls dans la ville entre 9 h et 10 h 30*) ou de politique-fiction (*L'école est finie*), et même une histoire à lire et à jouer (*Le Voyage dans le temps de la famille Boyau*)... Dans son dernier roman, *Celle qui sentait venir l'orage*, il mêle avec brio aventure, émotions et réflexion sur la nature humaine.

VOUS VENEZ DE LIRE
UN DES QUATRE ROMANS

DÉCOUVREZ
LES PREMIERS CHAPITRES
DES TROIS AUTRES !

CAROLE TRÉBOR

U4

.JULES

4 NOVEMBRE, DÉBUT D'APRÈS-MIDI

J'ai faim. Il n'y a plus rien à manger dans la cuisine.

Plus d'eau courante depuis ce matin, plus de gaz depuis hier, plus d'électricité depuis trois jours. J'ai eu beau actionner tous les interrupteurs en tâtonnant sur le mur, à l'aveugle, essayer d'allumer les luminaires du séjour, pas de résultat, rien, aucune lumière. L'appartement est plongé dans l'obscurité dès la tombée de la nuit, vers 19 heures.

J'ai heureusement retrouvé deux torches dans la commode de l'entrée. Il faut que je me procure d'urgence des piles pour les alimenter et des bougies pour compléter mon éclairage. Je dois aussi me faire une réserve de charbon de bois et d'allumettes pour entretenir le feu de la cheminée. Il commence à faire froid. Et j'ai besoin de vivres.

Lego miaule sans arrêt. Il n'a plus de croquettes spéciales chatons. Il crève de faim lui aussi. Il déchiquette les fauteuils et les canapés pour se venger. Il lamine tout ce qui traîne, il m'a même piqué ma montre. Je me l'étais achetée avec mon argent de poche, par Internet. J'en avais fait un objet collector, en gravant moi-même au dos le sigle de WOT avec mon cutter. Impossible de remettre la main dessus.

Il me faut donc aussi des piles pour le réveil, sinon je n'aurai même plus l'heure.

J'ai tellement peur de sortir. Je dois affronter Paris avant que la nuit n'envahisse les rues.

La ville que j'observe par la fenêtre n'est plus la mienne, cette ville est inacceptable.

Hier, j'ai vu des hommes en combinaisons d'astronautes, avec des sortes de masques à gaz. Ils ramassaient les cadavres et les entreposaient dans leurs camions blindés. Tous ces corps, qu'ils entassent les uns sur les autres, où les emmènent-ils ? Vers les fosses communes ? Ou bien vont-ils les brûler ? Ces hommes, ils savent peut-être ce qui tue tout le monde. C'est quoi, ce putain de virus qui frappe et extermine en quelques heures ? Est-ce qu'ils pourraient me dire pourquoi moi, je ne suis pas mort ? J'ai eu envie de courir les rejoindre, mais je n'ai pas bougé de ma fenêtre, incapable de réagir. Leur demander secours, ça m'obligerait à admettre la réalité de ces morts, de ce silence, de cette odeur. Et ça, non, je ne le peux pas. Je ne le veux pas.

Sortir.

Il faut que je sorte, il faut que j'aille nous chercher à manger.

Tant pis si j'attrape la maladie.

Quitte à mourir, je préfère mourir de l'épidémie à l'extérieur que mourir de faim à l'intérieur.

Mon grand-père m'avait dit de ne pas sortir. Mais peut-être suis-je immunisé contre le virus ? Peut-être suis-je en vie pour remplir la mission de Khronos avec les autres Experts ? Je dois tenir jusqu'au 24 décembre et me rendre sous la plus vieille horloge de Paris pour savoir si ce retour dans le passé est possible.

C'est quoi, ce bruit dans le salon ?

Merde, le grincement s'intensifie. J'y vais.

C'est une nouvelle invasion de rats ! Ils sont énormes. Comment sont-ils entrés chez moi, ces saloperies de rongeurs ? Bon Dieu, quel cauchemar !

– Cassez-vous, sales bêtes ! N'approchez pas !

Mon timbre hystérique sonne bizarrement. Est-ce bien ma voix ? Ils sont hyper-agressifs, comme s'ils avaient muté génétiquement. Il y en a un qui s'agrippe à ma cheville, je balance la jambe pour qu'il me lâche. Un autre tente déjà de me mordre le pied. Ils me font trop flipper, je fonce vers la porte et je décampe hors de l'appartement.

Je dévale les escaliers au milieu de bataillons de rats. Sur le palier du quatrième, je trébuche sur quelque chose de suintant, de visqueux, je glisse et me retrouve à quatre pattes sur le sol de marbre. Je ferme les yeux de toutes mes forces, horrifié par l'odeur de pourriture qui me pique la gorge et fait couler mes larmes, je n'ai jamais senti une odeur aussi atroce de ma vie. Respirer devient pénible. Je suis pris de tremblements violents qui m'empêchent de contrôler mes mouvements.

Je sais contre quoi j'ai buté et je sais qu'il faut que je me relève d'urgence.

Sinon je risque de mourir.

La chose molle et spongieuse à laquelle je me suis heurté est un cadavre.

Une victime du virus.

Qui est peut-être déjà en train de me contaminer.

Je me mets à genoux, les jambes trop chancelantes pour tenir debout, et je fixe le corps, hypnotisé : c'est ma voisine du dessous et, affalé par terre près d'elle, son fils, mort lui aussi. Je suis anesthésié. Incapable de ressentir la moindre émotion. Mes oreilles bourdonnent. Son visage est blanc presque verdâtre, des traces violacées strient son cou, sa peau semble tendue sur ses os, les globes oculaires sont enfoncés, comme couverts d'un film plastique. Elle est totalement rigide, on dirait une statue de cire du musée Grévin, mais le pire, ce sont les larves, les vers qui réduisent toute sa chair en bouillie au niveau de l'abdomen. Pourquoi est-elle morte sur le palier ? Pourquoi pas chez elle ? Ça m'aurait évité de la voir. Mais non, qu'est-ce que je raconte, est-ce que je perds la tête ? La pauvre, elle a peut-être voulu emmener son fils chez le pédiatre au deuxième étage, elle a été paralysée brutalement par la maladie. Et elle est morte là, dans la cage d'escalier, son fils à ses côtés.

J'en ai vu des victimes du virus sur Internet fin octobre, avant la coupure du réseau : d'abord la fièvre, puis la paralysie, les vomissements, et le sang qu'elles crachent, le sang qui sort de partout, de tous les pores de leur peau.

Je n'arrive pas à détacher mes yeux du corps de ma voisine. La menotte de l'enfant est encore posée sur la paume de sa mère, comme si elle avait voulu lui tenir la main jusqu'au dernier moment. Lequel est mort d'abord ? L'horreur de ma question me tétanise et une nausée me soulève le cœur. Des spasmes violents me submergent, je vomis par jets. Mais je n'ai plus que de la bile. La maman a succombé en premier, le petit s'est accroché à sa main avant de périr lui aussi. Elle n'a pas eu la force ni le temps d'ouvrir la porte pour mourir chez elle. Une rafale de spasmes me plie de nouveau en deux. Mais plus rien ne sort de moi, seulement mon désespoir et ma répulsion.

Je me relève, vacillant, et me tiens à la rampe pour ne pas chuter. J'ai l'esprit vide, cet état de demi-sommeil me protège du reste du monde aussi bien qu'une épaisse couche de coton. Et lorsque j'arrive au rez-de-chaussée, je suis un somnambule.

Dès que je mets un pied sur l'avenue de l'Observatoire, je suffoque, toujours cette odeur de décomposition très forte, de viande macérée, d'œuf pourri, de poisson avarié.

Et j'ai l'impression que ces effluves sont vivants, qu'ils se faufilent partout, qu'ils s'insinuent en moi comme les Ombres néfastes de Voldemort. Le bitume est parsemé de corps boursouflés et raides. C'est encore plus irréel que du cinquième étage, d'où les rues me paraissaient figées sous les nuées d'oiseaux noirs. C'est irréel, mais je ne peux plus le réfuter, ils sont bien là, ces cadavres, monstrueux. Leur présence me glace de l'intérieur, je n'avais jamais vu un mort en vrai, et là, tous ces corps d'un coup. Ils n'ont plus rien d'humain, ils se décomposent déjà, survolés par des essaims de mouches. Est-ce que ce sont bien des hommes ? Ou des restes d'hommes ?

Et tout ce silence… Ce silence qui m'assourdit plus que le vacarme de la circulation, les démarrages des bus au feu vert, le chahut des enfants, les pots d'échappement des mobylettes. Les bruits de Paris me manquent. Depuis quelques jours, il n'y a même plus de sirènes. Où sont les hommes en combinaisons d'astronautes que j'ai vus hier ? Ces hommes protégés sont-ils les seuls à avoir survécu au virus ? Et qui sont-ils ?

Pourquoi n'y a-t-il plus personne dans les rues ? Même plus de silhouettes fugitives ? Personne à qui parler.

Un jappement craintif de chien rompt le vide, je me retourne : c'est le labrador blanc de nos voisins du troisième, il est très docile. Je m'approche de lui, plein d'espoir, et tressaille, horrifié par cette chose verdâtre qu'il tient dans sa gueule : un bras. Ce qui fut un jour un bras. Mon estomac se retourne, un goût de bile me brûle la gorge. Je mets un mouchoir sur mon nez et traverse le boulevard jonché de bennes renversées. Des sacs lacérés, des journaux gratuits trempés, des emballages de McDo et des canettes font office de parures funèbres pour les corps. Le même chaos règne dans le jardin des Grands Explorateurs : accrochés aux arbres et aux grilles métalliques, des fragments de plastique claquent au vent. Et une épaisse couche de feuilles mortes recouvre les allées de notre « Petit Luxembourg », comme nous l'appelons dans le quartier.

L'atmosphère pullule certainement de maladies, bactéries, ou ce genre de trucs. Il me faudrait un casque de protection ou au moins un masque antigrippe, je pourrais en trouver en pharmacie. Un souffle de vent projette vers moi une insupportable bouffée de miasme putride. Je n'arrive plus à respirer, comme si j'avais une pierre à la place du cœur qui empêcherait le sang de couler dans mes veines. Je tousse pour ôter de ma gorge ce goût de moisi trop consistant.

Est-ce que tous les Parisiens sont morts ? Je voudrais aller voir si mes copains ont survécu eux aussi. Je n'ose pas, j'ai trop peur de tomber sur leurs cadavres.

Et mes parents ? Mon frère ? Vais-je les revoir ? Personne pour me répondre.

Trop peur.

J'ai encore communiqué avec les Experts sur le forum de WOT il y a trois jours. Je frémis... Et s'ils étaient morts depuis le dernier message de Khronos ?

Je m'oblige à avancer vers le Luxembourg, dans l'espoir d'y voir moins de corps, d'y respirer un oxygène moins pollué. Des voitures arrêtées s'accumulent dans la rue. L'odeur ne me quitte plus, elle a imprégné mes vêtements, je pue la mort maintenant. L'entrée du Luxembourg en face du lycée Montaigne est fermée, je repars vers le boulevard Saint-Michel par la rue Auguste-Comte. J'essaye de ne pas trébucher sur des cadavres étalés devant l'École des Mines, de ne pas m'effondrer, là, sur le trottoir. J'ai envie de m'allonger parmi eux, eux que je ne sais plus comment nommer. Envie de me recroqueviller sur le béton et de ne plus me relever ; de m'abandonner à l'épuisement qui me submerge, qui fait que chacun de mes pas est un effort insurmontable.

Mais j'avance. Sans croiser âme qui vive.

Un bus a percuté les balustrades du Luxembourg, des voitures défoncées se sont encastrées derrière lui.

Le supermarché n'est plus très loin, rue Monsieur-le-Prince.

Le pire, après la puanteur et le silence entrecoupé des cris des charognards voraces, c'est l'immobilité absolue de tout ce qui vivait. La vie, c'est le mouvement, et de mouvement, il n'y en a plus. Hormis les tourbillons d'oiseaux noirs et les cavalcades de rats gris.

Je réalise soudain que je suis tout près de la mairie du 5ᵉ, et je décide finalement de remonter la rue Soufflot : je suis avide de nouvelles. Là-bas, j'aurai peut-être une chance d'établir un lien avec d'autres rescapés. Autant vérifier s'il n'y a pas une affiche, un quelconque *Avis aux survivants* placardé.

Impassible et majestueux, le Panthéon abrite toujours ses tombeaux d'hommes célèbres, comme c'est dérisoire aujourd'hui ! Au croisement de la rue Saint-Jacques, je crois apercevoir une silhouette près du mausolée de pierre. Est-ce que je rêve ? Elle a déjà disparu de mon champ de vision.

J'accélère vers la place du Panthéon et, là, mon cœur bondit dans ma poitrine : je ne suis pas seul !

À suivre...

VINCENT VILLEMINOT

.STÉPHANE

2 NOVEMBRE

Ils sont une vingtaine. Ils ont l'air d'avoir mon âge, dix-sept ou dix-huit ans, des filles et des garçons. Ils sont nus, au bord du fleuve, corps miraculeux – sains, indemnes – dans cette morgue immense à ciel ouvert.

Ils se lavent à grandes eaux, sur les marches du quai, malgré le vent froid. À proximité, sur deux grands feux de bois, des bassines fument, dans lesquelles ils ont fait bouillir l'eau du fleuve avant leurs ablutions, sans doute. Dans une autre bassine chauffe du linge que deux jeunes filles étendent sur les marches. Je ne peux me détacher de ce spectacle irréel. Depuis la rambarde du pont de la Guillotière qui enjambe le Rhône et d'où je les observe, je les vois s'éclabousser. Ils poussent des cris quand l'un d'eux asperge les autres d'eau froide, rient parfois, s'apostrophent. J'avais oublié les rires.

D'ici, parce que le vent d'automne descend du nord, j'entends leurs voix, premiers éclats de vie dans la ville morte, sans comprendre leurs mots. Cela ressemble à une scène primitive : le fleuve dans lequel ils se lavent ; le feu comme combustible ; les corps nus sans pudeur, sur la berge, et ces bribes de paroles. On s'attendrait à ce que les ponts disparaissent autour d'eux, les routes, le bitume, les immeubles, la ville de Lyon tout entière. Peut-être est-ce le cas ? Peut-être sont-ils les derniers survivants, dans Lyon rendu à la sauvagerie ; et dans quelques jours, plus rien de la civilisation que nous avons connue n'aura existé.

L'un d'entre eux m'aperçoit, soudain. Il me fait de grands signes, m'invitant à les rejoindre. Puis plusieurs se tournent vers moi, m'appellent. Je souris malgré moi, accoudée à ma rambarde, mais le charme est rompu. Je traverse le fleuve, les laissant derrière moi, abandonnant le pont, désert comme l'était toute la Presqu'île, depuis l'appartement de mon père. La ville est déserte. À part ces baigneurs miraculeux, il n'y a pas un survivant.

Dans la rue Saint-Michel, je croise deux nouveaux cadavres. Difficile de les ignorer, ceux-là, ils sont au beau milieu de la chaussée. Ils se tiennent par la main, deux amoureux tragiques dont la mort n'a pu séparer l'étreinte, fauchés là par les fièvres au pied de leur immeuble, peut-être, ou bien se sont-ils retrouvés à cet endroit pour en finir ? Avaient-ils vingt ou soixante ans ? Seuls leurs vêtements me font pencher pour la première hypothèse. Pour le reste, c'est impossible à dire : ils n'ont plus de visages, couverts de sang séché, leurs mains sont déjà travaillées par la putréfaction. Roméo + Juliette ?

Ne compatis pas, ne brode pas.

« Que sais-tu, Stéphane ? Que comprends-tu ? Analyse... »

Le sang. Les croûtes de sang. Les fièvres.

Des faits. Quels faits? Les gens ont commencé à saigner il y a onze jours. Les symptômes ont été les mêmes pour chacun : céphalées, migraines ophtalmiques, hémorragies généralisées, externes et internes. Le sang suintait des yeux, des narines, des oreilles, des pores de la peau. Ils mouraient en moins de quarante heures. Fièvre hémorragique, filovirus nouveau, proche de la souche Ébola, mais infiniment plus virulent. Dénomination officielle : U4, pour « Utrecht 4e type », l'endroit où la pandémie a commencé. 90 % d'une population étaient atteints, et tous ceux qui étaient frappés mouraient – tous, sauf nous, les adolescents.

Seuls les adolescents de quinze à dix-huit ans ont survécu. La grande majorité, du moins. C'est ce que j'ai pu lire sur les principaux sites d'information, au début. Puis les webjournalistes sont morts, comme tous les adultes, comme les enfants. Les sites sont devenus indisponibles les uns après les autres. Les coupures d'électricité ont fait sauter Internet de plus en plus souvent. Le site du ministère de l'Intérieur continuait d'afficher ses consignes dépassées : rester calme, ne pas paniquer, porter des gants et des masques respiratoires, éviter tout contact avec les contaminés, abandonner sans tarder les maisons ou les appartements touchés par le virus. Ne pas manipuler les cadavres. Rejoindre les « R-Points », les lieux de rassemblement organisés par les autorités.

Ensuite, Internet s'est tu. Tout s'est tu.

Je me répète pour la centième fois la chronologie des événements pour garder l'horreur à distance, tandis que je dépasse les corps des deux amants. Ma présence a dérangé les prédateurs habituels de cadavres-insectes, mouches, et rats, car des milliers de rats règnent maintenant sur la ville. Ça grouille, ça pue. Cette vermine se nourrit des morts, de ce que nous étions.

Analyse, ne pense pas. Anticipe.

Les rongeurs vont propager d'autres épidémies. Les rares survivants en mourront. Le choléra ou la peste semblent dérisoires à côté d'U4, mais ils tueront aussi.

Mon père disait toujours : « Pendant les interventions, il faut se concentrer sur les informations scientifiques, ce que l'on sait et ce que l'on ignore, pour ne pas se laisser submerger par les émotions. » Il me le répétait pour m'apprendre à maîtriser le trac avant les examens. Où qu'il soit, se doute-t-il combien ses conseils me sont utiles, aujourd'hui, dans cette ville défunte ?

Voitures abandonnées, débordantes de bagages ; déchets et détritus. Un tramway renversé bloque l'avenue, couché sur le flanc. Son chauffeur a dû être pris de convulsions pendant le trajet et perdre le contrôle du véhicule… Ses passagers ont-ils été tués dans l'accident, ou ont-ils eu le temps de retourner chez eux pour mourir ? J'évite de regarder les fenêtres du tram, couvertes de buée quand elles ne sont pas brisées.

Il y a peu de corps gisant dans les rues, je m'attendais à pire. Il n'y a plus que la vermine et le silence des hommes.

Les médias parlaient de morts par millions et j'ai vu d'innombrables images de charniers sur Internet. Ici, les malades doivent être restés chez eux pour mourir décemment, discrètement, à la lyonnaise. Ou bien se sont-ils tous précipités dans les hôpitaux devenus à la fois les morgues et les principaux foyers de propagation de l'épidémie ? Les deux premiers jours, quand on croyait avoir affaire à des méningites ou des purpuras fulminans, les malades foudroyés par la fièvre et les hémorragies ont été emportés vers les services d'urgence. Les précautions usuelles se sont révélées insuffisantes. Ils ont contaminé les personnels médicaux qui ont fait partie du contingent suivant.

Mais pas tous les médecins.

Pas les épidémiologistes qui essayaient de contrer la maladie, dans leurs laboratoires. Mon père ?

Nous y voilà. J'arrive enfin sous les plus hauts immeubles du quartier de Gerland. La boule que j'ai au ventre, elle me taraude comme un ulcère.

Tu as peur, Stéphane. Peur de savoir.

J'aperçois la tour P4 et m'arrête, un instant. Le laboratoire où travaillait mon père est plongé dans le noir. Je ferme les yeux, inspire profondément. Il faut continuer, aller voir, faire quelques pas de plus.

Papa. Es-tu parti, es-tu mort ?

S'il restait des chercheurs, il y aurait des groupes électrogènes qui fonctionneraient même en pleine journée. Rien ne serait plus vital pour l'avenir que le travail effectué par mon père, ses collègues, leurs équipes qui étudiaient les virus mortels, dans ce laboratoire unique en Europe.

La tour est obscure, donc vide.

Es-tu parti? Es-tu mort? Quand reviendras-tu?

Deux jeunes gens discutent, à quelques dizaines de mètres de l'entrée. Ils fument. Je les aborde :

– Il reste quelqu'un, par ici?

– Ça dépend. Tu cherches qui? me demande le plus grand d'entre eux, l'air méfiant.

Il a mon âge et un fusil sous le bras. Je montre la tour :

– Mon père, le Dr Certaldo. Il bossait au labo P4.

– Alors oublie, répond le deuxième, plus gentiment. Les militaires ont évacué le labo avec des hélicos, il y a neuf jours. Les deux étages les plus bas sont minés et l'accès est interdit avant le retour de l'armée.

Trop d'informations, d'un coup… Je vacille. Il reste des adultes, l'armée, les militaires. Vivants. Ils ont évacué les chercheurs il y a neuf jours. Évacués, mais vivants.

Partis. Mon père est parti.

«Suis de retour dès que ce sera possible», m'a-t-il écrit voici dix jours. Et dès le lendemain, il prenait la fuite. Sans moi. Sans même me prévenir.

A-t-il essayé?

– Tu comptais sur lui? demande le moins rude des deux jeunes fumeurs. Si tu n'as nulle part où aller, tu peux te rendre sur une zone de ravitaillement, un R-Point. Il y en a un tout près d'ici, au campus de l'École normale supérieure. Tu es élève où?

– Au lycée du Parc.

– Alors, tu dois aller t'inscrire à la Tête d'Or. Ils te diront où loger.

– Ça ira, balbutié-je. Je vais me débrouiller.

NUIT DU 2 AU 3 NOVEMBRE

La nuit m'a presque surprise au retour. Je remonte nos quatre étages à tâtons dans l'obscurité. La coupure d'électricité dure depuis vingt-quatre-heures maintenant. Est-elle définitive ? Il n'y a plus assez de survivants pour faire tourner les centrales…

Dans l'escalier, mon cœur se met à battre plus fort. Au moment où j'introduis la clé dans la porte, l'espoir, cette déraison, me submerge. Je ne peux m'empêcher de croire à son retour, encore, les mains tremblantes… J'ouvre.

Personne. Il n'est pas revenu, pas aujourd'hui, pas davantage qu'hier. J'avais laissé un mot à son intention, devant sa photo posée sur la table de la salle à manger : « Je suis partie te chercher à Gerland. Je reviens dans trois heures. S. »

Je prends le portrait encadré, le regarde pour la centième fois. La photo a été prise lors d'une de ses missions « Ébola » en Guinée. Sur le cliché, le Dr Philippe Certaldo est sale, fatigué, torse nu et en sueur sous sa blouse blanche largement ouverte, mais il sourit…

Je saisis mon propre reflet sur le verre du cadre.

Moi aussi, j'ai l'air épuisée, mais je ne souris pas. Je continue pourtant à lui ressembler : même haute silhouette maigre et nerveuse, même visage trop long avec des cheveux prématurément gris coupés courts dont les épis se rebellent, mêmes mains osseuses, un peu trop pâles pour quelqu'un qui aime le soleil. Joli tableau… On dit que j'ai ses yeux, aussi, des yeux gris ; chez lui, ils brillaient d'intelligence pendant nos conversations. Mon père est un homme séduisant, qui a eu « des aventures » avec de nombreuses femmes-médecins, sans se soucier de ma mère. Moi, je suis une fille. Une fille à laquelle ses parents ont donné un prénom soi-disant mixte, un prénom à la con, Stéphane ; une fille dont les cheveux sont gris depuis l'enfance, comme une vieillesse précoce.

J'essaye d'ouvrir les stores électriques qui masquent les fenêtres. À quoi bon rester cloîtrée, désormais ? Aujourd'hui, j'ai respiré l'air vicié de Lyon à pleins poumons et je ne suis pas morte.

Quand je parviens finalement à forcer un des stores avec un pied de chaise en métal, la nuit est définitivement tombée. L'appartement a plongé dans les ténèbres. J'allume une bougie dont la flamme vacille. 2 novembre, fête des morts. Ma mère, bretonne et catholique, croyait à ces choses-là : la mort, la résurrection. Peut-elle encore y croire, quelque part, parmi des survivants, ou a-t-elle reçu finalement l'ultime réponse ?

À suivre…

FLORENCE HINCKEL

.YANNIS

1ᴱᴿ NOVEMBRE, 8 HEURES

Il glisse sur l'eau.

Le monde est en train de finir. Des flammes dansent et lèchent le ciel derrière moi. Et je ne peux détacher mon regard de cette chose, là, qui flotte.

J'ai le cœur en mille milliards de morceaux, les pieds dans le chaos, et le soleil est froid sur mon visage.

Le ferry-boat dérive doucement sous le palais du Pharo, comme une coquille de noix perdue, sans attache. Le soleil éclaire le port et un reflet se fiche dans mon œil. C'est le bouton brillant d'une veste. La veste du corps qui glisse sur l'eau.

C'est le premier que je vois. Un cadavre met plusieurs jours à remonter à la surface. Beaucoup d'autres vont suivre, et le port va devenir méconnaissable. De toute façon, ce que j'ai vécu sur ces quais ne reviendra plus jamais. Rire et courir, se prélasser sur un banc, y déguster une glace, pêcher les petits poissons avec du pain au bout d'un hameçon, interpeller les pêcheurs sur leurs barques, chasser les goélands, admirer le scintillement des vagues… Plus jamais.

—

Sans ce message de Khronos, je n'aurais jamais trouvé la force de sortir de chez moi. La force de m'arracher d'eux, papa, maman, Camila : ma famille.

Je savais que je devrais sortir un jour ou l'autre, sinon je serais resté enfermé dans ma chambre pour toujours, et j'y serais mort de faim, une fois mes réserves épuisées : biscuits, canettes de Coca, pommes, oranges, yaourts conservés au frais sur le rebord de ma fenêtre. Ou bien je serais mort de froid, parce que l'hiver s'installait et que l'électricité finirait par être coupée pour de bon, et que j'étais incapable de trouver des trucs à brûler, même chez moi, où je n'osais rien toucher.

Sans ce message, je serais resté prostré pendant des jours et des jours, et le soleil aurait toujours fini par réapparaître, mais aurais-je réussi à compter combien de fois ? J'aurais perdu le fil, c'est sûr. Je me serais laissé engloutir par le néant.

Sans ce message, et sans Happy, aussi, je n'y serais jamais arrivé. Mon bon chien, fidèlement allongé près de moi. Par moments, il disparaissait, sans doute pour trouver à manger, mais il revenait toujours en couinant, et il posait son museau sur ma jambe. Ses yeux brillants m'adressaient plein de questions. Je plongeais ma main dans son pelage fourni, noir à encolure blanche, et ne lui disais rien puisque les mots m'avaient abandonné. Dans ma tête, j'étais encore un Expert de Warriors of Time, auquel je consacrais tout mon temps, avant tout ça. J'aimais tellement ce jeu que mon grand pote RV, avec qui je traînais des journées entières quand on était petits, se plaignait de ne quasiment plus me voir...

Terrorisé par le silence, j'oubliais Yannis, le garçon faiblard et paumé dans un monde en train de se liquéfier, pour devenir son avatar de WOT, le puissant Adrial, chevalier bondissant dans le temps et traversant le chaos de multiples guerres sans une égratignure.

—

Parfois, des cris fusaient. Des pleurs naissaient et mouraient. Des coups résonnaient dans les appartements voisins. Alors que tout était immobile sous le soleil, la rue s'animait à la tombée de la nuit. J'allumais trois bougies à côté de mes manuels de classe, et j'entendais des talons claquer au-dehors, doucement, puis rapidement, puis avec affolement. Des appels déchirants. Parfois, des explosions lointaines. D'autres fois, des détonations. *Bam !* Qu'est-ce que c'était ? *Paw !* On aurait dit des coups de feu. Mais qui tirait ? Sur quoi ? Sur qui ? Des hurlements fendaient l'air. Je plaquais fort mes mains contre mes oreilles, fermant les yeux et voulant disparaître...

Quand l'électricité revenait, je clignais des yeux, ébloui par ma lampe, et subitement de la musique s'échappait à plein volume ici ou là dans le quartier, créant des rires faux et nerveux. Moi, je ne pensais qu'à une chose : aller sur WOT, où on récoltait armes et techniques de combat dans le futur pour être plus puissant dans le passé. Parfois, l'inverse fonctionnait aussi, et le passé pouvait aider le futur. Dans ce jeu, j'étais fort. Beaucoup plus que dans la vie, ou à l'école... Désormais, je m'y connectais seulement pour entrer en contact avec mes potes Experts, et leur demander s'ils avaient des nouvelles de Khronos, qui avait comme disparu depuis plus d'une semaine. Qu'ils viennent de Bretagne, de Paris, de Toulouse, Metz ou Lyon, les Experts disaient tous la même chose. Le virus était partout. La panique, aussi.

SuperThor3 : Keskispasse, putain, c la fin du monde ou koi ? Ici, ça ressemble à l'enfer...

Laféedhiver : Moi je vis ds 1 village super isolé. Mais le virus é qd mm arrivé jusqu'ici...

Adrial : Les infos disent que c mondial...

Lady Rottweiler : Ouaip, pareil à Lyon, faites gaffe à vous, écoutez-moi. Surt...

Lady Rottweiler, de Lyon, avait l'air de s'y connaître en médecine et, les premiers jours, elle avait eu le temps de nous donner des recommandations d'hygiène. Puis la grande rumeur du Net s'était tue à son tour, nous laissant chacun seul. Seul au cœur de l'apocalypse...

Quand il est devenu impossible de se connecter à WOT, j'ai cru devenir fou. C'était mon dernier contact avec le monde extérieur. Et ma dernière source de courage...

Je sais que derrière les mots de mes potes Experts, même de Lady, se cachaient le chagrin, le deuil, la détresse, les larmes, la peur, un sentiment d'abandon... Moi non plus, je n'ai rien dit de tout ça. On voulait continuer à se conduire en héros, même dans ce putain de monde réel.

Se conduire en héros ! Alors qu'en fait je n'avais même pas le cran de me bouger ! Trop habitué à me faire dorloter, incapable de me débrouiller par moi-même. Mes parents ne m'ont jamais laissé préparer ne serait-ce que des pâtes, ni toucher un clou ou même un marteau. Ils préféraient que j'étudie. Et je n'ai jamais été du genre à insister pour aller chez les scouts, ce truc de bourges. Pour moi, le seul lieu où je ne perdais pas mon temps, c'était mon jeu en réseau. Le virtuel, c'était l'avenir, et le seul moyen de me créer une importance sociale qui me servirait plus tard. Et puis l'école, ce n'était pas mon fort. Au lieu de bosser mes cours, je travaillais en douce mes compétences no-life qui, j'en étais sûr, m'aideraient un jour dans la vraie vie.

Si mes parents avaient su ! Eux qui croyaient que mes bonnes notes en français étaient dues à des heures de travail. C'était juste que le français était ma matière préférée, même si je n'étais pas aidé, puisque mes parents le parlent bien mais l'écrivent mal. Enfin...

Ils le parl*aient* bien et l'écriv*aient* mal.

Ressaisis-toi, Yannis, m'ordonne Adrial. Et me voilà dans ma tête avec son apparence, vêtu de son armure, les cheveux longs, les muscles luisants, une épée à la main et une kalachnikov sanglée dans le dos. Je frappe mon poing deux fois contre mon cœur, et écrase rageusement mes larmes. OK, Adrial, mais ne m'abandonne pas, s'il te plaît. Reste avec moi, reste avec moi...

1ᴱᴿ NOVEMBRE, 9 HEURES

Aujourd'hui, alors que je suis des yeux ce cadavre qui danse au gré des vaguelettes, je parle à la Mort. Elle, dont j'osais à peine prononcer le nom avant, est comme une amie maintenant. Hey, la Mort, ça va ta vie ? Combien de gens t'as embrassés, aujourd'hui ? Ah ouais, quand même...

La Mort... J'attendais qu'elle frappe à ma porte, grelottant sous ma couette, fasciné par ce ciel bleu qui se moquait de tout, des vivants, des morts ou des agonisants, et surtout de moi. Ce ciel juste occupé à se diluer en élégants dégradés qui se déchiraient en début et fin de journée. L'eau du port reflétait ses couleurs comme avant, les mâts des bateaux s'entrechoquaient comme avant, les gabians criaient comme avant, mais aucune parole, aucun cri, aucun moteur, aucune musique, aucune présence humaine comme avant...

Le soir venu, je sursautais au bruit des corps jetés à l'eau. Les idiots... J'ai beau ne pas savoir grand-chose de la vie, je sais que l'eau est précieuse, mon père me le répétait souvent et ma mère avait gardé l'habitude de son enfance en Algérie de ne pas en gaspiller une goutte. Riant elle-même de ses vieilles habitudes, elle plaçait toujours une bassine sous chaque robinet au cas où il se mettrait à fuir. Jeter les cadavres dans la flotte, c'est la pire façon de se débarrasser des morts. Rien de mieux pour propager les saloperies et rendre la ville encore plus insalubre.

Et puis ce matin, je me suis réveillé en claquant des dents. J'ai consulté la montre de papa, que j'ai mise à mon poignet avant-hier, quand j'ai réalisé que bientôt mon téléphone n'aurait plus de batterie. Il était 1 h 11 très précisément. J'ai d'abord cru que c'était le froid qui m'empêchait de dormir, mais un *ding* a retenti, me rappelant que j'en avais entendu un autre dans les brumes de mon sommeil. L'électricité était revenue ! J'ai d'abord posé la main sur le radiateur à côté de mon lit. C'était chaud et ça faisait du bien dans cette atmosphère de frigo. Le *ding*, c'était le thermostat. Puis je me suis rué sur mon ordi pour l'allumer. J'avais reçu un message sur WOT. Un message de Khronos.

Je connais le moyen de remonter le temps. Je l'ai toujours connu. Mais seul, je ne peux rien faire. Rejoignez-moi. Ensemble, nous pourrons éviter la catastrophe en réécrivant le passé. Croyez en moi, croyez en vous, et nous gagnerons contre notre ennemi le plus puissant : le Virus.

Rendez-vous le 24 décembre à minuit sous la plus vieille horloge de Paris.

J'ai tout de suite pensé : pourvu que les autres Experts l'aient reçu et qu'ils l'aient lu ! J'ai alors ressenti une grande bouffée d'espoir qui a dressé un rideau très fin entre la mort et moi. J'ai relu les mots de Khronos, et je ne savais plus si je devais en rire ou en pleurer. *Je connais le moyen de remonter le temps...*

Tout ce chaos a dû faire péter les plombs au maître de WOT. Peu importe. Ce qui compte, c'est le rendez-vous. Se retrouver. Se rassembler. Les héros, virtuels ou réels, ont l'habitude de se battre. Machine à remonter le temps ou non, on se battra. Pour survivre. Pour reconstruire. Pour ne plus être seuls...

Je ne sais rien ou presque des autres, mais pour nous reconnaître, il suffira d'accomplir notre signe de ralliement : frapper son cœur par deux fois, de la main droite, poing fermé.

J'ai décidé de bouger au point du jour. C'était plus facile que dans l'obscurité. C'est moi, Yannis, qui ai fourré dans la poche intérieure de ma doudoune une photo de papa, maman, Camila et moi, prise pour les neuf ans de ma petite sœur en mai dernier. J'y ai glissé aussi une enveloppe, celle que papa avait posée sur mon bureau, comme une fleur très fragile, dès qu'il s'était senti atteint par le virus. « Tu liras ces quelques mots quand tu ne sauras plus qui tu es vraiment. Yannis, tu comprends ? » Ses yeux brillaient et pas seulement de fièvre. Je n'avais rien compris, mais j'avais gravement hoché la tête... C'est encore moi qui ai emporté mon téléphone portable et son chargeur. Moi, encore, qui n'ai pas pu résister à la tentation d'emporter l'une de mes figurines du *Seigneur des anneaux*. Je ne me voyais pas abandonner Frodon brandissant son épée, au moment d'affronter ce monde.

Par contre, c'est Adrial qui a donné le signal du départ à Happy. C'est lui qui est sorti de ma chambre, et qui a affronté l'horreur et la puanteur du salon. Lui qui a rempli mon sac à dos en mode survie : vêtements de rechange, savon, corde, briquet, allumettes, couteau suisse, duvet, et de quoi boire et manger. C'est lui qui a frôlé les corps de mes parents encore allongés sur le canapé alors que les souvenirs menaçaient de me submerger : l'attente du médecin, les soins désespérés que j'avais tenté de leur prodiguer, et puis mes cris... Adrial, parfaitement maître de lui, a ouvert la porte d'entrée et a couru hors de l'appartement.

Mon armure de chevalier s'est volatilisée dans la cage d'escaliers. J'ai soudain été frappé par une multitude d'images. Maman grimpant les marches, les bras chargés de sacs de course, me souriant ou me gueulant dessus, mais sans méchanceté. Maman portant Camila encore bébé dans ses bras, puis la tenant par la main. Camila me tirant la langue et me traitant de «tomate pourrie» en éclatant de rire. Papa, son air et sa démarche calmes, passant sa main sur son crâne presque chauve, comme il en avait l'habitude. Il me voit, son regard s'allume, son sourire s'agrandit et il dit : «mon fils»...

Sous le choc, j'ai enfoui mon visage dans le creux de mon coude. Je l'ai frotté pour en sécher les larmes. Happy a couiné, inquiet. J'ai reniflé et me suis précipité vers l'étage du dessus. Depuis deux jours plus personne d'autre que moi ne semblait vivre dans l'immeuble mais, au moins, j'en aurais le cœur net ! J'ai frappé de toutes mes forces à la porte numéro 10.

– Franck ! T'es là, Franck ?

Happy a jappé. Franck venait souvent à la maison, pour me donner des cours de maths. Il adorait taquiner Camila. En échange des cours, papa faisait des petits travaux de maçonnerie dans son appart. C'était son premier métier, maçon, avant qu'il devienne gérant de supérette. Franck, lui, étudiait à la fac. Quel âge avait-il ? Peut-être avait-il un an d'avance, doué comme il était ? U4 n'a épargné aucun individu de moins de quinze ans, ni de plus de dix-huit, on s'en est vite aperçu. On ignore pourquoi et c'est tout ce qu'on sait sur ce virus qui semble avoir tout anéanti sur son passage. Paniqué, j'ai hurlé :

– Quel âge t'as, Franck ? Quel âge t'avais ? Réponds ! C'est quoi ton âge ?

Personne ne m'a répondu. Rien n'a bougé dans l'immeuble. Combien de temps suis-je resté devant la porte numéro 10 ?

Adrial s'est réveillé, recroquevillé contre le mur, alors qu'un rayon de lumière lui chauffait la joue. Happy était serré contre lui. Adrial s'est redressé précipitamment, a inspiré et expiré à fond, avant de dévaler les escaliers. Il s'est jeté dans la rue baignée de ce grand soleil de novembre et fouettée par le mistral. Adrial a rassemblé les tas de déchets qui encombraient l'entrée de mon bâtiment et des immeubles voisins, les a disséminés dans les couloirs, dans les escaliers, partout et surtout devant notre appartement. Puis il est ressorti dans la rue et il a crié :

– Y'a plus personne là-dedans ? Si vous êtes encore là, sortez !

Il a attendu.

– Sortez, bon Dieu ! Franck ! T'es sûr que t'es plus là ? Madame Tibaut ? Younis et Majda ?

Et le vieux à la canne qui râlait tout le temps ? Et cette famille comorienne au nom imprononçable ? Et le chat Cannelle ? Est-ce qu'ils n'étaient vraiment plus là ?

Le vent sifflait en s'engouffrant dans les ruelles. Dans son dos, Adrial devinait des mouvements, des chuchotements, des présences. On l'observait sans doute derrière les vitres brisées. On se moquait peut-être de lui parce qu'il parlait à des morts. Tant pis. Tant mieux. Qu'ils en prennent de la graine. Qu'ils cessent de balancer les morts dans l'eau. Qu'ils fassent comme Adrial, qui a sorti la boîte d'allumettes. Il en a gratté une, en a observé la flamme durant quelques secondes, puis l'a jetée dans une colline de journaux et de papiers. Il a regardé les flammes grandir et monter vers le ciel, tout en caressant Happy terrifié. Brûler l'immeuble d'un coup, avec ceux qui y ont vécu des moments de joie, de chagrin, des soucis et du bonheur, c'était plus respectueux. Dans ce quartier du Panier, les vieux logements brûlent comme des fétus de paille, surtout un jour de fort mistral.

Adrial a senti des larmes sur ses joues. Il a prié les dieux qu'il connaissait. Il a rassemblé les bribes de volonté qui lui restaient, dans un effort surhumain. Ç'aurait été tellement plus facile de s'écrouler là, dans la rue, ou mieux, de se jeter dans les flammes. Oui, beaucoup plus facile. Mais il ne l'a pas fait. Il s'est redressé, parce qu'il s'appelait Adrial, chevalier de WOT, puis il a couru jusqu'ici, sur ce banc, devant l'eau du port qui brille, sous ce mistral violent, avec des flammes qui dansaient dans son dos.

Moi, Yannis, je pleure maintenant à gros sanglots. Selon la religion dans laquelle j'ai été élevé, en laquelle je ne suis plus sûr de croire, puisque je ne crois plus en rien depuis cinq jours, on ne brûle pas les morts. Le corps doit retourner à la terre pour que la fusion avec la nature soit immédiate et plus rapide. Brûler le corps l'empêche de retourner dans le grand cycle de la vie, et l'âme en souffre. J'ai supplié le dieu de mes parents de croire qu'il s'agissait d'un cas très spécial, et de comprendre que je n'avais pas le choix. Où aurais-je trouvé la force de transporter les trois corps jusqu'au jardin des vestiges du Centre Bourse, et d'y creuser leurs tombes ? Toi, Dieu, qui que tu sois, quelle que soit la religion de ce monde qui se déglingue, pardonne-moi et sauve l'âme des miens !

Dans mon dos, un immeuble en flammes. Devant moi, la mer qui vomit les cadavres. Droit devant sur une colline, la Bonne Mère immobile et dorée, celle qui est censée protéger les Marseillais. À mes pieds, mon chien bâtard, croisement de border collie et de race inconnue. Dans ma tête, l'idée d'une horloge à Paris, dont j'ignore tout. Et sur mon cœur, l'image de ma famille.

À suivre...

Mise en pages : DV Arts Graphiques à La Rochelle
N° d'éditeur : 10222593
Achevé d'imprimer en décembre 2015
par CPI Brodard et Taupin (72200 La Flèche, Sarthe, France)
N° d' impression : 3015077